ex libris
PMW

DESCENTE
AUX ENCHÈRES

www.editions-jclattes.fr

Vincent Noce

DESCENTE AUX ENCHÈRES

Les coulisses du marché de l'art

JC Lattès

A Joël Grynbaum,
qui le premier me fit franchir les portes
de Drouot,
djinn parti trop tôt en fumée.
Et à Pierre Lemoine,
qui me fit voir Versailles, Venise et
Rome avec ses yeux.
Ceux d'un homme libre.

« A quoi servent les règles,
si elles ne sont jamais violées ? »

Vieux dicton français.

Avertissement

Cette chronique porte sur la période durant laquelle le franc avait cours. Les opérateurs du marché de l'art, cultivant le cosmopolitisme, aiment jongler avec les lires, les francs suisses ou les marks, et par-dessus tout les dollars, quand ils n'optent pas pour des abréviations abstruses. Lorsqu'un grand marchand comme Daniel Wildenstein, conversant avec son bureau à New York, parle d'« un Braque qui vaut bien 35 », le quidam s'égare dans les spéculations.

Par souci de simplicité, nous avons choisi d'indiquer tous les prix en francs. Les conversions à partir du dollar ou de la livre sont conformes au cours de l'époque.

Une note indique la valeur en euros, réactualisée en tenant compte de l'évolution du pouvoir d'achat. Quand la date est éloignée, l'équivalent réactualisé en francs suit entre parenthèses. 1 million de francs dépensé pour un tableau en 1970 correspond, en effet, à 850 000 euros, soit plus de 5,5 millions de francs 2000. Est-il besoin de préciser que ces critères de convenance sont dépourvus de toute rigueur scientifique devant la variabilité des cours du marché de l'art ?

1.

Pèlerinage à Lourdes

A la porte des casinos, de vigilants physionomistes s'efforcent d'écarter les fous du jeu. Dans les salles de ventes aux enchères, il faut se livrer à beaucoup d'excès pour devenir indésirable à force de perdre. Certains compulsifs s'abstiennent d'entrer en ces arènes, tant ils se savent vulnérables à la mordante férocité des combats informes qui s'y livrent.

Tout comme à une table de poker, si la démesure y trouve sa part secrète, les gestes se font économes. Une moue à peine esquissée, un index levé ou bougé en signe de dénégation, un battement de cils, un doigt posé sur une paire de lunettes suffisent à signer une défaite ou une victoire. Ce rituel rassemble les protagonistes au-delà de leurs divergences d'intérêt, tout en les cerclant d'un mur de protection. De curieuses expressions sont échangées, répondant à un code chiffré.

A Paris, l'hôtel des ventes bruit constamment de rumeurs, de nouvelles fabuleuses, de soupçons d'infamies et d'annonces de malédiction, si bien, et sans aucun doute est-ce une fonction implicite de cette agitation, que l'endroit fait peur à l'étranger. Et pourtant, il n'est pas si compliqué de s'introduire dans une salle de ventes, et même d'en devenir un habitué. Il suffit de bien vouloir apprendre, et il faut y mettre de la passion. Cet amour est celui de l'objet, cette passion celle de la connaissance.

L'objet, ce peut être tout objet. Car tout peut se vendre aux enchères, une peinture bien sûr, mais encore qu'est-ce qu'une peinture ? Il y a autant de rapport entre un chromo d'« art russe » et un ex-voto du XVIIe siècle qu'entre une pendule, une bouteille de vin et un manteau de fourrure. Tout ceci est à vendre et beaucoup d'autres choses aussi : au cours des siècles, l'hôtel des ventes a vu passer un fragment de « la vraie Croix » – une minuscule écharde en fait (il paraît qu'on pourrait reconstituer une forêt avec les vraies échardes de la vraie Croix, mais, à Rome, ce point est discuté) ; une guillotine de la Terreur (la « vraie guillotine », bien sûr, celle qui, place de la Révolution, décolla la tête du malheureux Louis XVI) ; une capsule spatiale soviétique ; des canards siffleurs, des coqs blancs du Brésil et une mygale tueuse, qui fut, attestent les témoins, emportée par une crise cardiaque dans l'agitation de la vente (plus tard, il fallut bien se résoudre à mettre fin aux ventes d'animaux, qui, décidément, créaient trop de désordres) ; des saillies d'étalon – enfin, plus exactement la promesse de saillies d'étalon ; la cuisinière dans laquelle Landru faisait mijoter les restes de ses chéries ; un tendon de Napoléon, qui serait en fait son pénis, extrait du corps à Sainte-Hélène, avec tout le soin qu'on imagine, par son médecin personnel ; et, paraît-il, le cerveau de Voltaire dans un bocal de formol, oublié dans un meuble où il avait trouvé provisoirement refuge. Et, aussi, le corps d'un guerrier patagon momifié, retrouvé dans le fatras d'un garde-meuble. Pour mettre ce brave aux enchères, il fallut bien une décision de Justice. Le lot fut adjugé 8 200 francs. C'était en 1913. Mais attention : on ne saurait trouver dans une salle de ventes « ce qui blesse ouvertement la pudeur ». Et la vente aux enchères d'une édition originale des *Fleurs du mal* de Baudelaire fut en son temps interdite, un temps il est vrai où le livre était proscrit...

Tout est affaire de goût. On peut se plaire à accrocher dans son salon une marine, qui n'évoque Turner qu'en y mettant beaucoup d'imagination et de fantaisie. On sait très bien aimer les montres et ne rien comprendre au Caravage, collectionner la BD et n'avoir qu'incompréhension pour la sculpture antique. Encore faut-il déjà aimer. Même quand on souhaite tout simplement meubler sa maison de campagne à bon prix, encore faut-il choisir. Pour le reste, il suffit de pousser la porte de l'hôtel des ventes de la cité.

Dans la capitale, il s'appelle Drouot. Les commissaires-priseurs ayant été dotés par leurs Grâces de beaucoup de qualités, que nous ne manquerons pas d'énumérer au fil de ces chapitres, ils n'ont jamais pour autant débordé d'imagination. Reprenant l'enseigne de la rue, ils ont donc surnommé leur hôtel des ventes du patronyme du général, fils de boulanger et « sage de la Grande Armée », fidèle parmi les fidèles qui sut se distinguer à Hanau et Waterloo. Il y a encore deux siècles, les ventes judiciaires se faisaient en place publique, à Saint-Michel ou au Châtelet. Afin de protéger les commissaires-priseurs des « injures du temps », un lieu de ventes fut ouvert en 1805 à l'hôtel des Frères, rue Grenelle-Saint-Honoré. Après plusieurs déménagements, la compagnie se retrouva place de la Bourse, non loin de son emplacement actuel. En 1837, exaspérés par l'exiguïté des lieux, huit commissaires-priseurs se proposèrent d'ouvrir un nouvel espace. La sécession, qui n'était pas la dernière, fut vite étouffée dans l'œuf par la Compagnie. En 1850, elle fit cependant l'acquisition d'un terrain de 1 752 m² dans le fief de la Grange Batelière, un marais assaini où les Parisiens pratiquaient la chasse au canard et à la grenouille quelques décennies plus tôt. La nouvelle maison de ventes bénéficiait néanmoins d'une antériorité de noblesse puisqu'elle se trouvait à l'endroit où, avant la Révolution, le chancelier Anne-Louis Pinon de Quincy avait installé son hôtel particulier. Décidément imprévoyants, les commissaires-priseurs se retrouvèrent bientôt contraints de procéder à un premier agrandissement dix-sept ans plus tard. Le quadrilatère formé par cet imposant édifice néo-classique donnait alors sur les rues Drouot, Chauchat et Rossini.

Eclairé au gaz, l'hôtel était chauffé au calorifère à houille. La température des salles en hiver tombait à 10°, mais la chaleur de la foule et le feu des enchères faisaient le reste. Car les temps étaient à la prospérité. La suprématie de Drouot allait rester incontestée durant un siècle. Attirées par la réputation de la place et une fiscalité avantageuse[1], les collections fabuleuses affluaient, de France mais aussi de l'étranger. La mise à l'encan de celle du duc d'Albe, en avril 1877, dura vingt-deux jours. Elle comptait soixante-quinze tapisseries, quatre cents gravures, des peintures de Velazquez, Murillo et Rubens.

Comme à l'Opéra et au théâtre[2], le public participait avec bien plus d'entrain qu'il ne veut en montrer aujourd'hui. Pour le pire aussi : le marchand Paul Durand-Ruel rapporte comment, en 1875, une vente de toiles d'artistes nommés Monet, Sisley ou Renoir s'est déroulée sous les huées, les sarcasmes et les injures. *Le Printemps* de Monet fut péniblement adjugé 205 francs. En 1895, un certain Gauguin se heurta à la même incompréhension quand il voulut vendre ses peintures de retour de Tahiti. « Il en pleurait comme un enfant. »

Dans le grouillement des charretiers, des chiffonniers, des pauvres gens et des mauvais garçons, les défroques saisies suite aux déconfitures des citoyens parisiens étaient proposées au plus offrant au rez-de-chaussée ou dans la cour, ce qui lui valut d'être appelée « la cour des massacres ». Là échouaient la misère et le malheur. La particularité des commissaires-priseurs a toujours été de mêler des dispersions exceptionnelles à un quotidien alimenté d'une masse informe d'objets de brocante.

---

1. Les ventes étaient frappées, en tout et pour tout, de 7 % de frais et taxes.

2. Dans un théâtre de boulevard comme les Bouffes-du-Nord, l'acteur interprétant le rôle du méchant était consciencieusement sifflé et hué. Il pouvait même se faire rosser à la sortie.

A l'entrée du bâtiment, un placard avertissait : « Ordonnance concernant les mesures d'ordre à observer, aux abords et à l'intérieur de l'Hôtel des Ventes, 18 juin 1894. Article premier : les abords et les locaux intérieurs de l'Hôtel des Ventes sont interdits aux vagabonds et aux filles publiques. » Le précepte mit du temps à s'imposer. Il fallait aussi chasser les brocanteurs effrontés se livrant au « jeu de la carotte », c'est-à-dire négociant leur marchandise dans les escaliers de l'immeuble ou sur les trottoirs, tout en essayant de débaucher le client de passage, venu proposer ses biens à un commissaire-priseur. Ou encore prévenir les moyens divers et variés de saboter le cours normal des enchères. Autour de 1900, le trésor de la congrégation des pères du Sacré-Cœur de Betharram étant mis à la criée, après sa dissolution au nom de la loi de la République de 1880, le père supérieur fit afficher dans la paroisse la menace de « frapper d'excommunication ceux qui touchaient à ces biens ». Ce qui lui valut d'écoper d'une condamnation devant le tribunal de Pau pour « délit d'entrave aux enchères »[1]. Cette tradition ne s'est pas perdue avec le temps. Aujourd'hui, cependant, les antiquaires prennent garde d'observer une plus grande discrétion quand ils veulent discréditer un lot proposé dans une vente par un concurrent. A leurs clients fortunés et amis influents, ils glissent à l'oreille :

— Ce meuble est vraiment étrange, vous ne trouvez pas ? Personne ne peut songer à se rendre acquéreur d'un tel monstre. Ce serait un faux que cela ne m'étonnerait pas autrement...

Fondé ou non, il suffit que le bruit se répande pour que le meuble devienne invendable.

En 1902, un intrépide reporter du *New York Herald* revint de Drouot sans pouvoir dissimuler son effroi à la

---

1. François Duret-Robert, *Les 400 coups du marteau d'ivoire*, éditions Robert Laffont, 1964.

vue des « brocanteurs en loques » du rez-de-chaussée, et de « l'épouvantable poussière régnant dans les étages » de ce « vilain bâtiment de style néo-grec ».

En 1923, le *Journal des commissaires-priseurs* rappelait l'interdiction de prendre les enchères d'un ivrogne, capable à lui seul d'exciter toute une salle si l'on en croit ce sage commentaire : le vin, « pris sans aucune mesure, échauffant les têtes, l'exaltation se communique ; la plupart des enchérisseurs, entraînés par l'esprit de vanité, poussent les mises et contractent des engagements au-dessus de la valeur des choses et de leurs facultés ». Dans le cas où un lot a ainsi été malencontreusement attribué à un enchérisseur dans l'incapacité de payer, le commissaire-priseur doit annuler la « folle enchère », pour le remettre en vente. Si l'adjudication est inférieure à celle préalablement établie, le « fol enchérisseur » est néanmoins appelé à régler la différence.

En 1943, un polémiste conseillait vivement de rester sur ses gardes en un lieu aussi inquiétant, « l'hôtel des ventes étant le plus grand centre de la duperie française : on se trompe non seulement sur les objets qu'on y achète, mais même sur les hommes qu'on y rencontre »[1].

Après les années de dépression, Drouot renouait avec une période particulièrement faste du commerce de l'art parisien. Les Allemands achetaient sans compter. Les galeristes venaient se fournir à bas prix dans les ventes de « biens israélites ». Après les prostituées et les galvaudeux, des panneaux interdisaient l'entrée de Drouot « aux Juifs et aux chiens ». Des commissaires-priseurs furent radiés. Quand Me Maurice Rheims voulut reprendre ses fonctions, après la guerre, il fut accueilli avec embarras par son confrère qui avait été désigné administrateur de sa charge[2] :

— C'est bien ennuyeux. Ce n'est pas de ta faute, mais

---

1. Louis-Léon Martin, *Les Coulisses de l'hôtel Drouot*, éditions du Livre Moderne, 1943.
2. Me Maurice Rheims, *Dans tous mes états*, entretiens avec François Duret-Robert, éditions Gallimard, 1993. Cette période de Drouot reste à écrire.

avoue que tu t'es fichu dans une situation regrettable : être juif !

Débordés par le succès de leur commerce, les commissaires-priseurs parisiens se trouvaient régulièrement à l'étroit. En 1928, ils avaient acheté l'immeuble faisant face à l'hôtel, dans la rue Drouot. En 1941, ils cédèrent à la panique : par crainte des bombardements, ils le revendirent, en sacrifiant la moitié de leur investissement. Soixante ans plus tard, cette anecdote apparaît comme l'avant-signe affligeant d'une longue descente aux enfers.

L'ingénieur Edoux avait installé à Drouot, en 1865, un des premiers monte-charges hydrauliques de Paris : une énorme cuve s'emplissait et se vidait de son eau pour faire contrepoids. L'appareil fonctionna bravement, au prix de quelques transformations, jusqu'en 1950. En fin de carrière, il devint un peu capricieux, si bien que, de temps à autre, il lui arrivait d'écraser une armoire à grand fracas. Les pompiers ont toujours prédit le pire pour l'hôtel des ventes, mais le seul incendie qu'il connut, dans ses sous-sols en 1968, ne fit que peu de dégâts : quelques vieux meubles, dont les commissaires-priseurs étaient sans doute heureux de se débarrasser, et plusieurs centaines de bouteilles de vin, consignées là depuis toujours par le service des douanes. Mystérieusement, beaucoup avaient déjà été vidées de leur contenu.

Longtemps, les commissaires-priseurs les plus lucides ont vainement réclamé un nouveau déménagement, vers les beaux quartiers de l'Ouest parisien[1]. A la suite d'un compromis avec la municipalité et la BNP, un nouvel hôtel des ventes fut construit en lieu et place de l'ancien, qui paraissait impossible à restaurer. Les commissaires-priseurs obtinrent de la banque la prise en charge du gros

---

1. « Vous savez que Paris se compose de trois arrondissements : le VIIe, le VIIIe, le XVIe », Me Maurice Rheims, *op. cit.*

œuvre, et des services municipaux le déclassement d'une partie de la voie publique. En échange, le complexe devait accueillir des bureaux, un parking, un commissariat de police, un foyer de personnes âgées, une crèche et le tribunal d'instance d'arrondissement. Confié au cabinet d'architecture Biro-Fernier, le nouvel ensemble fut inauguré le 8 mai 1980 par Jacques Chirac, maire de Paris. Dans ce quartier de sièges bancaires aux décors de la bourgeoisie triomphante, le passant aurait du mal à tomber sous son charme. Assez laid, et franchement malcommode, l'édifice a vite pris l'air désuet des vieux hôtels oubliés dans quelque île tropicale reculée, où s'obstine à chanter une meneuse de revue un peu lassée au son d'un piano légèrement éraillé. L'Histoire retiendra peut-être que la dernière grande vente de Drouot avant l'an 2000, et son possible engloutissement dans le troisième millénaire, celle des Picasso de Dora Maar, qui fut la compagne du peintre, dut se tenir dans des locaux loués à l'extérieur, tant cette bâtisse s'accommode mal d'une vente de prestige et des moyens d'accueil et de communication qu'elle exige.

Encore et toujours, les commissaires-priseurs manquent d'espace convenable. L'ingéniosité déployée pour gagner de la place alentour n'avait pas suffi. La construction souffre des défauts d'une période sinistre de l'architecture, et, rapidement, s'est trouvée débordée par la masse des visiteurs. La place parisienne s'ouvrant aujourd'hui à la concurrence de Sotheby's et Christie's, la Compagnie des commissaires-priseurs aurait dû entamer depuis longtemps une nouvelle réfection en grand de son sanctuaire, afin d'en gommer les défauts les plus criants, ou tout simplement remettre aux normes des installations si tôt vieillies. Il n'est même plus autorisé aujourd'hui de construire des escaliers mécaniques aussi étroits. En 2001, Jean-Michel Wilmotte avait été choisi pour rénover les lieux durant la fermeture habituelle de l'été. Les difficultés se sont accumulées, si bien que l'entreprise a été repoussée *sine die*. Les architectes ayant configuré le bâtiment en 1980 n'avaient pas été consultés au départ, comme la loi l'impose pourtant. Les travaux semblaient trop ambitieux à des commissaires-priseurs incertains de leur avenir. Et près de leurs sous. L'architecte désigné pour rénover les lieux a été pour le moins surpris quand certains de ses interlocuteurs lui suggérèrent avec insistance de remplacer le marbre par du carrelage, ou le verre par du plexiglas.

Justement, c'est aussi ce qui fait le charme, et tout l'intérêt de Drouot. Chaque jour, quatre mille à six mille personnes se croisent dans ce grand bazar, passant d'une salle à une autre, montant et descendant par ces fâcheux escaliers mécaniques qui ne communiquent qu'à demi entre eux. Dans l'intervalle, les plus courtois n'oublient pas de saluer sur son trône Madame Pipi veillant sur ses indispensables commodités. La plupart de ces visiteurs d'une heure, sinon presque tous, officient comme galeristes, antiquaires, courtiers, intermédiaires, négociants plus ou moins occasionnels. Quand ce n'est pas un marchand qui achète, c'est son frère qui vend. En principe, les commerçants n'ont pas le droit de « faire des enchères publiques un procédé habituel de l'exercice de leur commerce », autrement dit de se rendre régulièrement à Drouot pour écouler ou alimenter leur stock. Mais il est vrai que dans ce lieu, protégé depuis toujours, les usages ont inéluctablement tendance à supplanter la loi[1].

Les marchands espèrent bien revendre l'objet qu'ils viennent d'acheter en faisant la culbute un nombre confortable de fois. Raison de plus pour le particulier comme vous et moi de s'infiltrer parmi eux. Depuis une vingtaine d'années, les amateurs sont de plus en plus nombreux, et c'est heureux. Ils peuvent tirer avantage des écarts de prix

---

1. A la retraite depuis 1975, Maurice Rheims raconte ainsi comment les principaux confrères trichaient dans l'établissement des déclarations de revenus. Chaque année, ils se retrouvaient pour harmoniser leurs chiffres. Les notes étaient ensuite confiées à l'inspecteur des impôts du IXe arrondissement, qui établissait les déclarations pour eux. « Tout se passait à merveille. » *Op. cit.*

qui, généralement, se font à l'avantage des ventes aux enchères. La masse des négociants contient les cours à la baisse : sauf exception, ils n'ont aucun intérêt à faire monter les enchères au-delà du raisonnable, au risque de réduire leur marge bénéficiaire, ou de s'encombrer d'objets malaisés à vendre. Le particulier, qui n'a pas ces soucis, bénéficie au moins de cette supériorité sur eux. Les marchands disposent, eux, d'autres facultés considérables, comme la connaissance des arcanes de Drouot, l'expertise bien sûr, et le temps. Il n'est pas si difficile qu'il y paraît de participer à des ventes aux enchères, mais il faut y consacrer du temps. Or cette denrée nous est devenue la plus précieuse, car la plus rare entre toutes.

Dans chaque salle, à l'heure de l'exposition, la tête du familier se transforme en périscope. Comme un psychanalyste sur son fauteuil est en « écoute flottante », il est en « vision flottante », mais en accéléré. Soudain, il ne saurait dire pourquoi, le regard s'accroche sur une anicroche. Il va alors voir de plus près. Et, parfois, il est pris d'une illumination. Il prend alors soin d'opérer avec discrétion, fait la moue, ne manque pas de lancer une remarque dépréciative à la ronde.

— J'en veux pas de ton truc, là. Cela ne vaut rien. Mais non, tu vois bien que ce n'est pas XVIIIe siècle.

Mais, à l'instant, il peut être sincère. Comment savoir ? Il est comme les deux marchands de la blague juive, qui se croisent sur le quai de la gare :

— Où vas-tu ?

— Je vais à Vladivostok

— Si tu me dis que tu vas à Vladivostok, c'est pour me faire penser que tu vas à Saint-Pétersbourg. Or je sais que tu ne vas pas à Saint-Pétersbourg, tu vas à Vladivostok. Alors pourquoi me mens-tu ?

Dans la petite foule qui grouille, chacun adopte sa propre tactique de défilement. Car brocanteurs et antiquaires ne sont pas venus pour flâner. S'ils donnaient le bonjour aux visages connus et prononçaient les quelques mots de convenance qui s'imposent, la journée ne leur suffirait pas. Certains apprécient les interjections et conciliabules qui scandent inévitablement leur passage, mais beaucoup se contentent d'un bref salut de la tête. D'autres, tel l'expert en meubles Bill Pallot, pratiquent avec grand art la poignée de mains que j'appellerais « à l'anguille » : en diagonale, dans la ligne de fuite du corps. En passant, on frôle la main de l'autre sans même ralentir son pas, de manière à faire comprendre que l'heure n'est pas à l'échange de politesses, tout en ne se montrant pas trop discourtois. Un grand professionnel comme l'antiquaire parisien Jacques Kugel, disparu en 1985, ne s'embarrassait pas de ces précautions : il ne saluait personne.

Aujourd'hui, la flânerie est davantage praticable, dans la mesure où les bonnes affaires se font plus rares. Le père Kugel plaçait bien à Drouot une demi-douzaine d'ordres d'achat par jour, voire plus. Toute la marchandise était revendue à sa galerie. Il n'aurait jamais remis aux enchères un meuble qu'il ne parvenait pas à vendre, au risque d'y perdre son bénéfice. Aujourd'hui, c'est bien le diable si ses deux fils, Alexis et Nicolas, qui ont brillamment pris sa suite, passent en une semaine à Drouot autant d'ordres que leur père en une journée. La marchandise de qualité s'y est considérablement appauvrie, le marché s'étant massivement déplacé à Londres et surtout New York. Mais Nicolas Kugel tient à relativiser : « Nous avons aussi changé de méthode par rapport à notre père. Lui était un boulimique de l'ordre d'achat. Il pouvait en placer dix le matin, mais toujours à très bas prix – sauf pièce exceptionnelle bien sûr. » En fin de journée, l'antiquaire n'avait peut-être obtenu que deux ou trois acquisitions. Mais, en procédant de la sorte, il était à peu près sûr de s'en sortir à bon compte. Certains marchands travaillent encore ainsi aujourd'hui.

Les fils Kugel avouent toujours un faible pour Drouot. « Sans doute, la marchandise s'est raréfiée, reconnaît Alexis. Il n'empêche : Drouot reste l'endroit le plus intéressant au monde pour faire des affaires. Il n'y a rien de comparable ailleurs. » « Drouot ? C'est Lourdes ! », s'exclame un de ses confrères, du quai Voltaire.

Ces distingués antiquaires ne disent pas, du moins pas explicitement, que cet attrait repose sur un déficit d'expertise et de mise en valeur des objets, dont les connaisseurs savent tirer le meilleur parti. Quant aux tableaux estimés plusieurs dizaines de millions de francs, sans parler de dollars ou d'euros, ne les cherchez pas : ils ont bel et bien disparu. New York est devenu le centre mondial du commerce des œuvres d'art, dont il accapare désormais une bonne moitié. Bon gré, mal gré, la France a été conduite à libéraliser les sorties d'œuvres d'art. Et comme les gouvernements successifs se sont longtemps refusés à donner les moyens aux musées nationaux d'acheter des chefs-d'œuvre de grande valeur[1], la saignée a pris la forme d'une hémorragie continue du patrimoine. En 2000, un record ahurissant de 5 milliards de francs[2] de peintures, manuscrits, objets d'art ou beaux meubles du XVIIIe siècle ont quitté la France, la plupart pour être mis en vente aux Etats-Unis par les maisons de ventes aux enchères ou des intermédiaires plus discrets, comme les galeristes et antiquaires. Beau résultat de l'impéritie de gouvernants aveugles ou négligents.

Drouot est donc l'histoire d'un grand flop, dont il serait injuste de faire porter la responsabilité sur les seules frêles épaules des commissaires-priseurs, mais dont il

---

1. En décembre 2001, le Parlement a enfin adopté des mesures fiscales permettant aux entreprises de contribuer à l'enrichissement du patrimoine public. Reste cependant en vigueur un système fiscal européen, qui consiste à taxer les entrées d'œuvres d'art, mais pas les sorties. Autrement dit, un collectionneur désireux de faire venir un Van Gogh de Genève ou New York à Paris est prié de s'acquitter de 5,5 % de la valeur déclarée. Si son tableau vaut dix millions d'euros, il lui faudra débourser 550 000 euros. En revanche, s'il veut déménager son Van Gogh de Paris à New York, il ne lui en coûtera rien. On peut difficilement faire mieux pour appauvrir le patrimoine.

2. Plus de 760 millions d'euros.

serait non moins fautif de les en exempter. Dans les années 50 encore, Paris était la capitale mondiale du marché de l'art. Aujourd'hui, elle représente 5 ou 6 % du cumul mondial des ventes aux enchères d'art. Pour une multiplicité de raisons, tenant à la fiscalité et la réglementation, Londres d'abord, New York ensuite, ont supplanté Paris, qui est devenue à sa manière une place provinciale. Notables du bourg, les commissaires-priseurs ne se sont pas montrés les moins provinciaux de tous, dispersant leurs forces, tout en s'accrochant avec l'énergie du désespoir au privilège de leur monopole. Des décennies durant, ils ont su jouer à merveille des rapports étroits qu'ils entretiennent avec les hommes politiques de tous bords, sans voir se creuser le fossé sous leurs pieds tant leur statut, hérité de la monarchie, s'est trouvé inadapté au commerce de l'art contemporain.

Au XIIIe siècle, Louis IX avait déjà créé à Paris la corporation des « sergents à verge » pour exercer les fonctions de « jurés priseurs ». Ornée d'ivoire, leur baguette était l'ancêtre du marteau qui est aujourd'hui l'instrument du pouvoir des commissaires-priseurs. Le véritable fondateur du monopole fut le roi Henri II, qui ordonna « en l'an de grâce 1556 la création et l'érection, en toutes et chacune les villes, bourgs et bourgades du royaume des offices de priseurs, vendeurs de biens meubles, capables, expérimentés, et en telles choses cognoissans... ». Le souverain leur accorda le privilège exclusif de « faire les prisées, estimations et ventes », dans le but de contrecarrer « les fraudes, intelligences et pratiques, abus et autres malversations ». On verra au long de ce modeste ouvrage que le monarque bien intentionné n'est pas tout à fait parvenu à ses fins. Funeste paternité ? Tout protecteur des arts et des lettres qu'il était, le fils de François Ier était un pitoyable homme d'affaires qui laissa les finances royales exsangues. En 1544 déjà, un édit avait réservé la qualité de priseurs-vendeurs dans la capitale aux « maîtres fripiers ». Depuis, les commissaires-priseurs, qui ne sont pas peu fiers, ont préféré oublier qu'ils étaient les descendants de l'honorable guilde des fripiers. « Commissaire-priseur », cela roule mieux. Ils croient savoir que cet intitulé ronflant est aussi ancien que leur métier, mais il n'en est rien : l'expression n'est apparue qu'au XVIIIe siècle, et ne s'est vraiment imposée qu'au siècle suivant. D'ailleurs, seul un siècle comme le XIXe pouvait donner son titre de gloire à un nom pareil.

Aussi incroyable qu'il nous paraisse, ce métier a vécu sous un statut presque immuable quatre siècles et demi durant. Un jeune chercheur, Alain Quemin, qui lui a consacré une étude de sociologie, est bien forcé d'admettre [1] : « Jusqu'à la fin du XXe siècle, le statut des commissaires-priseurs est resté très proche de celui accordé par l'édit de février 1556. » Ce monopole, remis à une profession protégée, est resté une particularité française. Comme l'a fait sagement observer le chroniqueur François Duret-Robert [2] : « En France, l'expérience a prouvé que seuls les commissaires-priseurs étaient capables de tenir des ventes aux enchères. A l'étranger, et particulièrement en Grande-Bretagne et aux USA, elle a prouvé le contraire. »

Le commissaire-priseur se voit conférer le digne statut d'officier ministériel, ce qui lui donne le droit d'user de l'appellation prestigieuse de « Maître », à l'image des autres professions judiciaires (avocats, notaires, huissiers). Il prête serment devant le garde des Sceaux, qui est responsable de sa nomination. En bénéficiant de l'exercice du monopole, il héritait aussi du devoir d'un cahier des charges. Avec lequel il prenait toutes libertés qu'il pensait bonnes. Car la fracture entre cette posture d'officier ministériel et l'activité commerciale des commissaires-priseurs

---

1. Voir l'ouvrage qu'il en a tiré : Alain Quemin, *Les Commissaires-priseurs*, éditions Anthropos, 1997.
2. *Les 400 coups du marteau d'ivoire*, *op. cit.*

n'a fait que s'agrandir au sein de la corporation depuis les années 70. Avec la tentation, pour les plus dynamiques, d'enfreindre régulièrement un appareil réglementaire inadapté à leur négoce. Jusqu'à la grande réforme de la profession amenée par une loi du 10 juillet 2000, il était ainsi interdit à un commissaire-priseur de faire sa promotion. Assurant une sorte de service public, il était tenu à une discrétion de bon aloi. Un décret du 21 novembre 1956 prohibait toute « publicité personnelle », qui aurait constitué un affront intolérable à « la dignité de sa fonction ». Mᵉ Rheims avait été, dans les années 60, le premier à ébrécher cette prescription, d'autant plus incongrue que son métier était précisément d'assurer des ventes dites « publiques ». Il fut sermonné par ses pairs, pour avoir laissé le magazine *Réalités* publier une photographie de lui.

Cet interdit n'est véritablement tombé en désuétude qu'avec l'explosion du commerce de l'art dans la deuxième moitié des années 80, sous la pression d'un petit nombre de commissaires-priseurs comme Mᵉˢ Jacques Tajan, Guy Loudmer, Hervé Poulain, Francis Briest ou Jean-Claude Binoche.

De même, jusqu'à une époque récente, aucun diplôme n'était exigé pour devenir commissaire-priseur. Dans les bonnes familles, devenait ainsi commissaire-priseur le pauvre qui avait raté ses études de notaire. Ce n'est qu'en 1973 que fut imposé un diplôme élémentaire en droit, du niveau du DEUG ou même de la simple capacité. Il fallut attendre 1987 pour exiger un niveau de licence, et un diplôme d'histoire de l'art – ce qui, en effet, n'est pas inutile. « Pendant très longtemps, souligne Alain Quemin, les commissaires-priseurs avaient résisté à l'introduction de toute condition de diplôme universitaire », la communauté appréciant sans doute l'auto-légitimation. Pourtant, n'était pas commissaire-priseur qui voulait : il fallait un capital, pour racheter une charge ; une ample poitrine, pour porter les enchères et mettre de l'ordre dans la salle ; et, par-dessus tout, comme le faisait observer un chroniqueur du xixe siècle, « des poumons capables de résister à l'air vicié de la foule entassée »[1].

La loi du 10 juillet 2000 a mis fin à ce système séculaire. Entrée en application dix-huit mois plus tard, en novembre 2001, cette loi ouvre la voie à une révolution du marché de l'art. Elle soumet les ventes aux enchères à la concurrence entre des sociétés répondant aux règles classiques du commerce. Toujours postée à l'avant-garde de la morale publique, la France entend cependant imposer à ces sociétés une large panoplie d'obligations. Leur activité est en principe surveillée par un Conseil des ventes, doté de pouvoirs de sanction étendus. En principe, car, dès sa constitution, cette haute autorité s'est retrouvée *de facto* dominée par les représentants de la profession, ce qui n'était pas prévu ainsi dans la loi. Cet arrangement avec le texte et l'esprit des lois est une caractéristique bien française aussi. Significativement, le Conseil des ventes a porté à sa présidence Me Gérard Champin, ancien président de la Chambre nationale des commissaires-priseurs. Fin connaisseur de ses dossiers, homme toujours courtois et diplomate, celui-ci a cependant assuré que la prépondérance des professionnels en son sein n'empêcherait pas le Conseil de sanctionner les écarts de conduite sans faillir.

En marge de ces sociétés commerciales, la loi maintient le statut traditionnel des commissaires-priseurs : il leur revient d'assurer les ventes judiciaires, c'est-à-dire toutes celles prononcées sous couvert de la Justice. Elles ont la particularité d'être désagréables. Ce peut être une saisie, ordonnée pour régler un retard d'impôt ou une dette, la liquidation du stock d'une entreprise en faillite, ou encore une vente forcée, pour sortir d'une indivision ou trouver une issue à un désaccord entre parents ou associés... Les commissaires-priseurs changent alors de nom,

---

1. Champfleury, *L'Hôtel des commissaires-priseurs,* Dentu, 1867. Cet écrivain s'était tristement illustré par ses sarcasmes envers des contemporains comme Courbet ou Delacroix.

pour s'appeler « commissaires-priseurs judiciaires ». Dans le but de simplifier sans doute...

Les commissaires-priseurs ont le droit de jouer sur les deux tableaux : mener des ventes judiciaires, sous ce titre propre à impressionner le simple citoyen, tout en dirigeant, à côté, une société commerciale vouée aux ventes dites « volontaires ». L'observateur ne peut ainsi s'empêcher d'admirer l'étonnante capacité de reconduction de cette communauté issue de l'Ancien Régime.

L'ancrage de ces quelque cinq cents professionnels (dont une centaine à Paris) dans une histoire aussi longue est à leurs yeux très important. Ils ont fait leur cette observation de notre sociologue précité : « Si le degré de noblesse d'une profession pouvait se mesurer à son ancienneté, nul doute que le statut social des commissaires-priseurs serait bien fondé. »

Les ventes aux enchères se pratiquaient déjà dans la Grèce antique. Les Romains s'en inspirèrent pour disperser le butin issu du pillage des cités grecques. L'expression « mettre à l'encan » vient du latin « *in quantum* », signifiant : pour combien ? L'auctionator était l'organisateur des ventes, d'où est dérivé le terme anglais « *auctioneer* ». Il pouvait faire office de banquier, en consentant des avances ou en prêtant de l'argent sur gage. Comme chez « Ma Tante » aujourd'hui, ainsi qu'on surnomme par pudeur le Crédit municipal, les objets pouvaient être mis en gage, éventuellement vendus faute de remboursement. La fiscalité était déjà hiérarchisée. Le grand empereur Auguste frappa les ventes aux enchères d'une taxe de 1 % sur les objets, mais de 4 % sur les esclaves. Cette habitude s'est perdue.

Cette noblesse d'âge, fondement des privilèges de la corporation, a malheureusement un pendant. Aux commissaires-priseurs, on peut concéder beaucoup mais pas le talent de développer une stratégie visionnaire. En 1963, Parke Bernet, l'hôtel des ventes publiques de New

York, était à vendre. L'affaire fut proposée aux commis-saires-priseurs. André Mayer, qui présidait la banque Lazard à New York, grand amateur d'art[1], était disposé à financer l'acquisition. Une délégation de commissaires-priseurs se rendit à New York, avec à sa tête Mes Etienne Ader, la grande figure de la vieille école, et Maurice Rheims, le premier professionnel sachant user des médias. L'affaire fut tout de suite engagée « à la française » : aucun membre de la mission ne parlait anglais. La Compagnie ne fut pas longue à repousser ces raisins par trop verts : marchands et amateurs du monde entier venaient à Paris, quel besoin d'aller investir à l'étranger ! L'immeuble fut racheté par une vénérable, mais encore modeste, société d'« *auction sales* » de Londres, appelée Sotheby's. Elle avait déjà entamé une transformation radicale sous la houlette d'un génie des affaires appelé Peter Wilson[2]. Mais Drouot la surpassait encore par son volume de ventes. Aux débuts des années 1950, la Compagnie parisienne brassait plus du double du volume d'affaires de Sotheby's ou de sa rivale, Christie's. Aujourd'hui, devenue une véritable mul-tinationale, Sotheby's réalise le quadruple des ventes d'art de Drouot, dont l'essentiel est enregistré à New York, où les commissaires-priseurs n'avaient pas voulu mettre les pieds.

Non contente de rafler le marché mondial, Sotheby's a pris d'assaut la forteresse gauloise. Ulcérée de ne pouvoir vendre en France, la dynamique présidente de la branche française, la princesse Laure de Beauvau Craon, a fini, en 1992, par engager un recours devant la Commission euro-péenne. Elle souhaitait mettre en vente, à Paris, la collec-tion du duc et de la duchesse de Windsor. Le milliardaire égyptien Mohamed El-Fayed, père du compagnon de Diana, voulait se débarrasser du mobilier encombrant leur

---

1. Le noyau de sa collection vient d'être donné aux musées d'Aix-en-Pro-vence et d'Orsay par son fils, un homme d'une générosité exceptionnelle.
2. Cf. Robert Lacey, *Sotheby's, le marché de l'art et ses secrets*, éditions Lattès, 1998.

hôtel particulier, dont il avait repris la location à la ville de Paris[1].

A plus d'une reprise, la Commission européenne a dû sommer la France de se conformer aux règles de la libre concurrence, ce qu'elle n'a fait qu'après des années d'atermoiements. La loi du 10 juillet 2000 mit un terme à une nouvelle guerre de Cent ans, puisque Georges Clemenceau avait déjà projeté de supprimer le monopole des commissaires-priseurs, en 1902, alors qu'il était président du Conseil. Il faut croire que la corporation disposait de moyens de défense plus redoutables encore que les divisions allemandes... Pierre Bérégovoy, Premier ministre de François Mitterrand, s'était aussi aventuré assez loin dans cette voie, sans lui non plus pouvoir aller jusqu'au bout.

Ayant emporté sa bataille de France, la princesse de Beauvau-Craon a posé ses quartiers dans un hôtel particulier du XVIIIe siècle, face au palais de l'Elysée, la galerie Charpentier, qui – cruelle ironie de l'Histoire – accueillait de 1930 à 1960 les ventes de prestige des commissaires-priseurs. Ils quittèrent les lieux en raison du déclin de la place parisienne, mais aussi parce qu'il était impossible de se garer devant le palais présidentiel, difficulté que retrouve aujourd'hui la clientèle de Sotheby's.

Christie's, qui a ravi à Sotheby's sa place de leader mondial, s'est installée avenue Matignon dans un immeuble 1900 plus vaste et plus pratique. Cette compagnie est aujourd'hui propriété de François Pinault, qui a raflé dans la foulée une des plus sérieuses études parisiennes de commissaires-priseurs, PIASA. Quant à son

---

1. En 1936, le roi d'Angleterre Edouard VIII fut forcé de déposer sa couronne pour pouvoir vivre avec une Américaine divorcée, Wally Simpson. La vente du mobilier de leur hôtel particulier en bordure du bois de Boulogne eut finalement lieu à New York, en février 1998. Il fallut quatre semaines pour adjuger les 44 000 souvenirs du couple, avec un résultat inespéré de près de 170 millions de francs (26 millions d'euros). Au passage, Mohamed El-Fayed avait allégrement oublié les engagements de discrétion qu'il avait consentis en achetant ce mobilier, ainsi que la promesse faite au maire de Paris, Jacques Chirac, de consacrer un niveau de l'hôtel particulier à un petit musée dédié aux Windsor. Propriétaire des murs, la municipalité n'a jamais réagi à la dispersion scandaleuse de ce patrimoine.

grand rival, Bernard Arnault, il s'est rabattu sur une entreprise anglaise plus modeste, Phillips, tout en reprenant la société du numéro un français, Mᵉ Jacques Tajan, sans trop se soucier des ennuis judiciaires qui le poursuivent. Bernard Arnault a choisi avec Phillips une coquille vide qu'il pouvait emplir à son gré... Il a commencé par débaucher des experts et cadres, offrant un pont d'or à plusieurs anciens de Sotheby's, à commencer par Simon de Pury, nommé président du nouveau groupe. Ainsi renforcée, Phillips a dépensé des fortunes pour convaincre quelques privilégiés, comme le marchand allemand Heinz Berggruen, de lui confier leur précieuse collection. Accumulant les ventes à perte, gonflant artificiellement les cours, la société n'a pas, pour autant, gagné en crédibilité. Finalement, Bernard Arnault a jeté l'éponge en février 2001, se désengageant de la société, la laissant aux mains de Simon de Pury.

L'ouverture de la place parisienne devrait en favoriser la relance. Son ampleur, du moins dans un premier temps, doit néanmoins rester limitée. Les handicaps fiscaux sont encore bien trop grands pour permettre à Paris de damer véritablement le pion à New York, appuyée sur le vaste marché américain. Les Français ayant résisté jusqu'à la dernière minute aux assauts contre le monopole, par une fâcheuse coïncidence la libéralisation se produit au moment d'un retournement de la conjoncture économique, que les attentats du 11 septembre 2001 à New York et les conflits en Orient risquent d'aggraver sérieusement. L'ouverture aurait eu un tout autre impact économique et social au moment d'une période florissante.

En attendant, pratiquement dans l'insouciance, Drouot a continué de vaquer à ses propres affaires, fonctionnant comme un grand marché aux puces, qui voit passer un million d'objets dans l'année. En dépit des efforts de commissaires-priseurs comme Maurice Rheims ou Joël Millon, qui présida Drouot quatorze années durant, la centaine de professionnels parisiens n'a jamais vraiment réussi à s'unir. A l'hiver 2001-2002, les grands capitalistes ont entrepris une cour assidue auprès des commissaires-priseurs parisiens, ce qui montre bien que ces derniers ont gardé quelques atouts.

Drouot a d'autant plus une opportunité à saisir que Sotheby's et, dans une moindre mesure, Christie's traversent une crise d'identité sans précédent. Financièrement, mais aussi moralement, elles ont été considérablement affectées par une procédure criminelle ouverte aux Etats-Unis pour des ententes illicites auxquelles elles se sont livrées pendant six ans. Celles-ci ont été nouées en 1993 par des dirigeants inquiets de la chute des profits, dans le reflux que vivait alors le marché de l'art. Dans une atmosphère digne d'un film de gangsters, ils se réunissaient secrètement sur des parkings d'aéroport ou dans des chambres d'hôtel, afin d'harmoniser leur grille tarifaire, mais aussi d'échanger des renseignements sur les clients et employés. Pour ce péché, qui peut sembler bien véniel aux Français tant l'alignement des tarifs est pratique courante dans le commerce (il suffit de voir ceux des carburants sur l'autoroute), les deux sociétés ont eu les pires ennuis. Condamné, à New York en décembre 2001, par une cour fédérale, Alfred Taubman, l'ancien président de Sotheby's forcé à la démission par ce scandale, a fait appel. Il encourt une peine de prison ferme. On sait qu'aux Etats-Unis, pays vertueux entre tous, la délinquance financière est un crime bien plus grave que la possession d'armes à feu.

Les deux compagnies, Sotheby's avec un peu de retard, ont cherché avec plus ou moins de succès à limiter la casse en coopérant avec la Justice américaine. Elles ont consenti des dédommagements colossaux – plus de 3,2 milliards de francs à elles deux [1] – pour mettre fin aux procédures civiles en nom collectif lancées par des cabinets d'avocats rusés : la Justice a pris contact avec tous les clients des ventes, de 1993 à 1999, pour leur proposer ce dédommagement.

---

1. Près de 500 millions d'euros.

Première à dénoncer les faits, Christie's avait obtenu l'immunité pénale. Sotheby's a dû s'acquitter d'une amende de 260 millions de francs[1]. Au procès à New York, devant le jury populaire, ses anciens dirigeants se sont entredéchirés à belles dents afin de réduire leur propre peine.

Désormais enterré pour de bon, le système de l'harmonisation avait, pourtant, sa propre rationalité : se voyant proposer des tarifs similaires, le client faisait son choix en fonction d'autres critères, comme le degré de confiance dans les relations ou la qualité du service (expertise, promotion, conseils...). Toujours est-il que les bénéfices se sont réduits comme peau de chagrin, et les cours boursiers effondrés. L'action de Sotheby's a perdu 80 % de sa valeur par rapport à son point le plus haut, dans une période, il est vrai, déraisonnable de la Bourse. Au final, la compagnie s'est retrouvée à vendre. Après l'attentat du 11 septembre 2001, elle a dû remercier un dixième de son personnel. La rumeur a aussi évoqué la mise sur le marché de Christie's, mais elle a été démentie. La vérité est que ces sociétés ne sont guère attrayantes pour un investisseur. Au-delà des ennuis judiciaires qui les ont assaillies, leur sort n'est guère enviable. Christie's et Sotheby's subissent les effets désastreux du duopole qu'elles ont conquis il y a un quart de siècle. Il n'est pire guerre civile que celle sans vainqueur ni vaincu. La bataille des tarifs et des avantages commerciaux fait rage, faisant perdre toute prudence. Elles sont entraînées dans une cour éperdue aux grands collectionneurs. Christie's avait promis une telle garantie financière à un antiquaire new-yorkais qu'elle a perdu une trentaine de millions de francs[2]. Distancée par sa rivale, Sotheby's a dû, à son tour, faire la danse du ventre aux propriétaires de belles collections. Nouvelle venue, Phillips a surenchéri dans le délire, en consentant

---

1. 40 millions d'euros.
2. 4,5 millions d'euros.

des garanties financières démesurées : le client acceptant de remettre son bien à la société est assuré de toucher une somme établie à l'avance, quel que soit le résultat effectif de la vente. En 2001, Phillips est allé jusqu'à offrir à un client californien une garantie dépassant allégrement le milliard de francs[1], le double de la valeur réelle de sa collection. Le prix du prestige.

Qu'elles veuillent ainsi se faire une place au soleil, ou qu'elles se retrouvent franchement en difficulté, ces sociétés sont également conduites à faire bénéficier leurs meilleurs clients de la gratuité des honoraires. Elles peuvent même leur concéder une part de la commission prélevée sur les acheteurs. Il est ainsi proposé au collectionneur 102, 103 ou 105 % du prix d'adjudication. Sa collection est adjugée 10 millions d'euros[2] ? Non seulement il n'a aucun frais à régler, mais il peut percevoir quelques centaines de milliers d'euros de plus. Quand on en vient à la commission négative, l'affaire est sérieuse.

Ce genre de dérapage, dans la seconde moitié de la décennie 1980, n'a pas été étranger au krach du marché de l'art survenu en 1990. Le scandale le plus connu est celui des *Iris* de Van Gogh, vendu en 1987 pour 345 millions de francs[3] à l'homme d'affaires Alan Bond. Ce record mondial toutes catégories a fait la une de la presse mondiale. Sauf que... il n'a pas fallu attendre longtemps pour apprendre que Sotheby's avait consenti une avance au magnat australien équivalant à la moitié du prix. Qu'il n'a jamais pu payer, ses affaires ayant si mal tourné qu'il a fini en prison. Un vrai-faux record. Le tableau a dû être discrètement renégocié avec le musée Getty de Los Angeles, pour un montant sensiblement inférieur. Au Japon, des chefs d'entreprise achetaient des chefs-d'œuvre pour soutirer des emprunts bancaires, trafiquer leurs comptes, voire recycler de l'argent sale. Les cotes sont

---

1. Autour de 175 millions d'euros. Le montant exact est resté secret.
2. Ne rêvez pas : ce genre d'arrangement est réservé aux milliardaires.
3. 54 millions de dollars. L'équivalent de 68 millions d'euros. Son heureux propriétaire l'avait acheté 84 000 dollars, en 1948.

devenues de plus en plus artificielles. La crédibilité du marché de l'art en a été sérieusement affectée, favorisant un retournement brutal.

Ainsi les plus gros chiffres d'affaires ne font-ils pas les plus gros bénéfices. Deux milliers d'employés et une centaine de bureaux dans le monde : Christie's et Sotheby's peuvent-elles tenir avec une infrastructure aussi énorme, tout en réduisant de la sorte leurs marges ? En même temps, comment amoindrir cette machinerie sans affecter le service aux clients, qui contribue à faire la différence avec leurs concurrents ? Les grandes sociétés de ventes vivent la situation paradoxale d'une maison de haute couture, obligée de dépenser toujours plus pour satisfaire à ses exigences de qualité, sans avoir de parfum à vendre pour vivre. Peter Wilson l'avait compris, lui qui avait tenté de commercialiser du thé ou des cigarettes de marque Sotheby's.

La survie de ces dinosaures est menacée. Ce pourrait être, avec le réveil du marché parisien engourdi, la chance de Drouot. Il faut bien rêver un peu...

2.

Plongée dans les enchères : acheter

« L'enchère est un jeu et une maladie, un jeu dange-reux et une maladie dont on ne guérit pas[1]. » Comme toute compétition, elle demande de s'y plonger. Il est tou-jours possible de participer à des enchères à distance, mais c'est manquer le plaisir de la bataille, et prendre des risques.

Aucune vente importante ne se déroule sans cata-logue, lequel permet un premier examen des lots. Les publications annonçant la mise aux enchères de biens pré-cieux sont apparues au XVIIIe siècle. Jusqu'à l'époque contemporaine cependant, le descriptif des œuvres était réduit au minimum. Avec le temps, ces volumes s'illus-trent de reproductions systématiques, en couleurs, et de notices explicatives de plus en plus fournies. Depuis le triomphe de la dispersion de la collection du grand coutu-rier Hubert de Givenchy, obtenu en 1993 à Monaco par Christie's, une grande vente est, avant tout, une grande mise en scène. De tout temps, il y a eu dans les enchères un côté théâtral, plus froid et dépouillé en Angleterre,

---

1. Champfleury, *op. cit.*

braillard et relâché en France, tenant un peu des deux aux Etats-Unis, la mondanité en plus.

La simple position du commissaire-priseur, au centre d'une estrade surélevée, souligne toute l'autorité dont il dispose. Il y a soixante-quinze ans, un écrivain notait combien cet alignement du clerc, du commissaire-priseur et d'un ou deux autres employés de l'étude, secondés par l'expert, judicieusement placé en contrebas comme pour souligner sa fonction annexe, et du crieur, devant l'estrade, formait « un ensemble impressionnant et grave »[1]. Mais le déploiement scénographique atteint par les ventes aujourd'hui revêt une dimension autrement spectaculaire. Il est d'autant plus grandiose que la collection est renommée. Ou le nom de son propriétaire, ce qui est souvent pareil : la qualité intrinsèque des œuvres proposées compte évidemment dans le succès, mais elle n'en est pas forcément l'élément déterminant. Pour la vente des meubles et costumes de scène d'un Rudolf Noureev, ou encore des colifichets de Jackie Kennedy, des conférences de presse « surprises » sont organisées simultanément à Paris, Londres et New York. Un luxe de précautions est entretenu pour garder le secret jusqu'à la dernière minute, afin de créer l'événement. Avant chaque vente de prestige, Sotheby's et Christie's organisent des expositions itinérantes dans les grandes capitales. Cette surenchère dans le spectacle entraîne une inflation de catalogues plus luxueux et plus documentés les uns que les autres. Ce n'est pas l'amateur d'art et d'histoire qui s'en plaindra. Ils deviennent si volumineux qu'on se demande pourquoi aucun bagagiste n'a encore eu l'idée de commercialiser une brouette plaquée or pour aider Monsieur ou Madame à rentrer à la maison sans difficulté. Bientôt, comme au golf, au retour d'une vente, il sera indispensable, en plus de son chauffeur, de prévoir son caddy...

Moins heureuse est l'inflation concomitante des quali-

---

1. Sheridan, *Les Scandales de l'hôtel des ventes*, éditions Montaigne, 1926. Par ailleurs auteur d'ouvrages aussi édifiants que *Je suis seule, venez...*, *Fabienne et son chauffeur* ou *Le Pedzouille*.

ficatifs. La présentation du moindre lot s'accompagne d'une litanie d'épithètes ronflants, destinés à appâter le chaland : « exceptionnelle tapisserie des Gobelins », « très bel exemple de vase 1950 », « rare ensemble de rouleaux de papiers peints », ou bien encore « unique paire de chaises en paille ». Dépourvues de toute valeur juridique, ces promesses n'engagent que ceux qui y croient. Certains commissaires-priseurs ou experts jouent même à dessein sur l'ambiguïté de ces expressions. Un objet peut être « rare » parce qu'il est affreux. Eux le savent ; dans la salle les initiés sourient ; mais peut-être le chaland, lui...

Fournir une provenance brillante est un moyen utile d'exciter les enchères. Les « ventes de château » sont ainsi très appréciées, sans compter qu'il est toujours possible d'y ajouter quelques objets ne provenant nullement du château, qui seront valorisés par cette illustre proximité. Un cas connu est le grand déballage du château de Cornillon auquel s'est livré Me Jacques Tajan trois jours durant, en mai 1992. L'antiquaire parisien Bernard Steinitz revendait le mobilier ancien de son nid d'aigle surplombant la Loire, dont l'inconfort manifeste commençait à lasser sa charmante petite famille. Mais il s'était bien trouvé quelques meubles qui s'étaient glissés, tout en douceur, de son stock jusqu'à cette « vente du château de Cornillon »... Dans le jargon du métier, on appelle ce procédé « truffer » ou « garnir » une vente. Si la part prise par le stock du marchand revêt une certaine importance proportionnelle, on dit que le commissaire-priseur a « monté une chapelle »... dans la cour du château.

Si le château n'existe pas, l'expert a toujours le loisir de le créer en faisant preuve d'un peu de hardiesse. Dans le catalogue d'une vente de mobilier XVIIIe siècle qui s'est tenue le 30 octobre 2001 à New York, Christie's a inventé un « hôtel Malborough » à Paris. Le profane est impressionné. Il imagine volontiers un bel hôtel particulier ayant appartenu sous la monarchie à quelque représentant de cette grande famille anglaise. Il serait cependant difficile de trouver une adresse aussi prestigieuse dans la capitale.

Les lots proposés avaient simplement appartenu dans les années 20 à Consuelo Vanderbilt, divorcée du duc de Malborough. Elle avait d'autant moins de raison de garder ce nom qu'elle s'était remariée en France, avec le colonel Balsan. Peut-être cette mythique provenance pouvait-elle aider à revendre deux fois plus cher des objets achetés à New York trois mois plus tôt.

Les commissaires-priseurs ont déployé des trésors d'invention pour broder des expressions tournant autour du pot, c'est-à-dire autour de l'auteur d'une œuvre d'art. « Attribué à », « atelier de », « école de », « élève de », « dans le style de », « du cercle de », etc. sans parler de formules encore plus vagues comme « école française du XVIIᵉ siècle ». Formellement, elles n'engagent à rien. Les aléas de l'histoire de l'art conduisent à ces acrobaties sémantiques propres à déconcerter le commun des mortels. Et, le cas échéant, les magistrats, ce qui peut toujours s'avérer utile quand un mauvais coucheur se met à engager un procès. Il arrive ainsi, au détour d'un catalogue, de trouver la mention « atelier de » pour un artiste dont rien ne démontre qu'il eut jamais d'atelier. Il est acquis que des peintres comme Raphaël, Rembrandt ou Rubens entretenaient de véritables petites fabriques, des académies d'élèves s'ingéniant à reproduire la manière du maître. Mais d'autres menaient un travail solitaire, ou n'avaient tout simplement pas suffisamment de notoriété et de commandes pour prendre des jeunes à leur service. Dans ce cas, la mention « atelier de » dans un catalogue veut plutôt dire : « Cette peinture peut faire penser à tel artiste, mais rien ne prouve qu'elle soit de lui, donc, faute de mieux, nous l'attribuons à son atelier, ce qui, franchement, ne mange pas de pain. »

Dans cette emphase d'épithètes, le commissaire-priseur parisien Jean-Claude Binoche mériterait le surnom de Cicéron de Drouot : il a été conduit à déployer les plus grands talents oratoires, quand il s'est vu, en mai 2000, confier la collection d'un amoureux du style Marie-Antoinette. Le collectionneur, se présentant aussi comme peintre et spécialiste des techniques artistiques, Jacques Franck, avait exposé sa théorie dans un manifeste au titre évocateur : « Conjurer l'oubli. Propos esthétique et technique au sujet du mobilier royal français encore dans l'anonymat. » Modestement sous-titré : « Un séisme culturel. »

L'auteur prétend valider la découverte de meubles provenant de la Couronne de France au vu de leur « qualité esthétique », et non en fonction d'un ensemble de critères scientifiques et historiques normalement retenus. Cette entreprise de réhabilitation revient donc à l'amateur, plutôt qu'à l'historien d'art, à l'esprit sans doute bien trop scientifique. L'amateur, mais pas n'importe lequel. Celui qui se montre expert en « mémorisation de la forme, générant le pouvoir de sa représentation intellectuelle à volonté », en « perception instantanée et totale de l'essence esthétique résultant des harmonies compositrices », et – bien évidemment, oserait-on dire – en « pouvoir analytique généré par une vacuité positive de l'intellect ». Jacques Franck appelle cet exercice, auquel il souhaite soumettre les plus beaux meubles, « la probation spirituelle ».

A l'appui d'une thèse aussi originale, il cite un catalogue de vente de 1987, qui présente une commode Régence : « De par la richesse du décor de bronze, cet ensemble de commande a pu s'intégrer dans un décor composé pour un financier ou un fermier général. » CQFD ! Jacques Franck apporte en fait de l'eau au moulin de ses adversaires. Car cet extrait n'est pas frappé au sceau de la plus grande rigueur. Il sert plutôt d'argument de vente. C'est un langage marchand. Peut-être ce lapsus aide-t-il à s'y retrouver dans les méandres de la pensée de Jacques Franck. Car son propos présente également l'intérêt, sûrement annexe à ses yeux, de valoriser les objets qu'il a lui-même collectés dans sa quête, dont il est persuadé que la beauté intrinsèque démontre leur proximité avec Marie-Antoinette.

Me Binoche était pris entre le marteau et l'enclume. Il lui était difficile de réfuter catégoriquement la « probation spirituelle » d'un client si passionné. Mais il se sait responsable devant la loi de l'authenticité des objets qu'il délivre. Il a fait du texte de son catalogue un petit modèle d'orfèvrerie juridique. Outre le classique « attribué à », qui autorise déjà une grande liberté, il accumule les formules du style « dans le genre de », « presque identique à », « peut être rapproché de », « de forme Médicis », « correspond au goût de la souveraine », ou d'un « étroit rapport morphologique avec ». Le plus beau étant : « Paraît dériver des bronzes du bureau de Louis XV à Versailles. » Impossible de faire un procès pour défaut d'authenticité après cela.

La description d'un vase de Chine ancien en céladon vert, représentant deux carpes accolées et garni d'une monture rocaille de bronze doré, illustre bien la subtilité des glissements, qu'on retrouve dans nombre de catalogues de vente : « Dans le livre-journal du marchand mercier Lazare Duvaux, on note qu'entre 1750 et 1756, sur dix ventes de poissons céladon montés en bronze, trois sont des livraisons à Madame de Pompadour. Le 30 décembre 1758, Lazare Duvaux vendait à la duchesse d'Orléans "un vase d'ancienne porcelaine, vert céladon, orné de bronze doré moulu, 600 livres", prix très élevé pour l'époque. » Donc, sans évidemment pouvoir rien affirmer, on sous-entend que le vase pourrait être passé dans les mains d'un décorateur fournissant l'aristocratie. Et même qu'il aurait pu être livré à la Pompadour. Ou encore être cet exemplaire unique de la duchesse d'Orléans, d'une si grande valeur. Sa beauté ne constitue-t-elle pas l'argument décisif propre à emporter les dernières hésitations ? Ce qui justifie pleinement une estimation à 200 000 francs[1]. « Prix très élevé pour l'époque », pourrait-on commenter. Inutile de préciser que la vente fut une déception, tant les objets étaient survalorisés.

---

1. 30 000 euros.

Heureusement à Drouot, où la tradition n'est pas un vain mot, il existe aussi des vacations sans catalogue, dites de « tout venant » qui sont de véritables bric-à-brac dans lesquels on farfouille comme aux puces, pour y découvrir à l'occasion un objet rêvé. Evidemment, ce n'est jamais celui qu'on cherche à ce moment précis. Ces vacations demandent un surcroît d'attention. Il faut se prévenir des emballements, alors que manque la garantie apportée par le catalogue permettant, en cas de difficulté, de faire appel avec quelque chance de succès à la Justice. La mésaventure est arrivée en avril 2000 à un antiquaire dont la boutique fait face à Drouot. Il avait acheté, pour le compte d'un client, un buffet du xviiie siècle dans une de ces ventes quotidiennes sans catalogue. Il s'est ensuite aperçu que la porte était neuve, mais assez habilement repeinte de manière à se confondre avec le reste du meuble. La supercherie, s'il y en avait bien une, devait être décemment manigancée puisque que le meuble ainsi à demi contrefait avait été adjugé 120 000 francs[1]. Le commissaire-priseur n'avait pris aucun risque puisqu'au bordereau de délivrance, il était inscrit « meuble laqué ». On peut difficilement faire plus concis – et plus exact : c'est bien un meuble laqué qui a été délivré. L'antiquaire est convaincu que l'insertion de ce buffet dans ce fouillis était un piège, dans lequel il était, à vrai dire, naïvement tombé. La position juridique du commissaire-priseur paraît néanmoins solide, même si l'honnêteté voudrait que, lors des enchères, lui ou son expert signale les défauts d'un lot, au moins verbalement (en principe, ils doivent même être affichés à la porte). Ainsi entend-on régulièrement, dans le brouhaha, des précisions aussi utiles que : « manque un pied », « restaurations », « fêlures »... La rigueur d'un commissaire-priseur se mesure aussi à ces aveux de bris, auxquels certains répugnent de peur de casser le rythme de la vente.

Il est donc indispensable de vérifier l'état de chaque

---

1. 18 000 euros.

objet convoité (les maisons comme Christie's et Sotheby's délivrent même le descriptif écrit de l'état du lot, sur demande). Mieux vaut, également, se méfier d'un mouvement d'exaltation trop vif quand on est pris d'enthousiasme pour un objet ainsi placé en « vente directe » : déposé à Drouot à 11 heures, vendu à 15... Il faut prêter une attention redoublée au bordereau qui est délivré en fin de vacation, en s'assurant qu'il correspond bien à la présentation verbale faite au moment des enchères. Dans le cas contraire, il est toujours possible de le faire corriger, au pis de refuser de remplir le chèque.

Le bordereau est en effet le seul témoignage juridiquement valable d'une vente dénuée de catalogue. Un habitué de Drouot avait ainsi trouvé dans une vente une prétendue « aquarelle », qui s'est trouvée être un remarquable tirage des années 40 selon un procédé offset. Minutieusement rehaussé à l'aquarelle, ce duplicata était d'une qualité telle qu'il fallut un examen du laboratoire scientifique de la police pour démontrer le tour de passe-passe. Le commissaire-priseur se fit néanmoins tirer l'oreille pour rembourser ce lot, tiré d'une vente de tout-venant. Heureusement pour son client, sur le bordereau il était indiqué « aquarelle ». S'il avait été mentionné « pièce encadrée », aucune réclamation n'aurait été possible...

Il peut y avoir des découvertes heureuses dans une vente obscure. En général, elles se font de manière inopinée. Ainsi un expert en mobilier XVIIIe siècle, qui avait du temps à perdre entre deux trains à la gare de Nancy, s'est-il rendu en visite à l'hôtel des ventes. Il a vu présenter un dessin d'Herman Saftleven. Le commissaire-priseur avait fait son travail : le dessin était bien attribué à ce paysagiste italianisant de la Hollande du XVIIe siècle. Mais le lot ne suscita guère de convoitises. A 2 000 francs[1], le visiteur de passage a subitement levé la main. Il est reparti ravi vers

---

1. 650 euros.

la gare, muni de son butin. Il avait été suivi : au buffet, il eut droit à la visite de courtoisie d'une brave dame, qui tenait tant à avoir ce dessin pour son fils, et qui était vraiment désolée de l'avoir raté, et qui aurait bien offert de le racheter à 2 200 francs, ou même 2 500, allez... Le fils n'était pas gravement malade, mais on n'en était pas loin. L'acquéreur montra un cœur de pierre, et prit son train. Il obtint sans difficulté un certificat d'authenticité du conservateur du cabinet des dessins du musée de Berlin, spécialiste de Saftleven.

Une année plus tard, confronté à un problème fiscal un peu délicat, il fut conduit à le revendre. Il le présenta à un expert de Sotheby's, qui fit la moue : « Non, je n'y vois pas un Saftleven. Je crains que vous n'ayez fait fausse route. » A l'occasion d'un déplacement professionnel, il montra une reproduction au responsable de Christie's à Amsterdam qui, lui, se montra plus enthousiaste. En 1985, le dessin fut remis en vente chez Christie's avec une estimation de 35 000 francs. Les enchères montèrent jusqu'à 150 000 francs [1]. C'est le richissime musée Getty, de Los Angeles, qui en voulait. Ironiquement, un conservateur qui rendait régulièrement visite à cet expert avait à plusieurs reprises eu l'occasion de voir ce dessin encadré au-dessus de la cheminée. Mais il travaillait dans un autre département du musée, et ne savait pas que son collègue du cabinet des dessins souhaitait enrichir sa collection d'un Saftleven.

Etienne Bréton, un des meilleurs spécialistes de la peinture ancienne, eut moins de chance. Passant par hasard dans une vente, il eut la surprise d'entendre le commissaire-priseur annoncer la mise aux enchères d'un portrait de l'historien Henri Martin, qui se trouve être son ancêtre. Il était évidemment amusé, et intéressé. A 100 francs, il leva le doigt. Ce que voyant, d'autres marchands dans la salle s'empressèrent de suivre le mouvement, en se disant que cet expert renommé avait sûrement repéré une rareté. Pour emporter le portrait, il lui fallut

---

1. 31 500 euros.

payer bien plus cher qu'il n'aurait dû, 7 000 francs[1]. Sans compter les 10 000 francs que lui coûta la restauration. S'il avait été averti de la vente, il aurait discrètement confié un ordre à un tiers afin d'éviter ce désagrément.

Pour autant, il ne faut pas croire que les hôtels de ventes sont de véritables eldorados pour le quidam de passage. Certains ont eu des illuminations. Le hasard allume notre curiosité. Mais, fondamentalement, ces découvertes viennent en surcroît d'un travail et d'une longue accumulation de connaissances.

Quand un amateur a l'impression de tomber sur une trouvaille, le meilleur moyen de se prémunir d'une bévue est de l'estimer à peu près au niveau des « rossignols » qui l'entourent. De la sorte, il se réserve l'éventualité d'une bonne surprise, et se met à l'abri d'une mauvaise. Un « rossignol » ? Objet sans intérêt, « ainsi nommé à cause des frais d'éloquence et du flux de paroles harmonieuses qu'il faut employer pour venir à bout de s'en défaire », écrivait Texier au XIXe siècle[2]. Champfleury conseillait utilement de se défaire de « la croyance » – disons, de la foi – pour lui préférer un « aimable scepticisme », en liminaire de soixante conseils de la même eau, destinés aux amateurs encore profanes, et même sans doute à quelques professionnels.

Le catalogue est donc un instrument utile pour se prémunir de tout incident fâcheux. Presque tous rapportent l'estimation de chaque lot, ce qui est bien utile pour préparer le budget de sa vente. Quand il est inscrit « estimation sur demande », il faut traduire par : « Lot réservé aux plus fortunés. Simple manant, passez votre chemin. » La méthode impressionne toujours. En outre, elle permet au commissaire-priseur d'ajuster, au besoin, son estimation au fil des jours. S'il entend que Bernard Arnault est intéressé à hauteur de 500 000 euros par cette commode Louis XV, qui était évaluée 400 000 la veille encore, l'estimation est automatiquement relevée :

---

1. 1 000 euros.
2. Edmond Auguste Texier, *Tableau de Paris*, Paulin et Le Chevalier, 1852-1853.

— Ah, elle fera au moins 500 000...

Un petit jeu d'enchères avant les enchères en quelque sorte. Dans tous les cas de figure, pour un châle à 10 euros ou une peinture de Charles Le Brun, le « premier peintre du roy », à un million d'euros, expert, commissaire-priseur ou commissionnaire fournissent bien volontiers les estimations, soit par téléphone soit lors de l'exposition. Le matin de la vente, en effet, les objets sont exposés, habituellement de 11 heures à midi. Attention, midi c'est midi. Ce sont alors les commissionnaires qui font la loi, et ils plaisantent d'autant moins avec les horaires que leurs journées sont longues. En principe, c'est seulement durant cette heure de la matinée que l'amateur dispose de la faculté de regarder soigneusement les objets, et de les tripoter. Les jours où l'exposition se poursuit l'après-midi, il n'est alors plus possible d'ouvrir les vitrines pour voir les petits objets de près. Or, enchères et magie ne font pas bon ménage. C'est une règle d'or : ne jamais acheter le lapin qui va sortir du chapeau. Ou mettre de l'argent sur un lot, au vu d'une simple reproduction. Un dessin peut s'avérer être une photocopie qui aura échappé à la vigilance du commissaire-priseur ou de son expert. Il en existe de si admirables que les meilleurs spécialistes s'y perdent : seul un examen à la loupe, en révélant les points d'impression, permet de faire la différence. Certaines reproductions de peinture de la fin du XIXᵉ siècle et du début du XXᵉ siècle peuvent être aussi trompeuses (dans ce cas, un conseil : se concentrer sur la signature). Il y a un nombre infini de cas limites, qui rendent toute revendication ultérieure quasiment impossible : une chaise peut avoir un pied hâtivement recollé, une bouteille de vin se trouver madérisée. La protestation est difficile, sinon juridiquement impossible : le lot est vendu en l'état, sans vice fondamental sur sa substance même. D'autant plus ne faut-il jamais acheter une œuvre aux enchères sur un site Internet sans l'avoir vue. Même si certains serveurs arborent les plus grandes signatures, ils n'offrent en réalité aucune protection juridique en cas d'erreur, de fraude, d'accident durant le transport ou d'incident de paiement. Les cabinets d'avocats new-yorkais les plus retors ont travaillé les formes, qui sont tout simplement exorbitantes : acheteur ou vendeur ne disposent d'aucune des garanties auxquelles ils ont droit quand ils opèrent en salles des ventes. Déroger à ce principe peut coûter cher même aux connaisseurs : un important antiquaire parisien a ainsi acheté un beau panneau religieux à un client, vivant au Brésil. Il en avait vu une reproduction, connaissait son client, et n'avait aucune envie de se déplacer jusqu'à Rio pour un achat somme toute modeste (à son niveau, s'entend). Mais quand l'œuvre est arrivée à Paris, et qu'il l'a sortie de son paquetage, l'intérieur du panneau est tombé en poussière. Il était rongé par les termites. Et, sur une photo, un termite ne se voit pas.

Il est toujours possible d'en savoir plus sur un objet, et sa condition, en s'en référant à l'expert de la vente. Malheureusement, si certains sont connus pour leur honnêteté invariable, bien d'autres sont de vrais maquignons.

L'expert a beau être placé en contrebas de l'estrade, il est un personnage considérable, dont l'importance va bien au-delà de la fonction qui lui est formellement attribuée : décrire les lots et en proposer une estimation. Le commissaire-priseur n'est pas obligé de se faire assister de ses services. Hélas, même un officier ministériel ne peut tout savoir. « L'expert est le moyen pour les commissaires-priseurs, dans leur grande modestie, de dissimuler l'étendue de leurs compétences », souligne fort à propos François Duret-Robert[1]. Autre avantage, non négligeable : en cas de procès pour erreur d'attribution, il en assume la responsabilité juridique, partielle ou entière selon les cas.

Malheureusement, pour paraphraser Jacques Lacan, l'expert ne s'autorise que de lui-même. N'importe qui a la possibilité d'accrocher un panneau en bas de son

---

1. *Op. cit.*

immeuble et de s'intituler « expert en ceci, ou en cela », faire imprimer des papiers à en-tête et délivrer des avis emplis de science en ceci ou en cela, faisant foi. Cette faculté ne change pas avec la réforme entrée dans les faits en 2001. La nouvelle loi prévoit bien l'établissement d'une liste d'experts agréés par le Conseil des ventes, répondant à un cahier des charges. Cependant, ses membres ne bénéficient pas de l'exclusivité. Les experts indépendants ont tout autant le droit d'intervenir dans l'organisation des ventes que les experts agréés. La portée de cet article de loi reste donc aléatoire.

Il faut bien avouer, de plus, que la constitution d'une liste d'experts agréés ne peut suffire à rassurer pleinement le consommateur. La compétence des experts habituels de Drouot, et même de ceux auprès des tribunaux, n'est pas toujours établie par la réalité des faits. « Au premier abord, ce mot expert éveille dans l'esprit une idée majestueuse de science et d'autorité, à laquelle il faut se garder de s'abandonner », écrivait déjà, en 1862, Henri Rochefort[1]. Pour fonder cet avertissement, il convient de citer quelques extraits de catalogues anciens : « attribué à un auteur jusqu'ici demeuré inconnu », « sujet tiré de l'Apocalypse (maître allemand) », « portrait de Louis XV par Velazquez[2] », ou encore l'attribution d'une peinture à un certain Théodore Copulet. Il s'agissait de Theotokopoulos, mieux connu sous le nom du Greco. On peut trouver des bévues toutes récentes, comme cette datation insolite : « Période copte ». Ou ce catalogue présentant, en deux lots distincts, la même sculpture d'Arman, une fois photographiée de face, l'autre de dos. Ou cette marque au feu d'un célèbre ébéniste, « Assnat »... dont les meubles provenaient en fait de l'Assemblée nationale. On peut citer la méprise de cet expert de province qui, il y a encore deux ans, a mobilisé, avec un certain succès d'ailleurs, les médias régionaux et nationaux pour annoncer la redécou-

---

1. *Les Petits Mystères de l'hôtel des ventes*, éditions Rouf, 1862.
2. Mort en 1660, un demi-siècle avant la naissance de Louis XV, à Versailles.

verte d'un tableau de Delacroix. Il s'agissait en fait d'un paysagiste du XVIIIᵉ siècle qui signe « de Lacroix », appelé aussi « Lacroix de Marseille ».

Quand bien même l'expert est sérieux, sa connaissance est forcément limitée. Il ne peut pas tout savoir de la peinture du Seicento, des céramiques byzantines, des éditions rares, de l'art vivant de la « scène » berlinoise, de la BD belge et des horloges Louis XV. S'il fait bien son métier, il est tel le médecin généraliste qui renvoie son client à des spécialistes dès qu'il sent que l'affection lui échappe. Faute d'agir ainsi, il est rapidement pris en défaut. Seulement, la plus grande difficulté ne vient pas de la relativité de ses compétences. Elle réside dans le mélange des genres entre expertise et commerce. Normalement, un commissaire-priseur n'a aucun droit à se livrer à un commerce (nous verrons qu'il est aussi de tradition de déroger à cette règle, si l'occasion s'en présente). La nouvelle loi a cependant prévu une petite exception : pouvoir négocier un objet dans la foulée d'une vente aux enchères qui a échoué. Il s'agit en fait d'autoriser une habitude clandestine des salles de ventes. Cet expédient n'est cependant permis que dans les quinze jours suivant l'échec de la vente.

Longtemps, l'expert, lui, a joui de tous les droits et de très peu d'obligations, sinon celle d'assurer l'authenticité des objets qu'il décrit. L'expert attaché à une vente avait beau être censé donner un avis neutre et objectif, il lui arrivait d'y insérer sa propre marchandise. C'était, hélas, légal.

La faute, paraît-il, en revient à l'inflation. Une grosse bourde a été en effet commise en 1985 alors que Jacques Delors était super-ministre de l'Economie et des Finances. Contrecarrer l'inflation était devenu son obsession. Les professions percevant des honoraires libres l'énervaient beaucoup. Il les voyait comme de petits démons attisant le feu inflationniste. Il fut décidé d'imposer une grille d'honoraires aux experts. Conformément au bel esprit français, les calculs étaient éminemment complexes. Il fallait reverser 3 % de l'adjudication à l'expert pour l'achat d'une peinture ou d'une armoire Boulle, mais 5 % s'il s'agissait d'un coffre Renaissance ou d'un paravent chinois, et 6 % d'un timbre de collection... Le décret refondant le code tarifaire abrogeait le texte précédent, datant de 1956, qui, à son titre 2, avait le mérite de fixer certaines règles éthiques. Comme celle d'interdire aux experts de donner leur avis autorisé sur un objet qu'ils mettaient eux-mêmes en vente. Le titre 2 fut purement et simplement supprimé, sans que personne ne songeât à le renouveler. Si bien que, pendant plus de quinze ans, les experts se sont trouvés affranchis de tout cadre réglementaire. Ils pouvaient, en toute liberté, jouer au marchand et à l'expert en même temps. C'est donc bien la faute de l'inflation, dans la mesure où ni l'administration ni les gouvernants ne sauraient à bon droit être taxés de négligence.

La nouvelle loi se montre sévère envers l'expert agréé. Il lui est interdit d'estimer un bien lui appartenant, ou de l'inclure dans une vente dans laquelle il apparaît ès qualité. Il n'a plus le droit d'acheter dans ses ventes. Certains trouvent la pilule un peu amère, mais nul doute que, les règles de l'anonymat persistant, ils sauront y trouver une parade de bon aloi. Ou alors, ils préféreront rester indépendants, considérant que l'agrément leur apporte décidément plus d'obligations que d'avantages. Dans ce cas, aucune de ces règles ne s'applique.

Par un effet naturel, la confusion d'intérêts donne au conseil de l'expert une valeur inversement proportionnelle au profit qu'il compte en tirer. Autrement dit, s'il vous assure que c'est un très bel objet, vous avez le choix : ou bien c'est un très bel objet, ou bien il lui appartient. La situation peut être d'autant plus trouble qu'aucune indication ne distingue ce lot au catalogue.

Certains, en peinture ou numismatique par exemple, sont aussi connus pour rafler les bonnes affaires dans leurs propres ventes. En des temps plus vertueux, un commissaire-priseur comme Maurice Rheims ne prenait pas de gants pour congédier un expert qu'il soupçonnait de se livrer à cette manœuvre. Il faut vraiment être des saints aux professionnels pour ne pas être tentés de dévaloriser quelque peu un lot, alors qu'ils nourrissent l'espoir d'en profiter eux-mêmes. Mais les soupçonner de sombres desseins est une chose, le savoir encore une autre, et le prouver une troisième... Désormais, d'autant plus si l'expert de la vente n'est pas agréé par le Conseil des ventes, une saine méfiance est toujours recommandée.

Dans cet espace qui leur a été laissé libre, à l'aube d'une croissance exponentielle du marché de l'art, les experts ont prospéré, jusqu'à devenir la véritable colonne vertébrale de Drouot. Ils doivent leur place prépondérante non seulement à leurs compétences, mais aussi à la fidélité de leur clientèle. Nombre d'affaires passent par leur truchement. Ils apportent aux commissaires-priseurs des ventes entières « clé en main », les deux cent cinquante ou trois cents lots de la vacation provenant soit de leur propre stock, soit de leurs clients. Au début, ils se contentaient de 10 % de commission, puis se sont enhardis à revendiquer une part plus importante du gâteau. Le cabinet d'expertise de la famille Camard, spécialisé dans l'Art déco, a ainsi monté les plus belles ventes dans cette spécialité à Drouot ces dernières années. Entreprenante, sérieuse, la famille prenait tout en charge, rassemblant les collections, s'occupant des frais, éditant les catalogues, etc. Une véritable petite compagnie de ventes aux enchères qui ne pouvait dire son nom. En retour, indispensable pour tenir le marteau, le commissaire-priseur touchait 15 % sur la vente. Cet arrangement, faisant du commissaire-priseur un prestataire de service, était interdit, mais quelques artifices de comptablité permettaient de lui donner une apparence légale. Avec l'ouverture de la concurrence, la famille Camard a, tout logiquement, franchi le pas en formant sa propre société de ventes, logée à une adresse chic place Vendôme.

Il faut être juste : aux ventes montées par les experts, le commissaire-priseur apporte plus que son art consommé dans le maniement du marteau. Il couvre la vente de son autorité, quitte à adjuger des centaines d'objets dans la journée, dont il a, le plus souvent, à peine idée. Les commissaires-priseurs ont beau être supposés « cognoisseurs en toutes choses », c'est beaucoup leur demander que d'avoir les dispositions nécessaires pour pouvoir parler avec science de chacun de ces objets.

L'amateur averti a donc toujours en tête l'élasticité des conseils des uns ou des autres, méfiance qui s'accroît dès qu'il approche ceux qui ont parties liées à la vente. De même qu'un patient prend l'avis de plusieurs médecins, si un amateur guigne un objet d'une certaine valeur, il est judicieux de solliciter l'avis d'un expert indépendant, et spécialisé.

Il en est de fort sérieux et honnêtes, tel Alexandre Pradère, signalant à son hôte que le plateau de sa table basse en pierres dures provient des ateliers florentins des Médicis, dont il retrouvera, qui plus est, la trace dans les collections de Mazarin. Dotée de ce pedigree, elle sera vendue 5 millions de francs par Sotheby's à Monaco, en 1996[1]. Ou encore Jean-Pierre Camard, expliquant à un patron de bistrot, plutôt sceptique, que le cendrier dans lequel il écrase ses mégots sur sa table de nuit depuis des lustres est une coupe Art nouveau du verrier Emile Gallé : elle a été adjugée 4,9 millions de francs[2], il y a dix ans, à Drouot. Les commissaires-priseurs ne sont pas en reste, comme Me Philippe Rouillac, de Vendôme, identifiant un panneau du peintre Lucas Cranach l'Ancien avec l'assistance de l'expert René Millet.

Un ouvrage récent[3] recense avec verve plusieurs récits édifiants, comme celui de cet expert-libraire, reconnaissant l'original d'une planche d'Hergé (adjugé

---

1. 800 000 euros.
2. 720 000 euros.
3. Laurence Mouillefarine, Philippe Colin-Olivier, *La Fortune au grenier*, éditions Albin Michel, 2001.

570 000 francs [1], à Drouot, en 1999), ou de ce spécialiste en céramique, repérant des pièces du fabuleux service en porcelaine de Tournai commandé par Philippe d'Orléans en 1787.

En s'éloignant un peu des Beaux-Arts, l'expert en vins Alex de Clouet se montre invariablement d'une sincérité désarmante.

— Je vous préviens, ce vin, nous l'avons goûté, il ne vaut rien.

Ce qui n'empêche pas les enchérisseurs de se déchaîner. Peut-être croient-ils à une bonne plaisanterie de ce bon vivant. Le plus beau dialogue qu'il ait échangé avec un acheteur potentiel portait sur une caisse de vieux champagnes éventés.

— Monsieur, vous n'allez pas prendre cela. Je vous assure, c'est de la pisse d'âne !

— Vous ne comprenez pas. J'en ai besoin : c'est pour le mariage de ma fille !

La vente proprement dite commence habituellement vers 14 heures. Il est rare qu'elle prenne plus de cinq minutes de retard. Il vaut mieux arriver en avance pour pouvoir s'asseoir, si possible à un endroit d'où on peut voir (les objets) et être vu (du commissaire-priseur). La position assise est un avantage pour assister à des ventes qui peuvent facilement durer quatre heures.

L'occupation spatiale est un élément de la stratégie mise en œuvre par les familiers. Les marchands préfèrent rester debout, derrière les travées, afin de n'être pas vus quand ils enchérissent. En revanche, ils sont à même de voir les autres enchérisseurs, ce qui peut leur fournir une indication intéressante : si tel confrère se manifeste, ce peut être le signe d'une bonne affaire. D'autres concurrents ont des moyens financiers tels qu'il vaut mieux abandonner la partie. Demeurer au fond de la salle facilite de

---

1. 85 500 euros.

plus la liberté de mouvement : les commerçants peuvent aller et venir plus aisément d'une salle à l'autre, ou, tout simplement, quitter les lieux leur achat effectué sans avoir à bousculer leur monde.

Dans la préparation de la vente, à chaque lot désiré, il est recommandé d'annoter au catalogue un plafond de prix, et de s'y tenir. Mieux vaut aussi se fixer un budget total pour la vacation. Méfiez-vous des duels frénétiques. Ne faites pas comme cette jeune femme blonde s'effondrant en pleurs, après avoir poussé les enchères sans aucune retenue pour une Ferrari rouge (cela ne s'invente pas !).

— Il va me tuer, il va me tuer ! sanglotait-elle.

Et on supposait, en effet, qu'il allait avoir d'excellentes raisons de commettre l'irréparable. Ou, plus modestement, comme cet ami qui s'était enfiévré au point d'emporter beaucoup plus de lots que prévu, et s'était aperçu en fin d'après-midi qu'il venait de dépenser un mois de salaire. Il y a toujours la faculté de se déclarer « fol enchérisseur »[1], mais avec un risque financier non négligeable : il faudra compenser les pertes.

Il peut arriver, mais c'est rare, de vouloir un objet à tout prix. Rien alors ne peut vous arrêter, et pourquoi pas ? Un jour, coincé derrière une assistance nourrie, j'ai enchéri pour une bouteille de lafite-rothschild que je tenais absolument à offrir à un ami d'enfance pour son anniversaire. J'ai dû longuement batailler contre un importun assis dans la salle. Il n'était pas question de céder et j'emportai finalement le lot, avant de m'apercevoir que mon adversaire n'était autre que l'ami si cher... La même mésaventure est arrivée fin 2001 à des proches de Laure de Beauvau Craon, présidente de Sotheby's France, qui, sans s'être concertés, tenaient à lui offrir le premier lot de la première vente officielle de la compagnie à Paris. Cette édition originale d'un ouvrage, en version française, de Gabriele d'Annunzio a atteint 82 250 francs[2]. Il était estimé 5 000 francs.

---

1. Voir chapitre précédent.
2. 12 500 euros.

Quand il y a vraiment foule, il arrive ainsi d'entendre des interjections lancées du fond de la salle d'un enchérisseur à l'autre :

— Marcel, c'est toi qui enchéris, là ? Arrête, merde !

Deux associés qui ont enchéri l'un sur l'autre. A moins qu'il ne se prépare furtivement une « révision »[1]. Quand on commet cette petite folie de suivre les enchères sans limite, il faut prendre garde au commissaire-priseur, qui pourrait bien, en sentant la bonne affaire, pousser les enchères fictivement contre vous. On dit qu'il « bourre ». Il en a le droit...

Chaque commissaire-priseur a un rythme qui lui est habituel. Certains aiment ménager le suspense, le temps d'exhorter la salle :

— Allons, messieurs, c'est sûr ? Personne ne couvre cette enchère ? Voyons ! Cela vaut beaucoup plus...

Outre qu'il donne rarement des résultats, ce manège est vite lassant pour l'audience. En revanche, s'il fait preuve d'une célérité trop grande, le commissaire-priseur risque de décevoir ses clients qui lui ont confié leurs biens les plus précieux.

Même perceptible, la différence est infime : elle se calculerait en secondes. Car chaque lot est adjugé en une minute. Cette moyenne est bien pratique pour calculer l'heure du passage d'un objet : s'il porte le numéro 180 d'une vacation qui s'ouvre à 14 heures, il suffit de se présenter un peu avant 17 heures. Mieux vaut prévoir une marge d'un bon quart d'heure, par précaution. Et, aussi, pour « être dans le bain » au moment décisif. Alors, tout va très vite.

Chacun a ses méthodes pour entrer dans les enchères : mieux vaut attendre l'instant favorable. Rien ne sert de se manifester en premier : on ne fera qu'ajouter des enchères supplémentaires. Il y a cependant des exceptions, quand personne ne bouge.

— Pour ce magnifique objet, nous démarrons à 100.

---

1. Sur cette délicate manœuvre, voir chapitre 8.

A 100, messieurs ! Allons, nous avons encore deux cents lots à suivre...

L'intéressé doit alors lever la main, en disant à voix haute « preneur ». Le commissaire-priseur reprend sur-le-champ :

— 100. A 100, il y a preneur.

Dans le temps, on disait : « Il y a marchand à 100. »

Dans des petites ventes, plus souvent en province qu'à Paris, il arrive même que, ne voyant comme sœur Anne rien venir, le commissaire-priseur baisse sa mise à prix.

— Allons, il faut avancer, disons 80.

On peut, soi-même, tenter une offre :

— 80. Il y a preneur à 80.

L'initiative peut cependant être mal appréciée, et le commissaire-priseur s'énerve en remballant la marchandise.

— Eh bien, tant pis. Nous la repasserons la semaine prochaine.

Mais, généralement, lui-même fait un effort.

— Disons 90, y a-t-il preneur à 90 ? Allons, messieurs, nous n'avons pas tout l'après-midi...

— Preneur, il y a preneur.

En précisant même « preneur à 90 ». Le commissaire-priseur, en effet, est expert dans l'art d'emballer immédiatement la machine. Il tient le lever de main pour une enchère, et fort de sa souveraineté aussi bien que de la célérité du verbe, il annonce :

— 100.

En un clin d'œil, l'enchérisseur paye 10 % plus cher. Certains commissaires-priseurs sont spécialistes de cette esbrouffe. Parfois, un incident éclate. Un mécontent râle :

— Mais je n'ai pas dit 100, j'ai dit 90 !

Dans ce cas, la réputation, l'autorité, la dignité du commissaire-priseur sont en jeu. Tel le joueur de bonneteau pris en défaut, il contre-attaque sans faiblir :

— Ah non, monsieur, 90, ce n'est pas par vous ! C'était par madame, au fond (vous pouvez toujours chercher des yeux). Vous, c'était 100. Vous n'en voulez pas à 100 ? Eh bien, qu'à cela ne tienne, je le remets aux enchères !

Ainsi est promptement fait, avec l'effet de la part du commissaire-priseur d'un redoublement accéléré des moulinets du bras, jusqu'à ce que l'objet atteigne rapidement les 100, si possible à un autre enchérisseur, ou même à personne : il préférera ne pas vendre l'objet, plutôt que le remettre au mauvais coucheur, rapiat de surcroît.

La première enchère s'annonce de préférence à voix distincte, en levant le bras, de manière à être vu du commissaire-priseur, ou de l'« aboyeur ». L'aboyeur, ou le crieur, le bien-nommé, vous le reconnaîtrez vite, c'est le collaborateur du commissaire-priseur qui parcourt les travées en criant les enchères, et en repérant les nouveaux enchérisseurs. Une seule femme a exercé cette profession à Drouot, pour le compte de l'étude Tajan. Elle avait une particularité : elle ne disait mot, se contentant de distribuer les tickets. Il faut reconnaître que c'est un métier plutôt viril. Au XVIIIᵉ siècle, l'aboyeur faisait parcourir un brin d'effroi sur l'assistance mondaine, si l'on en croit ce satiriste, décrivant un « stentor déguenillé, gorgé d'eau-de-vie, dont le timbre faisait trembler les vitres », auxiliaire ô combien indispensable du commissaire-priseur, « pauvre bougre en habit noir, à la voix flûtée », manifestement dépassé par le charivari ambiant. Le pauvre chroniqueur en a gardé « des bourdonnements dans l'oreille pendant quinze jours »[1]. Au siècle suivant, un autre écrivain confiait son admiration de leur organe qu'il comparaissait à « l'aboiement de chien et à la corne à bouquin » (trompe faite à partir d'une corne de bœuf)[2]. Personnage redoutable, le crieur savait se faire respecter. Près d'un siècle plus tard, un témoin rapportait cet échange, saisi dans les couloirs de Drouot, consacré aux pourboires que les crieurs savaient faire disparaître avec l'habileté du prestidigitateur :

— Pourquoi cet usage du pourboire ?

1. Louis-Sébastien Mercier, *Tableau de Paris*, Virchaux et S. Fauche, 1781-1782.
2. Henri Rochefort, *op. cit.*

— Parce qu'il faut toujours mettre le crieur dans son jeu.

— Il peut donc nuire aux acheteurs ?

— Le crieur ne cherche à nuire à personne. Mais admettons qu'il devienne myope ou dur d'oreille. Voilà qui serait fâcheux pour vos enchères [1].

Aujourd'hui, personne ne songe à donner de pourboire au crieur pour influencer son jugement. Son influence, il est vrai, s'est grandement réduite. Jusqu'aux années 80, il était un personnage presque aussi important que l'expert ou le clerc, pivot des études des commissaires-priseurs. De même que ce dernier, il bénéficiait d'un pourcentage de la bourse commune de la profession, qui fut supprimée par les socialistes.

Il faut toujours à l'aboyeur de larges poumons et des jambes solides, mais aussi une tête bien faite : « J'ai quitté l'école à seize ans, cela ne m'empêche pas de faire quinze opérations à la minute », se vante l'un des plus actifs de la confrérie. Le crieur est constamment en mouvement entre la salle et l'estrade. Il répercute les enchères, dans les deux sens. Il lui revient d'étouffer tout incident dans l'œuf, le commissaire-priseur n'usant de son autorité qu'en dernière instance. L'aboyeur prend note de l'adjudicataire, et de son moyen de paiement, retransmettant ces deux informations en style télégraphique au clerc qui prend note :

— Durand-chèque.

Eventuellement, il précise s'il a déjà été bénéficiaire d'adjudications précédentes :

— Durand-déjà nommé.

Infatigable, il revient à l'estrade, où il remet le chèque ou les espèces. Le clerc, ou la comptable, lui délivre une petite étiquette, sur laquelle est inscrit le numéro du lot. Le crieur revient vers la salle, pour remettre à Durand la moitié de l'étiquette, qui lui permettra de retirer sa marchandise (sur laquelle est collée l'autre moitié). Le plus souvent, l'aboyeur fait chevaucher cette opération avec le

---

1. Louis Léon-Martin, *Les Coulisses de l'hôtel Drouot*, *op. cit.*

lancement des enchères pour l'objet suivant. Et ainsi de suite, un lot par minute, trois ou quatre heures d'affilée. Sans autre pause qu'une plaisanterie lancée par le commissaire-priseur ou un petit esclandre. A intervalle régulier, il participe lui-même aux enchères, pour son compte ou pour un commanditaire qui lui a confié un ordre d'achat. Et encore, il répond à un client venant solliciter une information :

— Dis-moi, à quelle heure tu la passes l'armoire ?

— Les meubles, c'est pas tout de suite, pas avant 17 heures.

Et il a l'œil sur les personnes trop échauffées, ou les mauvais payeurs réputés, dont il s'abstiendra soigneusement de retransmettre les enchères. « Un crieur expérimenté peut connaître de vue quinze cents ou seize cents personnes qui fréquentent Drouot », assure notre vieux routier.

Une fois le mouvement lancé, le commissaire-priseur s'adresse régulièrement à l'enchérisseur. Un hochement de la tête ou un simple clignement des yeux suffit à poursuivre. Ou un geste de dénégation, à s'arrêter. Parfois, dans ces barouds-éclairs, il y a des répits de quelques secondes, pendant lesquels un protagoniste prend l'avantage le temps d'un instant. Certains croient pouvoir profiter de cette faiblesse éphémère qui suit toute action terminée. Ils laissent filer quelques secondes de silence, avant de renchérir et de souffler la victoire. Le rival qui s'est relâché, pensant le duel gagné, se trouve découragé. Le procédé est amusant, sinon efficace. A la fin de cette joute, le commissaire-priseur abat son marteau en disant « adjugé ».

Normalement, si l'objet n'a pas trouvé preneur, il ne devrait pas prononcer ce mot magique. Il ne s'agit pas, à proprement parler, d'un commandement réglementaire, mais d'un usage, consacré par une recommandation de la Compagnie parisienne des commissaires-priseurs. Certains prennent des libertés avec cette disposition, afin de donner à l'audience l'impression d'une croisière de rêve, quand le bateau en réalité prend l'eau de partout. C'est le cas quand les lots, l'un après l'autre, estimés trop chers à l'avance, ne trouvent pas preneurs. La lassitude gagne, la salle se vide.

— Il n'y a rien à gratter dans cette vente.

C'est le naufrage.

Le commissaire-priseur n'est pas dépourvu de moyens :

— Attention, je vais adjuger ! s'exclame l'officier ministériel, qui sait très bien qu'il ne va rien adjuger du tout, car personne ne fait signe.

— A 20 000, il n'y a pas d'autre enchérisseur ? (Tu parles !) Personne ne couvre l'enchère de 20 000 ? Allons, messieurs, suivons ! Je vais adjuger !

Le mot sonne presque comme une menace : comment, vous, oui vous, vous allez louper cette bonne affaire, que dis-je, cette affaire unique ? !

— Pas de regret ? (Vous voyez : c'est bien à vous qu'il s'adresse.) J'adjuge !

Il abat le marteau. Il n'a pas dit « adjugé » pourtant. L'objet n'a pas été vendu. Mais la tradition est sauve. Et l'honneur aussi.

Un des cas les plus flagrants d'entorse à cette règle remonte au 10 juin 1995. Une étude de Rambouillet eut alors la chance de mettre en vente les archives de Raymond Loewy (1893-1986), le « père » du design industriel. Sa veuve, Viola, avait confié à Mes Francis Faure et Bernard Rey quarante mètres linéaires de documents, de dizaines de milliers de carnets, photos, lettres, films et croquis de celui qui avait dessiné les objets quotidiens du xxe siècle. Pourquoi avoir choisi une modeste étude de l'Ile-de-France ? Tout simplement parce que le couple lui avait confié, dans le temps, le mobilier d'un ancien pavillon de chasse d'Henri IV, à Montfort-l'Amaury, dont il avait décidé de se séparer.

« On se doit d'être un chef-d'œuvre ou d'en porter un. »

C'est par cette citation d'Oscar Wilde que Raymond Loewy a ouvert sa savoureuse autobiographie dont le titre sonnait comme la revendication de son art : *La Laideur se vend mal* [1]. Parisien débarqué à New York à l'automne 1919, à vingt-six ans, vêtu d'un uniforme râpé de l'armée française, avec 40 dollars en poche, mais muni d'un talent de dessinateur doublé d'un beau culot, il est devenu le créateur des objets de l'« *american dream* ». Son premier job fut de dessiner la ronéo Gestetner, qui se vendit plus de cinquante ans sans changement. Il a aussi modelé le logo de Shell, le paquet de Petits Lu, la bouteille de Viandox ou d'eau de Javel Lacroix. A son arrivée, imprégné de culture française et d'élégance anglaise, il s'étonnait de la capacité de l'industrie américaine à « fabriquer de la laideur au kilomètre ». Ses idées se vendaient bien : la simplification du paquet de Lucky Strike, cercles rouges sur fond blanc, conquit le marché féminin. Il a verticalisé l'aspirateur Singer, afin de pouvoir le ranger dans un placard, et muni le Frigidaire d'une pédale permettant de l'ouvrir les mains pleines.

Une des clés de son succès résidait dans sa fascination pour la vitesse, devenue la référence incontournable de l'Occident. Il avait gardé le souvenir d'un baiser, particulièrement inoubliable (dans un train), comme d'un mouvement « à caractéristique hélicoïdale, avec accélération progressive en profondeur ». Ses petits carnets étaient truffés de notes sur les automobiles, en anglais ou en français. Il avait conservé dans son portefeuille une photographie de sa blonde épouse, devant une BMW carrossée par lui. Avec la Studebaker sport, il avait allongé et assoupli les formes des voitures. Des trains de Pennsylvanie à l'habitacle de Skylab en passant par le ferry *Princess Ann*, les autocars Greyhound ou l'avion présidentiel de Kennedy, il imprimait à tout ce qui bougeait des formes aérodynamiques qui, même à l'arrêt, donnaient une impression de mouvement. Il avait dessiné un hélicoptère-autocar pour Greyhound, mais aussi imaginé une voiture électrique ovoïde, se rechargeant sur des bornes d'alimentation.

---

1. Editions Gallimard, 1963.

La bibliothèque de ce Jules Verne du business était d'une importance inégale, mais son attrait anecdotique était indéniable. Raymond Loewy émaillait ses inventions de notes humoristiques, et gardait en poche un calepin de blagues vaseuses, dont il devait se servir à l'occasion en société. Il avait méticuleusement copié la recette du lapin à la provençale et l'adresse du restaurant de Paul Bocuse. Dans ce fouillis cocasse, instructif et émouvant se trouvait une lettre de 1982 de la bibliothèque du Congrès, à Washington, se portant candidate à l'acquisition de ses archives. On se demande bien pourquoi l'affaire n'a pas été conclue.

Les commissaires-priseurs de Rambouillet n'avaient pas cru bon de faire appel à un expert, ou de publier un catalogue. Mise aux enchères d'un seul bloc, cette documentation était estimée 4 millions de francs[1]. Le jour dit, ne manquaient que la fanfare et la grosse caisse. En bordure de la route nationale 12, près d'Houdan, une grande tente, avec buvette et grill, avait été disposée dans un site de cinq hectares, où des lampadaires en fer forgé, ornés du blason de la ville de Paris, attendaient d'être mis à la criée, dans le voisinage d'une statue de saint François d'Assise, détachée d'un frontispice. Sous le chapiteau, devant une assistance clairsemée, trois ou quatre « crieurs » s'époumonaient, assistés d'un système de sonorisation digne des Rolling Stones. Hurlant les enchères au micro, chacun jouait à son tour au Monsieur Loyal, se relayant pour faire l'article :

— Allez, 500 francs de plus. Encore un petit effort !

Cette mise en scène à la Barnum ne parvenait pas à réveiller une salle léthargique. Un couple allemand, un peu désemparé, eut le tort de montrer son intérêt pour une cheminée. La sarabande infernale s'est organisée autour d'eux, les crieurs se relayant pour l'épuiser, telle une meute de chiens dans une chasse de courre.

— Encore un petit effort, elle est à vous.

---

1. Près de 650 000 euros.

— Allez, l'autre va craquer. Il est à bout.

Le couple s'est laissé entraîner jusqu'à 80 000 francs. Entre les grilles de château et les nains de jardin, la mise aux enchères des archives de Raymond Loewy n'a pas échappé à ce manège aussi fastidieux que grotesque. Au milieu des vociférations, un inconnu dans la salle et un enchérisseur prétendument au téléphone ont péniblement fait monter les enchères. A voix distincte, le commissaire-priseur a déclaré le lot « adjugé » à 3,2 millions de francs. L'inconnu s'est éclipsé sans demander son reste. Le commissaire-priseur est allé voir Viola Loewy, qui était présente, en compagnie de quelques journalistes, dont l'envoyé de *Libération*, et Nicholas Powell, du *Journal des Arts*. A tous, il a confirmé que la vente avait été réussie. Un communiqué a été relayé par *l'Agence France-Presse*. La nouvelle a fait le tour du monde : « Une petite société de commissaires-priseurs vend le fonds de Raymond Loewy. » A qui ? Mystère. Sur le coup, Viola Loewy s'est montrée un peu déçue :

— J'en attendais 5 ou 6 millions de francs. C'était quand même un génie. Quand on pense qu'il a créé une profession qui brasse des millions de dollars...

Son espoir était peut-être exagéré, dans la mesure où ces archives comportaient aussi nombre de souvenirs sans grand intérêt, ainsi que des travaux provenant du cabinet qu'avait créé le designer, un des plus importants des Etats-Unis. Une semaine plus tard, dans son appartement parisien de la rue Boissières, sa veuve sanglotait, effondrée en pleurs.

— Les commissaires-priseurs m'ont menti. Tout ce battage, c'était du vent. Personne n'avait enchéri. Ils n'ont rien vendu du tout.

Ce que reconnaît Me Faure, qui préfère « ne pas s'étendre sur le sujet » aujourd'hui. Selon lui, « cette documentation est repartie aux États-Unis ».

Apprenant cette fausse adjudication, le président de la Chambre nationale des commissaires-priseurs, Me Gérard Champin, en privé, devait parler de « faute grave ». Viola

Loewy avait expressément demandé à ce que cette blessure, qui l'avait meurtrie, reste confidentielle. Elle est décédée quelques années plus tard.

Quel contraste avec l'atmosphère d'une salle de ventes de Sotheby's ou Christie's ! Elegants, débarquant en limousine, pour certains accompagnés de leur petit chien de compagnie, les participants sont soumis à un contrôle préalable. Ils s'enregistrent avant la vente, pour se retrouver affublés d'une palette sur laquelle est inscrit un numéro géant.

— Au 34, je vais adjuger au 34...

Discrétion et raffinement assurés. Ce n'est pas comme à Drouot.

— 2 000... par la dame au chapeau. Pas par vous, le monsieur à la moustache... Bon, nous disions 2 000, par un chapeau.

Dans les traditionnelles salles de ventes françaises, l'atmosphère est bien plus chaleureuse. Foin de cérémonial, tout se passe à la bonne franquette. Et, comme aux Halles, à la parole donnée, qui est sacrée. Quand un adjudicataire sort victorieux de la mêlée, il remet à l'aboyeur un chèque signé en blanc, éventuellement une liasse de billets. A la fin de la vacation, les adjudicataires font la queue devant l'estrade. La comptable détaille leurs achats, pour leur remettre le « bordereau de vente », en calculant droits et taxes. Jusqu'en 2002, hormis quelques spécialités, ils étaient d'environ 11 % (évidemment, 11 % tout rond, ce serait bien trop facile à calculer).

Désormais, ces tarifs sont libres. Ils figurent au catalogue, et doivent être affichés dans la salle. Comme au bistrot, où le prix des boissons de base est visible au-dessus du comptoir. Dans une salle de Drouot, le commissaire-priseur peut ainsi taxer les achats de 5 %, et son collègue opter dans la salle voisine pour 25 %. Cette disparité trouve cependant ses limites, car, à ce niveau, les amateurs sont vite rebutés. Dès ses premières ventes avenue Matignon, en décembre

2001, Christie's a quand même imposé un tarif de 21 %. Au même moment, à Drouot, il était encore de 11 %.

Le bordereau sert, avec les étiquettes qu'il faut précieusement garder, à retirer les objets auprès des commissionnaires. Si besoin, à Drouot même, sont installés des transporteurs. Il est aussi possible de venir chercher ses lots dans la salle, tôt le lendemain matin. Passé 10 heures, en général, les objets partent au magasinage. Il vaut mieux éviter. Cette consigne coûte cher. Et il y a parfois des disparitions. Engager une procédure est un embarras dont on se passerait bien, d'autant qu'on ne sait jamais à quel moment l'objet a pu disparaître et qui peut en être rendu responsable.

S'il n'est pas possible d'aller à la vente, il est toujours loisible de laisser un « ordre » aux organisateurs. Il leur revient alors d'enchérir à votre place. Il faut cependant être conscient que les meilleures affaires se font sur place, en jouant de l'imprévu. Un lot qui passe, un moment d'inattention de la salle, un bras qui se lève, et, dans le souffle d'une seconde, l'heureuse surprise... De plus, nombre de commissaires-priseurs, et même certains experts, jouent de l'ambiguïté de la procédure de l'ordre d'achat. L'amateur est appelé à fixer un plafond à son offre, ce qui est une précaution élémentaire.

— Je voudrais cette armoire, que vous avez estimée 1 000. Je suis prêt à mettre, disons, jusqu'à 2 000.

Certains commissaires-priseurs ou experts ont alors l'indélicatesse de prendre ce montant non comme un plafond, mais comme un plancher. En principe, le commissaire-priseur devrait commencer les enchères à 700 euros, et monter petit à petit. S'il obtient l'armoire à 900 euros, tant mieux pour son client. A contrario, il peut choisir de mettre directement l'armoire à prix à 2 000 euros. Si personne ne se manifeste, elle ira à son commanditaire, qui n'a pas les moyens de protester. Ne s'était-il pas dit prêt à mettre jusqu'à 2 000 ? En fait, il paie le meuble le double de sa valeur. Il est ainsi courant de voir un commissaire-priseur ouvrir les enchères très au-dessus de l'estimation. Devant les protestations de la salle, il lance :

— J'ai un ordre !

En vérité, il fausse complètement le jeu des enchères. Et il ne se montre pas d'une honnêteté scrupuleuse envers celui qui s'en est remis à lui. Les experts, qui ont besoin de se ménager une clientèle fidèle, sont parfois plus attentionnés. Il est aussi possible de confier des ordres aux crieurs ou commissionnaires, qui se débrouillent généralement très bien. Dès qu'on devient un habitué d'un hôtel des ventes, on apprend à connaître les professionnels auxquels il est possible de confier ses intérêts. Et ceux qu'il faut éviter à tout prix. Certains se montrent très consciencieux. Il m'est arrivé, dans la précipitation, deux minutes avant l'ouverture de la vacation, de passer par téléphone un ordre verbal à l'expert Alex Clouet :

— Je suis intéressé par les lots n° 40, 65, 93, 147 et 210.

Pas le temps de fixer de plafond.

Deux jours passaient.

— Vous avez pu avoir quelque chose pour moi ?

— Vous pensez ! C'était beaucoup trop cher.

Spontanément, il avait choisi de rester dans la fourchette de l'estimation. Dans l'ensemble, nous donnerons encore raison à Champfleury quand il écrit, en 43e conseil : « Un collectionneur qui donne commission, et n'achète pas lui-même, ressemble à cet Anglais qui, ayant noté sur son calepin la vue de Paris du haut du Panthéon, y fit monter son domestique. »

3.

Vendre : marchander

Qu'on souhaite se débarrasser de la croûte du grand-père, ce qui est le cas généralement, ou qu'on ait découvert dans son grenier un Caravage disparu depuis toujours, ce qui est vraiment très rare, la mise en vente d'un objet est toujours objet de négociation. Même du temps du monopole corseté des commissaires-priseurs, la concurrence avait fini par s'installer.

Les organisateurs des ventes aux enchères perçoivent, en effet, des honoraires des deux côtés : sur la personne qui met le lot en vente, et sur celle qui l'achète. On parle ainsi couramment des « frais-vendeur » et « frais-acheteur ». Avec la réforme, ils sont devenus libres. Raison de plus pour négocier pas à pas. Cette mesure de libéralisation, comme bien d'autres concernant la profession, a été prise par les socialistes, ce qui tendrait à démontrer, incidemment, qu'ils ont une intelligence plus claire de l'évolution de ce marché, ou qu'ils n'ont guère le souci de leur propre doctrine, au choix.

Tarifer les ventes volontaires par décret était contestable. Cette formule incitait les professionnels les plus dynamiques à tricher un peu, ce qui, au final, ne pouvait que vicier le système. Pour ne rien arranger, les commissaires-priseurs ont longtemps été forcés de pratiquer des tarifs bas du côté des acheteurs, notamment pour les œuvres les plus chères (moins de 5 %). C'était, là encore, aller contre les impératifs de la concurrence : dans ce métier, il est capital d'attirer les vendeurs. Il vaut donc mieux baisser les honoraires de leur côté, quitte à se rattraper sur les acheteurs : eux n'ont pas le choix, s'ils veulent acquérir ce Van Gogh, qui est justement celui manquant cruellement à leur collection.

Si la gestion en bon père de famille de la société de ventes nécessite de prélever un total cumulé de 15 % sur une transaction, mieux vaut taxer le vendeur de 5 % et l'acheteur de 10 % que l'inverse. Car, frappé de 10 %, le vendeur ira volontiers trouver un concurrent qui lui offrira un taux plus intéressant, éventuellement en se déplaçant vers Londres ou New York. Ce qu'ont fait un nombre respectable de possédants. Quand Maurice Rheims a voulu vendre un Toulouse-Lautrec, il l'a exporté à New York, ce qui était quand même un comble pour une ancienne star de Drouot. Plus récemment, quand un conservateur du patrimoine à la retraite a voulu se défaire d'une armoire Boulle, il a procédé de même, sûr d'obtenir un très bon prix chez Phillips.

Confier un objet conduit donc à faire jouer compétition et rapports de force. Si, effectivement, la toile noircie oubliée au grenier est un Caravage redécouvert, ou mieux encore un Van Gogh, dont la cote est astronomique, le propriétaire se trouve en meilleure position que si, finalement, il n'a sur les bras que le paysage du grand-père, par malheur crevé par un clou au passage. Le vendeur d'une collection importante peut réclamer des honoraires proches de zéro, sinon nuls. Le commissaire-priseur retire alors ses émoluments de la « commission-acheteur ». Il tire aussi profit de la gloire d'une vente de prestige, répercutée par les médias. Ce bénéfice n'est pas que moral : les maisons de ventes voient alors affluer des clients impressionnés, venus à leur tour proposer leurs propres trésors.

Les nouvelles sociétés de ventes sont conduites à publier des barèmes d'honoraires, qu'elles ne respecteront pas toujours. Une harmonisation, en douceur, des tarifs est probable, et même souhaitable tant qu'il ne s'agit pas de s'entendre sur le dos du consommateur.

Un décret de 1985 avait déjà libéralisé les tarifs-vendeurs, mais en fixant un plafond : 7 %, plus la TVA et les frais divers de vente (édition de catalogue, expertise...). Les commissaires-priseurs n'avaient pas le droit de faire des bénéfices sur ces frais. Aujourd'hui, eux aussi sont libres. Comme dans tout système commercial, ils peuvent faire l'objet d'un forfait. L'établissement d'un devis écrit est fortement conseillé, plutôt que de risquer une déconvenue ensuite.

Il faut prendre garde aux mauvaises surprises, comme celle qu'a connue cette dame : ayant vendu sa chambre à coucher en noyer pour 10 francs et sa salle à manger en palissandre pour 5 francs, et même un lustre à 130 francs, elle s'est retrouvée devant de l'argent au commissaire-priseur, qui lui a bravement facturé 709 francs de frais divers [1]. La confection et la diffusion d'un beau catalogue coûtent en particulier très cher. Attention aux commissaires-priseurs qui semblent ainsi vous proposer des honoraires très raisonnables, mais y ajoutent sans vergogne des frais tels que l'addition se monte finalement à 30 ou 40 % du montant obtenu aux enchères.

La loi du 10 juillet 2000 autorise également les sociétés à offrir des services financiers à leurs clients. Elles peuvent consentir une avance [2]. Il ne faut pas s'illusionner : ces avantages ne sont pas destinés aux gens du commun. N'imaginez pas pouvoir obtenir beaucoup d'avantages avec le service à thé de votre vieille mère – avec tout le respect qu'on lui doit. Les organisateurs des ventes aux enchères n'en délivrent qu'exceptionnellement, et seulement dans les très grosses affaires.

---

1. Cas cité dans « Les milliards de l'art ». Les dossiers spéciaux du *Canard enchaîné*, juin 1984.

2. La possibilité de garantir un prix, suivant les plus belles méthodes « new-yorkaises », est même inscrite sur le papier, même si, de fait, elle est rendue inapplicable. Ce qui est sans doute préférable, étant donné les risques de dérives (voir chapitre 1).

Il faut également prévoir un échec de la vente. A moins d'être prêt à se débarrasser d'un objet à n'importe quelle valeur, il est sage de fixer un prix dit de « réserve ». Autrement dit, un minimum, en dessous duquel l'objet n'est pas vendu. Si les enchères restent insuffisantes, l'objet est repris par son propriétaire. On dit alors que le lot est « ravalé ». On entend ainsi parler à Drouot des « ravalos ». Ou, pis encore, des vieux « chevaux de retour », qui ne sont pas éloignés des « rossignols » déjà nommés. Il est important de prévoir ce qu'il advient des honoraires et dépenses en cas d'échec de la vente. La règle de la bienséance veut que le commissaire-priseur ne prenne qu'un minimum de frais, sinon aucuns. Mais elle peut varier. Il peut alors, pendant quinze jours, essayer de trouver un acheteur, mais pas en dessous du prix de la réserve.

En principe, il est gardé secret (en confiance, certains commissaires-priseurs vous le susurrent à l'oreille). La coutume veut qu'il corresponde peu ou prou au bas de la fourchette de l'estimation : une peinture estimée de 20 000 à 30 000 euros est probablement « ravalée » autour de 19 000 euros. En tout cas, pas à 21 000 : il est désormais interdit de fixer une réserve supérieure à l'estimation basse.

Exceptionnellement, certains clients ne veulent pas arrêter de réserve. La même peinture peut alors fort bien être adjugée à 10 000 euros. Cependant, la tendance naturelle des commissaires-priseurs est de pousser les enchères, au risque de forcer la main du vendeur. Celui-ci serait prêt à sacrifier son bien à 10 000 euros, mais le commissaire-priseur se fait fort d'agir pour son intérêt supérieur : mieux vaut ravaler la toile que la laisser partir à ce prix ridicule. Combien de fois a-t-on vu des commissaires-priseurs se vanter d'avoir poussé les enchères contre l'avis de leur propre client ?

Il existe aussi des ventes judiciaires dite « sans réserve ».

« Tout est à vendre, m'sieurs-dames », est alors le slogan du commissaire-priseur, ce qui évidemment attire le public dans la salle, dans l'espoir de multiplier les bonnes affaires. Mais, là encore, nombre de commissaires-priseurs prennent des libertés avec cette règle : quand ils trouvent qu'à 100 euros cet ordinateur est vraiment bradé, ils le retirent pour le refourguer dans une prochaine vente. Après, ils s'arrangent avec l'administrateur judiciaire. De toute façon, on a rarement vu un administrateur judiciaire se plaindre de la poursuite de sa mission...

Un lot ravalé peut être ainsi reproposé aux enchères. Le niveau de la réserve peut même être abaissé entre-temps d'un commun accord. Cela n'est guère problématique quand s'il s'agit d'un ordinateur ou d'un lit. L'échec d'une vente pèse cependant davantage sur des objets de valeur. Voir une peinture importante, donc repérée par les spécialistes, et parfois même par les journalistes, passer de vente en vente sans trouver acquéreur décourage les bonnes volontés. Il faut parfois attendre des années avant de la reproposer aux enchères avec quelque chance de succès. L'objet est, en quelque sorte, « brûlé ».

Les organisateurs de ventes aux enchères divergent sur l'attitude à adopter quand ils doivent conseiller un niveau de réserve à leur client. Dans l'espoir de subtiliser l'affaire à un confrère, certains n'hésiteront pas à faire miroiter une estimation exagérée.

— Ah, il vous a dit 10 000 euros pour ce beau meuble. Mais ce n'est rien !

Sous-entendu : quel imbécile (ou : quel voleur, selon le degré de franche camaraderie) !

— Moi, je peux vous en tirer facilement, disons, 15 000...

C'est tentant. Le mandat de vente est signé, le prix de réserve fixé à 15 000. Mais si les enchères s'arrêtent à 11 000, le lot est invendu. Le commissaire-priseur s'excuse. Il a fait au mieux... Comment lui en vouloir ? Et s'il n'a pas réalisé une affaire, son confrère du moins en aura perdu une...

En vérité, fixer une réserve trop haute fait courir un risque inutile. C'est faire peu de cas de la contagion de la fièvre des enchères. Beaucoup de commissaires-priseurs proposent systématiquement des estimations peu élevées, conseillant à leurs clients des prix de réserve assez bas. Ils y trouvent sans doute leur intérêt, puisque ce principe fait tourner leur vente. Mais, sur le fond, ils ont raison. Cette modération attire du monde. La vacation est animée. Les enchères montent souvent davantage qu'avec une estimation de départ plus élevée, qui décourage par avance les enchérisseurs de se manifester. Ceux-ci aiment se prendre au jeu. Il est facile de le discerner quand, dans une vente, un commissaire-priseur propose un lot à une mise à prix un peu élevée :

— 1 000, qui en veut pour 1 000 ? Allons, messieurs, vite, s'il-vous-plaît... Bon, commençons à 800 si vous voulez...

Et, là, le mouvement prend.

— 800... 50, 900... 50, 1 000, 1 100, 1 200...

Et pourtant, à 1 000, dix secondes plus tôt, personne n'en voulait.

4.

La fièvre de la collection

« Fortifier ses nerfs par des ablutions d'eau froide tous les matins, ne pas irriter l'estomac par des repas épicés. Arriver frais et dispos le corps en parfait équilibre. Une tablette de chocolat, une conserve sucrée rétablissent l'estomac vers cinq heures du soir, au moment où l'enchère devient flamboyante ; un flacon d'odeurs est indispensable pour combattre les exhalaisons de la foule entassée. » Enrichi de ces consignes de Champfleury[1], vous voici paré pour vous rendre régulièrement à l'hôtel des ventes. Bientôt, le démon de la collection vous ronge. On prétend que les amateurs d'ordre tombent facilement amoureux du timbre-poste, tandis que seuls les férus d'histoire peuvent apprécier l'eau-forte du XVIIIe siècle. Les hédonistes ne jurent que par les vieux bordeaux, les originaux aiment l'art populaire, et les bourgeois le paysage. Seuls les initiés comprennent l'art contemporain, mais tout le monde peut en acheter.

Dans tous ces domaines, et dans bien d'autres, les conseils des spécialistes se ressemblent. Dans le cas où il s'intéresse à des objets multiples (argenterie, céramiques, bronzes, lithographies, vins, photographies, affiches,

---

1. *Op. cit.*

timbres, monnaies...), l'amateur vierge est vivement incité à s'établir une grille de cotations, qui lui servira de référence dans l'échauffement des enchères. En se munissant d'ouvrages spécialisés et en collectant les adjudications, il peut ainsi rédiger son propre livre de cours moyens. Dans les ventes, les habitués relèvent ainsi systématiquement sur leur catalogue l'enchère finale de chaque lot. Eventuellement en cochant d'un grand R, pour « ravalé ».

En revanche, les livres de cotations perdent de leur utilité dès lors qu'ils prétendent s'appliquer à des œuvres uniques. Les paramètres sont trop aléatoires pour en justifier la légitimité : si l'œuvre est de grande qualité, elle peut valoir vingt ou trente fois une peinture de la même main. Si elle est de facture médiocre, l'inverse est vrai. « Mon premier conseil, quand je vois un collectionneur se référer à un livre de cotation de peinture : le jeter à la poubelle », confie l'expert Etienne Bréton.

Le prix d'un objet est en effet une catégorie d'une grande variabilité. Une collectionneuse américaine en résumait bien le fait :

— Une œuvre d'art vaut ce qu'on est prêt à payer.

La valeur est la rencontre, à un moment donné, d'un objet et d'une personne – ou de plusieurs, avec la bousculade qui s'ensuit inéluctablement Les variables sont en nombre infini. Les plus précises des cotes mentionnent ainsi les prix d'adjudication recueillis en plusieurs dates et endroits, assortis d'explications circonstanciées. Une bouteille d'yquem 1988 vaut ainsi, normalement, plus cher à l'unité. A 140 ou 150 euros, il se trouvera facilement trois ou quatre œnophiles prêts à se disputer pour ce pur moment de bonheur concentré par Maître Alexandre de Lur Saluces en sa vigne perché. A 1 800 euros la caisse de douze bouteilles, le nombre d'enchérisseurs diminue sérieusement. Proportionnellement, les enchères montent moins. Aussi, dans un guide de référence, la précision « une bouteille » ou « une caisse » est-elle utile pour comprendre d'éventuelles variations. Pour des chaises, c'est l'inverse. Un seul exemplaire n'intéresse personne. Une chaise vaut plus cher en série de six qu'isolée.

Les accidents réduisent beaucoup la valeur d'un lot. Il peut être tentant de porter les enchères sur un piano ou un manteau de fourrure abîmés, dont l'estimation paraît attractive. Mais alors, il faut également prévoir l'éventualité de frais de restauration. Qui sont susceptibles de dépasser de très loin le montant de l'adjudication. En cas de doute, il est utile de demander son avis à un restaurateur, avant la vente.

En faisant le tour des catalogues de vente, des vacations, des galeries, chacun affine sa connaissance, et son goût. La lecture régulière de la *Gazette de l'Hôtel Drouot*, qui annonce ventes et résultats, est aussi utile. Dans sa quête, l'habitué des salles de ventes est conduit à fréquenter les marchands, avec lesquels il prend le temps d'établir une relation de confiance. Quand un commerçant s'est approvisionné à l'hôtel des ventes, il revend forcément l'objet avec une marge bénéficiaire. L'écart de prix, entre un objet obtenu de vive lutte aux enchères et marchandé non moins vivement dans sa boutique, peut être sensible. Loin de nous l'idée que l'antiquaire n'est pas mû par l'appât du gain. Mais, pour forte qu'elle puisse être, cette appétence n'explique pas à elle seule cette différence. Il propose des objets rares, ou même uniques. Il doit rentrer dans ses frais fixes, qui sont importants. La qualité de son service est substantielle. Fréquemment, il a dû restaurer la peinture, le meuble ou le tapis qu'il propose à sa clientèle. Il offre une garantie d'authenticité et de qualité, d'un niveau supérieur à celui d'un hôtel des ventes. Les grands antiquaires ou galeristes s'engagent, de plus, à racheter leur marchandise à leur client, dès que celui-ci en éprouve le besoin. D'autre part, les ventes aux enchères ne constituent pas, fort heureusement, la seule source d'approvisionnement des négociants. Ils trouvent chez les particuliers, à « leurs adresses » comme ils disent, un meuble ou un tableau, qu'ils peuvent ensuite offrir à un prix très raisonnable. Moins cher parfois que dans une vente aux enchères. D'autant que les batailles d'enchères ont leur part d'irrationnel : il arrive que les valeurs deviennent bien trop élevées, dépassant celles habituellement pratiquées par le négoce. Il est un peu irritant d'apercevoir, en devanture de magasin, un lampadaire 1930 à 700 euros, alors qu'un instant plus tôt, on était si fier d'avoir emporté le même de haute lutte à Drouot pour 900 euros.

Dans sa quête de beaux objets cachés, le marchand est en outre conduit à prendre sa part de risque. Il suffit de citer l'infortune survenue à un galeriste du quai Voltaire, Charles Bailly, auteur dans les ventes aux enchères de quelques remarquables découvertes. Un de ses collaborateurs avait remarqué une peinture dans une vente de Toulouse, provenant des héritiers d'un marchand de tableaux. La reproduction évoquait une esquisse disparue de Rubens. Prévenu la veille de la vente, Charles Bailly dut se décider sur-le-champ. Il ne devait pas être le seul à avoir repéré le lot, puisque son mandataire dut enchérir jusqu'à 140 000 francs [1] pour l'obtenir. Mais quand la peinture fut présentée à Charles Bailly, sa déception fut à la mesure de son espoir. Il comprit immédiatement qu'il s'agissait d'une copie. L'anecdote ne prend pas fin ici : la famille qui avait mis en vente la peinture apprit que l'acheteur n'était autre que ce fameux marchand parisien ! Il s'agissait forcément d'un vrai Rubens ! C'est en vain que le marchand parisien proposa de leur rendre le tableau. Ils engagèrent une procédure. Une expertise judiciaire fut ordonnée, qui confirma la première impression de Charles Bailly. C'était bien une copie, qui devait lui rester sur les bras. Sans se désemparer, la Justice condamna le galeriste aux entiers dépens du procès, dont les frais d'expertise, qui se montaient à 70 000 francs [2]. En décembre 2001, Charles Bailly remit sa copie aux enchères à Londres, où elle fut vendue moins de 15 000 francs. Il avait perdu plus de 200 000 francs [3].

---

1. 21 000 euros.
2. 10 700 euros.
3. 2 250 et 30 000 euros.

« *Buy perfection* », disent les Anglais. Certains tiennent cette maxime comme une règle d'or. Il convient de nuancer cette appréciation, surtout aux débuts d'une collection. Dominique Chevalier, grand marchand de tapisserie ancienne, suggère au débutant de se faire la main sur de beaux fragments, de verdure, de tête ou de personnage. L'expert Jean-Gabriel Peyre ne voit pas d'objection à commencer par des céramiques légèrement accidentées, à moitié prix d'une pièce intacte, quitte à évoluer plus tard. L'essentiel, me semble-t-il, est de se faire plaisir.

La règle de la perfection, en revanche, reprend de l'importance si la collection est perçue sous l'angle de l'investissement financier. Une enseigne publicitaire à l'état neuf de 1950 peut valoir bien plus cher qu'un panneau abîmé des années 10. Une montre qui n'a jamais été portée a davantage de valeur que la même usée. Pour les mêmes raisons, la collection impose de bonnes conditions de conservation. Un beau dessin du XVIIᵉ siècle, exposé à la lumière et à l'empoussiérage du chauffage central, perd vite de sa valeur.

Sacha Guitry avait coutume de distinguer deux sortes de collectionneurs : « Celui qui cache ses trésors, et celui qui les montre. » Le collectionneur-placard ou le collectionneur-vitrine. On ne s'étonnera pas de lire que l'écrivain cinéaste se classait sans l'ombre d'une hésitation parmi les vitrines. On craint cependant que l'égotisme exacerbé qui lui servait de signature ne l'ait égaré dans son jugement. Car le sens même de la collection, c'est « la monstration ». Depuis l'Antiquité, et avec un appétit renouvelé à partir du XVIᵉ siècle, la collection a été instrument de pouvoir et de séduction. La collection, c'est le partage du goût. Comme toute addiction, elle se nourrit du prosélytisme. Une collection cachée n'a pas de sens.

Les collectionneurs peuvent bien plutôt se distinguer en deux sortes : les conservateurs et les joueurs. Ceux que la sentimentalité empêche de se séparer du moindre bibelot, même si leur appréciation esthétique a changé dans l'intervalle. Et ceux qui achètent dans le dessein de grossir leur fortune. Les plus avisés sont probablement ceux, mi-conservateurs mi-joueurs, qui renouvellent régulièrement leur collection, en se servant des profits réalisés pour réinvestir dans leur passion. Mais cela, c'est le septième niveau de la sagesse.

Si les spécialistes peuvent diverger dans le culte de l'objet parfait, ils se rejoignent tous pour écarter la copie. Même dans le cas où une imitation apparaît plus grande, plus belle, en un mot plus spectaculaire, il faut toujours opter pour l'authentique. Dans n'importe quelle spécialité, une copie vaut à peine le dixième d'un original. Le XIXe siècle a été le grand siècle pasticheur, dans tous les domaines des arts décoratifs. Mais la copie, ou la falsification, est presque aussi ancienne que l'art. Dès la fin du XVIIe siècle les ateliers parisiens de tapisserie s'inspiraient des cartons du XVIe. Aujourd'hui, dans un pays comme la Chine, des artisans consciencieux produisent des vases Ming, de faux cognacs, mais aussi des tapis persans en soie très convenables. Ou encore des meubles Art déco recouverts de matières rares comme le galuchat.

Se garder des faux et des copies est certainement un impératif, mais il n'est pas le seul. En achetant une œuvre d'art aux enchères, il convient aussi de s'assurer de son historique. Combien significative à cet égard est la lecture des nombreux manuels et guides du parfait petit collectionneur qui se sont multipliés au fil des décennies. S'ils regorgent de conseils pour éviter de se laisser tromper par des faux, ils n'évoquent jamais la question de la provenance. Or, qu'on s'en félicite ou qu'on le regrette, la transparence sur l'origine des objets devient un facteur obligé de la vente aux enchères. Il semble normal de refuser de s'intéresser à un meuble risquant de provenir d'un cambriolage. Il doit être tout aussi impératif de ne jamais toucher à un tableau dont l'historique n'est pas clair durant la période allant de la prise du pouvoir des nazis, en 1933, à l'effondrement de leur régime, en 1945. Ou de refuser une figurine djenné ou nok, ou un bijou en or sipan, dont les sites d'origine, en Afrique ou Amérique latine, ont été la proie des pillards et des trafiquants.

Chaque acquisition devrait être précédée d'investigations, dans les documents faisant référence à la spoliation comme dans les catalogues raisonnés, auprès des spécialistes et d'institutions comme le Conseil international des musées, l'Art Loss Register à Londres, ou l'office central de répression du trafic des biens culturels, antenne spécialisée de la police judiciaire. Ces deux derniers organismes disposent d'importantes bases de données des œuvres volées. Cependant, afin d'éviter de faciliter le travail des trafiquants, elles ne sont pas disponibles à tout un chacun sur le Net. Il faut passer par leur biais.

Si un catalogue donne à une œuvre une lointaine origine dans une collection comme celle de la famille Schloss (ensemble exceptionnel de tableaux flamands et hollandais, volé par les Allemands en 1943), il est indispensable de vérifier auprès de la famille la validité de la vente. La même méfiance devrait s'imposer à tous si des objets portent des marques d'inventaire comme « R » (pour Rothschild) ou « AK » (pour Alphonse Kann, brillant collectionneur, dont la villa a été pillée en 1941).

En principe, il revient aux organisateurs de la vente aux enchères d'accomplir ce travail. Ils en sont même redevables devant la loi. L'expérience indique malheureusement qu'ils ne se montrent pas toujours aussi scrupuleux. Les amateurs ne sont pas, pour autant, à l'abri. La jurisprudence tend à considérer les acheteurs comme responsables de leurs acquisitions. Ils peuvent être poursuivis pour recel, même quand ils ont acheté un bien aux enchères. Partout en Europe, la législation se fait plus dure. La signature par la France de la convention Unidroit introduit une responsabilité grandissante des particuliers, auxquels il revient de démontrer qu'ils ont mené les diligences nécessaires au moment des transactions.

Une collection est synonyme d'originalité. Une girouette ancienne de forme unique, ou une pièce de monnaie brusquement retirée de la circulation, peuvent prendre beaucoup de valeur. Parfois, l'anomalie crée la singularité, comme dans le cas d'un timbre-poste édité à l'envers dans une rangée.

Les objets correspondant à un style bien marqué, provenant d'une période historique limitée, ou encore d'un artiste ou d'un artisan renommé, constituent de bons placements. Le nom du créateur compte énormément, qu'il s'appelle Cartier pour une montre ou Cressent pour un bureau. Selon les époques, d'autres valeurs entrent en compte. En 1884, un riche collectionneur du nom de Joseph Reinach fit un procès devant le tribunal de la Seine après avoir acheté un portrait mal expertisé de la marquise du Châtelet par Jean-Marc Nattier. La querelle portait non seulement sur l'auteur du tableau (il avait quand même été, à partir de 1742, portraitiste de la famille royale), mais aussi sur l'identité de la dame représentée.

— Si c'est bien un Nattier, qu'est-ce que cela vous fait que ce soit Mme du Châtelet ou Mme Geoffrin ? s'emportait l'avocat de la partie adverse.

— Qu'est-ce que cela me fait ? Vous êtes bon, vous ! Vous croyez que c'est la même chose que d'avoir, accrochée à son mur, une marquise ou une roturière !

Cette logique peut aller loin. Il y eut des ventes dans lesquelles le moindre objet, du moment qu'il était passé dans les mains de Jackie Kennedy ou de Marilyn Monroe, atteignait des montants insensés. Dans un ouvrage intitulé *Art Business* [1], Judith Benhamou-Huet porte ce jugement sur certains cas paroxystiques : « Peu importe l'objet lui-même pourvu qu'on possède la trace de son propriétaire. Ce constat affligeant ne devrait pas surprendre dans une société aussi fétichiste que la nôtre. » Cette morale est déconcertante. L'œuvre d'art serait ainsi dotée d'une âme, soutenue par la pure esthétique, qu'il faudrait débarrasser

---

1. Editions Assouline, 2001.

d'une enveloppe culturelle venue la polluer. En réalité, l'art a toujours été indissociablement associée à la magie, au pouvoir, à l'histoire, à la culture, et suscite en nous un continuum d'affects. Ce qui est posé comme suspect dans cette sévère sentence est le désir de possession, le plaisir du goût, qui sont des notions éminemment sociales.

Les convives qui se retrouvent pour déboucher une bouteille de haut-brion ou de mouton-rothschild, conquise à l'arraché à Drouot, ont sans doute le sentiment d'être de grands dégustateurs. Ils ne vont pas manquer d'échanger remarques admiratives et impressions à prétention scientifique. Peut-être se disent-ils que seuls le vin et sa qualité intrinsèque comptent dans leur jugement. Il n'en est rien. Ils boivent aussi une étiquette : la réputation d'un millésime, celle d'un nom célébré, une marchandise de prix, une rareté qui les transforme un instant en privilégiés. Frivolité ? Si l'on veut. Elle participe en tout cas du lien social. Boire une bouteille d'un si grand cru tout seul, sans jamais en toucher à mot à quiconque, n'est pas seulement d'une grossièreté sans nom, c'est un geste qui perd toute signification. Un tel vin n'est pas un vin, sinon il n'aurait pas cette valeur : c'est un produit culturel.

Aussi, quand une heureuse chineuse a trouvé dans une vente six jolies chaises de bateau provenant du yacht de Cary Grant, faut-il lui reprocher de s'en réjouir ? Et, le lendemain soir, de mentionner à ses invités cet historique anecdotique ? Dieu nous garde des censeurs de la vanité !

Le fétichisme, s'il faut s'en méfier, ce n'est pas pour la part d'agrément qu'il est à même de procurer, mais pour la rentabilité de l'investissement qu'il peut représenter. Le fan qui a enchéri jusqu'à 60 000 francs [1] pour un chausson de danse déchiré de Noureev, venant de son appartement quai Voltaire, s'est peut-être fait une grande joie – et tant mieux pour lui. Mais a-t-il fait une bonne affaire ? On peut en douter, car, sorti du contexte de la dispersion du mobilier du danseur-étoile, l'objet perd immédiatement de sa

---

1. 9 000 euros.

valeur. Ce n'est plus un morceau d'histoire, ce n'est qu'un chausson déchiré.

Pour les mêmes raisons, le mouvement inverse peut, en revanche, représenter un pari fructueux : rassembler une collection « fétichiste » demande cependant chance et patience. Les propriétaires d'une collection d'objets ayant appartenu à la Callas, dont sa guêpière noire sûrement importable pour qui n'a pas une taille d'anoxerique, ont réussi une très belle vente aux enchères à Paris en 2000. A ce moment-là, le moindre cendrier est chargé de l'aura de la diva.

Portés par les médias (dont, rappelons-le si besoin, il faut se méfier), certains engouements sont par nature éphémères. Le temps de quelques records, les Swatches ont disparu des ventes. Il en est quand même une qui a atteint 120 000 francs[1]. Aujourd'hui, elle serait invendable. D'un coup, les pin's sont devenus à leur tour des objets de collection. Des bourses d'échanges sont nées, des magazines spécialisés dans le pin's se sont créés, des ventes aux enchères ont été organisées. Les magazines en ont fait leurs gros titres. La vague s'est transformée en déferlante. Et la valeur de l'objet a été vite anéantie. Constituer une collection de ces futilités peut être pris comme un amusement. Comme investissement, il est aussi frivole que ruineux. Le marché n'aime pas la démocratie.

Se gardant vertueusement de ces trivialités, le collectionneur n'en est pas moins bercé par les fluctuations des cours. Le marché de l'art est régulièrement traversé par des cycles de trois ou quatre années durant lesquelles il est quasiment impossible d'acquérir l'objet de ses désirs à un niveau raisonnable. Les peintures post-impressionnistes ou cubistes battent record sur record. Par un effet de ruissellement, l'inflation retombe progressivement sur

---

1. 18 000 euros.

toutes les ventes, même sur les Dinky Toys ou les stylos-plumes. Il faut passer son tour, et attendre. Inévitablement, ces phases sont suivies de dépressions, qui redeviennent propices à l'achat. Mais doivent, alors, décourager toute revente. Ces oscillations économiques suivent, avec au moins six mois de retard, les hauts et les bas boursiers. Pendant ce bref répit, le marché de l'art profite en effet des reports d'investissements vers ce qui apparaît comme une valeur refuge.

Il faut, cependant, se garder de tout esprit de système. Irrité des articles prédisant les évolutions du marché, Peter Wilson avait coutume de dire à leur auteur : « si vous avez raison, vous devriez être l'homme le plus riche du monde ». Outre un grand nombre d'aléas, ces courbes sont accentuées par les effets de mode, ou, plus profondément, la vision de l'art. Certains artistes ou mouvements sont restés longtemps incompris, ce qui ouvre la voie au collectionneur avisé. L'historien de l'art britannique Denis Mahon s'est intéressé au XVIIe siècle baroque à partir des années 30, et notamment à l'école de Bologne. Personne ne voulait de ces grandes figures envahissantes, de ces scènes d'un lyrisme décadent, étrangères aux canons de la beauté classique. Denis Mahon avait pris pour règle de ne jamais débourser plus de 20 000 francs par achat. Quand, en 1936, il proposa un grand Guercin pour 2 000 francs[1] à la National Gallery, le conseil d'administration refusa cette horreur. Devenu « Sir Denis », il vient de léguer à ce musée, et à quelques autres, une collection de soixante tableaux valant aujourd'hui des millions d'euros. Dont le Guercin, dont le musée n'avait voulu à aucun prix.

Longtemps, le mobilier français ancien a été négligé. Il y a vingt-cinq ans, une belle commode d'ébéniste connu de la monarchie se vendait pour moins de 100 000 francs. Elle peut en valoir aujourd'hui 5 millions[2]. Les propriétaires ne font pas toujours suffisamment attention à leurs meubles marquetés...

1. 1 150 euros (7 500 francs).
2. 750 000 euros.

Plus modestement, il y a trente ans, le « style nouille » de l'Art nouveau était considéré comme kitsch, de mauvais goût, ostentatoire. Il y a vingt ans, un vent de folie s'est mis à souffler pour les objets Gallé et Daum. La cote est montée bien trop haut, les faux se sont multipliés, cassant la confiance du marché. Le goût a changé. Les prix se sont effondrés. La cote des portraits d'Andy Warhol ressemble tout autant à une montagne russe. Ces hauts et ces bas valent de la même manière pour des objets de collection accessibles, comme les feuilletons illustrés par exemple, qui sont au purgatoire en ce moment.

Chaque époque de création est suivie d'une période plus ou moins longue de rejet. Il y a encore peu, personne ne voulait entendre parler du design des années 50, qui est, depuis, devenu en vogue. Collecter dans ces périodes de creux, toujours à condition de bien choisir les objets, est presque toujours un engagement favorable. Mais la règle suprême, celle à ne jamais oublier, celle qui ne vous fera jamais regretter la manie de la collection : achetez ce qui vous plaît. Plus que d'argent, la collection est affaire d'amour et de connaissance.

5.

La Commune des Savoyards

Il n'est pas interdit de donner commission au « commissionnaire ». Ce vocable à l'apparence désuète désigne une figure historique de Drouot, aussi indispensable qu'il est effacé. Manœuvre à tout faire, il vit dans l'ombre, ou plutôt dans les coulisses, se confondant avec une communauté fière de son savoir et de ses traditions, mais peu encline à l'ostenstation.

L'origine du nom est à trouver dans d'anciennes expressions telles « commissionnaire d'entrepôt » ou « de roulage », lequel s'occupait dans le temps des transports et déménagements par voiture. Ce mot commande le respect : le commissionnaire n'est pas ainsi appelé parce qu'il lui arrive prosaïquement de toucher des commissions, mais parce qu'il est le mandataire investi d'une mission. Sous l'autorité juridique des commissaires-priseurs, il sert de garde aux objets qui passent en vente à Drouot. « Dans tous les pays de grande consommation, le négociant reste dans son comptoir et agit par des commissionnaires, qui sont quelquefois eux-mêmes des négociants très-considérables », écrivait l'économiste Jean-Baptiste Say en 1828. Les commissionnaires ont beau être des hommes de peine, ils ont davantage de fortune que nombre des clients de Drouot, qui les regardent parfois de haut. Ils sont reconnaissables à leur uniforme : pantalon noir, veste noire au col à liseré rouge, qui leur a valu le surnom de « collets rouges ». Ils sont aussi appelés « les Savoyards ». Car les natifs de cette province ont exercé, plus d'un siècle durant, un monopole de fait sur la profession, et si un Alsacien a pu trouver un jour place parmi eux, il était quand même marié à une Savoyarde.

L'Union des commissionnaires n'a d'existence juridique formelle que depuis son inscription au registre du commerce en 1965. Mais les récits fiables concordent pour dater sa naissance de 1832. Dans les bistrots alentours traînaient les garçons prêt à proposer leurs services pour toute manutention. Les commissaires-priseurs choisirent les huit plus sérieux pour les attacher à l'hôtel des ventes. Les Auvergnats dominaient alors la corporation. Etant appelés à de plus hautes fonctions, dans les cafés-restaurants ou le négoce du vin, ils ont, dans le derniers tiers du siècle, cédé la place à d'autres montagnards. La légende voudrait que Napoléon III eût accordé le monopole de cette corporation aux natifs de la province nouvellement annexée, en gratification de leur attachement à la France. Aucun document ne vient à l'appui de cette patriotique anecdote. Selon une autre version, les commissionnaires d'aujourd'hui seraient les lointains héritiers de la Société philantropique savoyarde, association laïque fondée en 1833 dans l'entrelacs des intérêts sardes.

Ce qui est sûr, c'est que la Savoie a longtemps été un pays pauvre. Les travaux des champs terminés, de l'automne au printemps, les enfants du pays partaient trouver un emploi précaire à Paris, Lyon ou Marseille, quand ils n'étaient pas contraints à l'exil. Ils ne se déplaçaient pas pour des sinécures. Ils accaparaient les métiers de ramoneurs, colporteurs, déménageurs ou manœuvres. A Drouot, ils faisaient la guerre aux irréguliers traînant à la recherche de quelques sous. Une affiche sur le bâtiment avertissait le bourgeois de passage : « Avis de se tenir en garde contre certains individus n'étant pourvus d'aucune autorisation et ne portant pas la médaille de commissionnaire, stationnant aux abords de l'Hôtel des ventes et s'y introduisant même, pour offrir leurs services aux personnes ayant des objets à emporter. Ces individus font journellement des dupes, soit en abandonnant les objets dans la rue, lorsque la commission leur a été payée d'avance, soit en ne portant pas les objets à destination lorsqu'on néglige de les accompagner. »

Dans les années 20, un essayiste[1] devait livrer ce méchant portrait : « Le commissionnaire est habituellement un individu minable qui rôde autour de l'hôtel des ventes. Le commissaire-priseur n'attend pas de cet employé une collaboration intellectuelle quelconque. S'ils ont de mauvaises habitudes, ils sont assez adroits pour ne les satisfaire que dans leur vie privée. Mais à l'honneur des commissionnaires, leur conduite ne relève que des éloges. » Et l'honorable « docteur en droit » d'énumérer leurs qualités : « Force physique et goût du travail, honnêteté et habileté professionnelle. » Quelques décennies plus tôt, Champfleury[2] avait tracé ce croquis : « Là est l'artiste. Il est lourd et pataud. Mais jamais il ne casse la plus délicate des verreries vénitiennes. »

Placée sous le régime de l'autogestion, l'organisation des commissionnaires est singulière. Restée fidèle à l'esprit communard, elle est la seule coopérative ouvrière à subsister sous cette forme en France. Les commissionnaires forment une société répartie en cent dix parts. Hormis une exception éphémère dans les dernières années du XXe siècle, ce nombre est resté inchangé depuis 1920. « L'Union des commissionnaires de l'hôtel des ventes » est dirigée par un bureau, sous l'autorité d'un « brigadier-chef », qui est le gérant de la société. Il est assisté de deux « brigadiers », l'un administrant les tournées des camions, l'autre l'affectation des « porteurs ». Ils sont élus par l'assemblée de leurs pairs pour un mandat de deux ans renouvelable. Gérard Empain

1. Pierre Rouillon, *Le Commissaire-priseur et l'hôtel des ventes*, thèse de doctorat, 1928.
2. *Op. cit.*

a ainsi été brigadier-chef pendant dix-huit ans. Pour prétendre être élu, il faut avoir au moins cinq ans de maison. Les « sous-brigadiers » travaillent dans les sous-sols de Drouot. Sinon, l'égalitarisme est de mise. Dans une équipe de quatre porteurs, chacun est chef d'équipe à tour de rôle. Dans l'entreprise, le nouvel arrivant passe quatre années de travail comme porteur, puis se voit confier un camion pendant un an. Ensuite, il reprend sa place comme porteur pour quatre années, et ainsi de suite. Il y a toujours dix-huit chauffeurs en activité.

Constamment sur la brèche, les commissionnaires assurent l'intendance d'une bonne quarantaine de ventes chaque semaine. Dans la vaste entrée de service de Drouot, un panneau affiche les vacations de la journée, avec les numéros de salle suivis du matricule de chacun. Gage de cette démocratie radicale, les commissionnaires s'appellent habituellement par leur numéro de matricule, qu'ils portent sur leur gilet : « 32 », « 47 » ou « 65 ». Ou alors par leur surnom, qui est repris de leur apparence physique, de leurs comportements ou de leurs goûts, de leur spécialité ou de la ressemblance avec quelque personnage tiré de l'actualité : le souriant Porcinet est un ancien boucher qui collectionne des petits cochons. La Plume est le chargé des écritures. Le Chanteur est celui qui pousse la chansonnette lors des casse-croûte au bistrot. Nounours et Coluche ont succédé à Bouddha, au Curé, au Duc ou au Baron, à Charles VII, Mouloudji, Bourvil, Aznavour, Gandhi ou De Gaulle. Vidocq ressemblait à l'acteur Bernard Noël, qui avait interprété le rôle du célèbre policier-voleur. Le surnom des commissionnaires est parfois transmis de « l'ancien » au novice qui prend sa place. Fallières était ainsi appelé parce que son père, auquel il avait succédé à Drouot, ressemblait à l'ancien président socialiste de la IIIe République.

La tradition des sobriquets s'est délitée à l'approche du XXIe siècle. Désormais, on entend fréquemment les jeunes Savoyards s'interpeller par leur prénom. Beaucoup n'ont même pas de surnom. Le sens de ces pseudonymes s'est parfois perdu. Coquelicot était-il timide à en rougir ? Si l'on devine que Bijou devait être amateur de joaillerie, on se demande si Porcelaine avait été surnommé ainsi pour son goût des Sèvres, sa délicatesse de caractère, ou peut-être sa maladresse dans les déménagements... On ne sait trop ce que savait trousser, avec art sûrement, Trousse-Balloches. D'autres comme Ramasse-miettes, Yoyotte, la Fleur, la Poule ou la Vierge sont plus intrigants encore.

Chaque année, les bénéfices d'exploitation sont répartis à part égale entre les cent dix compagnons. Même dans les années de crise, l'Union a su rester excédentaire. A ce revenu s'ajoutent les commissions, sur les ordres d'achat qui peuvent être confiés aux commissionnaires, et les pourboires, que chacun garde pour soi. Jouant de son statut unique en France, la société paie l'impôt sur les bénéfices, mais s'abstient d'acquitter des charges sociales, considérant que les associés ne peuvent être considérés comme des employés salariés. Les responsables des services fiscaux s'en arrachent les cheveux.

Au XIXe siècle, on disait que la manne venue de l'hôtel des ventes avait permis d'ouvrir nombre de routes et d'écoles dans les rudes montagnes d'Auvergne. Le métier de commissionnaire est dur, des journées de quatorze heures à porter des armoires. Au bout d'une trentaine d'années, les Savoyards se retirent dans les Alpes pour se retrouver entre amis, bricoler ou chasser le chamois. Ceux qui ont bénéficié d'un héritage s'arrêtent en cours de carrière pour se reconvertir dans l'hôtellerie et la restauration. Ou la brocante. Auparavant, ils ont pris comme apprenti un fils, ou à défaut un jeune, en principe de la même vallée. Ce microcosme se sépare en effet entre ceux de la Savoie et ceux de la Haute-Savoie. A l'intérieur de chaque département, il y a ceux de la Tarentaise, qui ne font pas forcément bon ménage avec ceux de la Maurienne, ceux de la cluse de Chambéry, de Chamonix ou du lac Léman. Certains villages peuvent être plus fortement représentés : dans l'entre-deux-guerres, l'Union comptait une quarantaine de gars du vieux Tignes (aujourd'hui submergé par un barrage).

Appelé à remplacer le commissionnaire qu'il seconde, l'apprenti est surnommé « le bis », toujours cette numérotation qui nivelle l'orgueil des hommes. Pendant six mois, le « bis » est formé au maniement et à la reconnaissance de tous les objets qui passent en vente. Au terme de son stage, il doit être admis par la société, qui fonctionne par cooptation. Il arrive qu'il soit refusé, en particulier si ses collègues l'ont senti un peu « rétif au labeur », s'« il fait le zanzi » plus souvent qu'à son tour, ou si, repérant, une bouteille de vin abandonnée dans une chambre de bonne, il se l'est appropriée sans consentir au « droit d'aînesse » du collègue le plus expérimenté de l'équipe.

Si « le bis est voté », ce qui est usuellement le cas, il rachète la part de son ancien. Les Savoyards ont toujours préféré rester discrets sur le montant des parts, mais il tourne normalement autour de 300 000 francs[1]. Il a cependant baissé à la fin du siècle, avec l'entrée de Drouot dans une période d'incertitude. Pour les mêmes raisons, la règle du passage aux « pays » a dû être écornée. Les Savoyards ont dû faire de la place à d'autres provinces.

René Revial, enfant de Tignes, commissionnaire depuis 1971 et brigadier-chef depuis le 1er janvier 1998, ne craint pas trop l'avenir. Il souligne qu'en échappant à la législation du travail, la corporation est constamment sur le pied de guerre. Quelle organisation serait capable de prendre en charge l'incessant mouvement de vingt mille objets par semaine ?

— Les trente-cinq heures nous les faisons en trois jours. Nous ne sommes pas irremplaçables, mais notre système est irremplaçable à Drouot.

Les commissionnaires sont gens sérieux. En dépit de l'étrangeté d'un statut qui n'a pas évolué avec le temps, ils ne se retrouvent pas dans d'étranges costumes pour tenir des cérémonies folkloriques d'inspiration vaguement maçon-

---

1. 46 000 euros.

nique. Ils n'organisent même pas de ces banquets annuels, qui sont dans d'autres confréries l'ultime vestige d'un passé trouvant ses racines dans les guildes du Moyen Age. Le collège des commissionnaires cultive une austère discrétion, si bien qu'on leur a prêté une réputation terrible.

Elle n'est pas sans fondement. A Drouot-Nord notamment, il arrive fréquemment de voir un commissaire-priseur s'emporter contre les commissionnaires pour retrouver de la marchandise disparue, ou, disons, égarée.

Un reproche couramment adressé aux Savoyards est d'être passés maîtres dans l'art de faire de bonnes affaires en maquillant la marchandise : un coup de crayon sur un vase, pour qu'il apparaisse fissuré, et il est adjugé pour moitié prix au commissionnaire, qui en fera son affaire. La porte d'une armoire est dissimulée dans le fatras, et réapparaît miraculeusement après la vacation, l'armoire, entre temps, ayant été achetée pour rien par un commissionnaire. Ou une édition ancienne en plusieurs volumes est présentée incomplète, ce qui décourage les libraires... avant qu'on ne retrouve le volume manquant dans le tiroir d'une commode voisine.

Les journalistes trop fureteurs seraient malmenés dans les couloirs. Forçant le trait, cette « légende noire » a persisté jusqu'à une époque récente. Il est vrai qu'en 2000, quand la réalisatrice Irène Richard a filmé un documentaire sur Drouot, quelques commissionnaires mécontents n'ont pas facilité la tâche de son cameraman filmant une assemblée clôturant l'élection d'un « bis ». A sa décharge pourtant, l'Union a ouvert grand les portes de Drouot et de l'entrepôt de Bagnolet à l'équipe de tournage, et « Porcinet » ne s'est pas privé d'évoquer son métier devant la caméra. L'auteur de ces lignes n'a rencontré aucune difficulté dans ses relations avec les Savoyards, quand bien même il aurait posé quelques questions indiscrètes.

En réalité, leurs qualités font honneur aux commissionnaires. Ils sont capables avec beaucoup de savoir-faire de vider un appartement de 400 m² empli d'objets précieux en un temps record. Prestataires de services, ils ont monté des ventes à Monaco ou en Belgique, déménagé des collections à Londres. Leur société est propriétaire de vingt-cinq camions et du vaste entrepôt de 4 500 m² à Bagnolet. Leurs méthodes d'emballage ne sont pas des plus sophistiquées, mais elles ont fait leurs preuves. Ils sont les seuls à Drouot à suivre les objets d'un bout à l'autre de la chaîne, dans la mesure où ils sont chargés de toutes les manœuvres : l'emballage et le déménagement, l'entreposage, le gardiennage, l'installation des salles de ventes, leur surveillance le temps de l'exposition, la présentation de chaque lot au cours de la vacation, leur remise en fin d'après-midi aux adjudicataires, le transfert des autres lots au gardiennage, éventuellement leur déménagement jusque chez le nouveau propriétaire. A la demande des commissaires-priseurs, l'adorable Nounours s'est installé un petit atelier de restauration au sous-sol.

On n'a jamais surpris de commissionnaire impliqué dans une « révision ». Il y a parfois à Drouot des vols, et la rumeur accuse facilement les collets rouges. Peut-être pas toujours à tort, mais il faut bien dire qu'ils ne sont pas seuls à déambuler dans les couloirs de l'hôtel.

Le scandale le plus grave dans lequel ils ont été impliqués est la disparition d'un camion bourré d'œuvres et d'objets d'art survenue le 28 novembre 1990. A l'origine de cette mésaventure se trouvait l'ambition de reconquérir l'Alsace du groupe Gersaint. Ce groupement d'intérêt économique formé un an plus tôt par dix études de commissaires-priseurs de Paris et de province, qui projetait d'installer un réseau maillant toute la France, avait choisi un nom de baptême à la hauteur de son ambition : ami de Watteau, Edme-François Gersaint avait été un grand marchand de tableaux de la première moitié du XVIIIe siècle. L'idée de départ était de mettre en commun les objets de valeur, pour les concentrer dans des ventes de prestige par spécialités. Plutôt que de proposer un beau collier entre une fourrure et un portemanteau, il irait dans une vente annuelle de joaillerie, etc. On se demande toujours pourquoi les commissaires-priseurs n'ont jamais pu unir leurs forces autour d'un principe aussi élémentaire. L'explication en est toute simple : ce corps est constitué d'ego monstrueux. Aucun ne veut céder la place de choix à l'autre. Ainsi de Gersaint : il aurait été logique de tenir ces ventes de prestige à Paris, où se trouve la clientèle argentée. Mais cette option aurait donné une place prééminente au seul Parisien du groupe, Me Francis Briest. De toute manière, Drouot ne voyait pas d'un bon œil des provinciaux empiéter sur ses terres et un regroupement se former en dehors de lui. S'opposant fermement à toute atteinte à son monopole dans la capitale, il fit un procès à Gersaint pour l'empêcher d'ouvrir un bureau.

A cette époque encore, les commissaires-priseurs exerçaient un monopole tout-puissant sur leur lieu de résidence. Il leur était donc interdit d'empiéter sur les terres du voisin : chaque seigneur devait demeurer maître en son fief. Un ambitieux commissaire-priseur de Paris pouvait ainsi tenir le marteau à Genève, New York ou Tokyo, mais pas à Chartres, Lille ou Lyon.

En janvier 1991, inquiet de voir cette profession vivoter dans son conservatisme, le gouvernement octroya aux commissaires-priseurs une « compétence nationale ». Devant la résistance de la corporation, il lui fallut en limiter la portée. Ainsi un commissaire-priseur n'avait-il toujours pas le droit de procéder à des « ventes habituelles » dans une autre ville que la sienne. Il n'était autorisé à le faire qu'« à titre exceptionnel ». Juridiquement, cette demi-mesure restait très floue : il n'aurait pas été facile de distinguer une série de ventes « exceptionnelles » d'une mauvaise habitude... De toute manière, le cas ne s'est pas présenté. La liberté d'entreprendre n'était pas encore au rendez-vous. Aucun commissaire-priseur n'avait à lui seul les moyens d'ouvrir des représentations dans plusieurs villes. Et toutes les tentatives d'union semblaient promises à l'échec.

Dans la capitale, la compagnie s'était, de plus, toujours farouchement battue pour imposer Drouot comme lieu de ventes unique. A chaque tentative de sécession, il y eut procès, et à chaque fois les tribunaux donnèrent raison à la chambre. Le conflit le plus violent avait été ouvert en 1978, quand deux commissaires-priseurs entreprenants, Mes Guy Loudmer et Hervé Poulain, avaient tenté d'installer leur propre hôtel des ventes. Et refermé en 1981 par la condamnation des dissidents au nom de la prééminence juridique de la « tradition ». Ayant été dans ce litige l'avocat de Drouot contre les schismatiques, Robert Badinter était dans l'intervalle devenu garde des Sceaux, donc ministre de tutelle de la profession. Elle pouvait être rassurée.

L'intention du groupe Gersaint de surmonter ces barrières féodales et de secouer les inerties paraissait donc hautement méritoire, sinon téméraire. Ses concepteurs avaient en effet le défaut d'être en avance sur leur temps. Ils surent y mettre la dose d'inconscience qui sied à une entreprise aussi intrépide. Un certain dilettantisme fait tout le charme des commissaires-priseurs. Les protagonistes de Gersaint eurent le don d'ériger cet amateurisme en une forme d'art. Une série inouïe de malchances finit par précipiter leur louable entreprise dans la catastrophe. La première erreur de Gersaint, prévisible celle-ci, fut de se rabattre sur Strasbourg comme lieu de vente privilégié, qui avait l'avantage d'attirer une clientèle aisée venue d'Allemagne ou de Suisse. La ville offrait également un espace neutre dans lequel n'officiait aucun des partenaires du groupe. Et pour cause : le particularisme hérité de la présence allemande interdisait aux commissaires-priseurs d'exercer en Alsace et en Moselle. Le monopole des ventes était réservé aux seuls huissiers et notaires[1].

Faisant fi de ce privilège historique, Gersaint avait ouvert un bureau dans la capitale alsacienne. Le groupe

---

1. Ce particularisme a été supprimé par la loi du 10 juillet 2000.

avait recours à un stratagème qui fut, depuis, repris avec succès par Sotheby's en d'autres lieux pour vendre en France : se trouver un allié dans la place, en la personne d'huissiers prêts à tenir le marteau. Cette trahison a déplu aux notaires alsaciens. On les comprend.

Gersaint aurait dû y regarder à deux fois avant de se lancer dans cette aventure guerrière. Saisi par la chambre des notaires, le tribunal de grande instance de Strasbourg a expulsé l'envahisseur, exigeant le 27 novembre 1990 la fermeture immédiate du bureau de Gersaint, annulant une vente de prestige annoncée pour les jours qui suivaient, et prononçant même la nullité d'une vente qui s'était déjà tenue le 21 juin précédent. Beau pataquès. L'aventure des commissaires-priseurs, digne des Pieds-Nickelés, ne s'est pas arrêtée à cette première déroute.

28 millions de francs[1] étaient attendus de la vente annulée à la dernière minute à Strasbourg. Gersaint avait bien fait les choses, exposant le 28 novembre les six cent vingt-cinq lots à l'hôtel Crillon. S'étant vu, la veille, refuser l'accès à Strasbourg, il nourrissait l'intention de reporter sa vente à Drouot, à la mi-décembre. La chambre parisienne ne l'entendait pas de cette oreille. On n'en était pas encore là. A 22 heures, l'exposition du Crillon ferme. Les quatorze commissionnaires emballent les lots et les embarquent dans leur camion. Destination : l'entrepôt. Seulement, la journée est longue, et, de la place de la Concorde à Bagnolet, la route ne l'est pas moins. Une halte s'impose. A minuit, au coin des rues Lafayette et Buffault, tout près de Drouot, les Savoyards s'arrêtent devant le café Le Général Lafayette dans lequel ils ont leurs habitudes, pour un petit dernier avant la route. Un peu plus loin, le camion est laissé sans surveillance, hors de vue. Les portes ne sont pas verrouillées. Le véhicule n'a ni sécurité au volant, de type Neimann, ni même de clé de contact : l'allumage se fait automatiquement en tirant un bouton.

---

1. 5 millions d'euros.

Au retour des manutentionnaires, le camion s'est vola-
tilisé avec son chargement : un ensemble de verreries de
l'école de Nancy, une peinture d'Hubert Robert, *Le Départ
de Lafayette pour les Etats-Unis*, des dessins de Rubens,
Watteau, Fragonard... Le coup était bien monté : la cinquantaine de tableaux et dessins anciens ont été retrouvés
douze heures après le vol par la Brigade de répression du
banditisme dans le camion, abandonné boulevard Keller-
mann, dans le XIIIe arrondissement. Trop repérables. En
revanche, un demi-millier de verreries Art déco signées
Daum, Gallé ou Lalique, qui sont des multiples, donc
beaucoup plus faciles à écouler, ont disparu dans la
nature. A l'époque, il y avait une folie pour ces coupes,
vases et lampes. Elles valaient une fortune. La pièce-maî-
tresse, un vase aux éléphants, était estimée 700 000
francs[1]. Une vraie opération de professionnels. Le coup
avait été préparé. Comme le reconnaît, avec amertume, un
responsable de l'Union des commissionnaires : « Nous
nous sommes bien doutés qu'il y avait un commanditaire
derrière cette opération. Mais il n'a jamais été identifié. »
    Gardés à vue, les collets rouges ont été mis sur le grill.
Certains ont fait, un temps, l'objet d'une surveillance, plus
ou moins discrète. Mais aucun soupçon n'a pu être étayé
à leur encontre. Plus étonnant encore, la Justice civile
devait les exempter de leur faute.
    L'Union des commissionnaires a vécu comme un trau-
matisme ce scandale, qui révélait la légèreté dont pouvaient se montrer capables certains de ses membres. La
communauté était atteinte dans son honneur professionnel. Plus prosaïquement, elle était horrifiée par le risque
grave encouru par la société, en raison de l'importance des
dommages financiers.
    Le partage des responsabilités a inauguré une longue
bataille procédurale, dans laquelle les magistrats eux-
mêmes avaient du mal à se retrouver. La question de
savoir si les commissionnaires étaient, en l'occurrence,

---

1. 126 500 euros.

« commissionnaires » ou simples « voituriers » a été gravement débattue. Le 17 avril 1991, le tribunal de Paris a jugé leur responsabilité engagée, condamnant leur Union à verser 4 millions de francs de provision en vue d'indemniser Gersaint des dégâts commerciaux subis. Le 26 janvier 1994, le tribunal confirma, en fixant sur la foi d'une expertise l'indemnité totale à un peu plus de 10 millions de francs[1]. L'avocat des commissionnaires estimait qu'« ils n'auraient commis une faute lourde que s'ils avaient laissé le camion sans surveillance un délai suffisamment long pour rendre le vol probable, et non plus seulement possible ». Insensible à cette argutie juridique, le 19 décembre 1995, la cour d'appel de Paris a maintenu le jugement, en faisant observer que laisser une cargaison de cette valeur en pleine nuit sans surveillance dans les rues de Paris était difficilement excusable pour des « professionnels des ventes d'objets d'art ».

Les procédures avaient mis au jour d'autres anomalies. Les experts judiciaires furent surpris de constater que certains propriétaires des objets dérobés réclamaient des remboursements anormalement élevés, de l'ordre de plusieurs centaines de milliers de francs dans certains cas, sur la foi de « prix de réserve » pouvant atteindre le triple des valeurs estimées. Autrement dit, ils voulaient faire croire qu'une lampe Art déco, estimée 50 000 francs au catalogue, en valait en fait 150 000. Ils n'auraient jamais accepté de s'en défaire à moins !

Cette extravagance fut endossée par les commissaires-priseurs. N'y voyant pas malice, les magistrats ont, dans leur grande indulgence, donné leur aval à ces curieux calculs. En revanche, ils ont refusé la demande de Gersaint d'estimer le préjudice qu'il avait subi sur cette base exorbitante.

Les commissaires-priseurs eux-mêmes avaient fait preuve d'une certaine incurie. Certains lots ne retrouvaient pas facilement leur propriétaire. D'autres n'étaient pas

---

1. 1 650 000 euros.

recensés au catalogue. Des réquisitions de vente, pourtant en principe obligatoires, manquaient. L'assurance contractée par Gersaint couvrait les objets à hauteur de 4 millions de francs seulement, alors que leur valeur totale dépassait les 25 millions. De toute manière, la garantie ne courait plus après 20 heures. Plus lourd de conséquences encore, le groupe avait manqué de suivre certaines procédures formelles. Les commissaires-priseurs auraient dû en principe déclarer par écrit à l'Union des commissionnaires la valeur de la cargaison, dès lors qu'elle excédait le plafond de son assurance habituelle en tant que transporteur (650 000 francs). Le groupe Gersaint avait omis de se porter partie civile dans la procédure pénale. Et, par-dessus tout, il n'avait pas émis à l'encontre de son transporteur une réclamation en bonne et due forme dans les trois jours suivant la date supposée de livraison.

Dans un premier temps, les magistrats avaient tenu ces carences pour des broutilles, eu égard à la lourde faute imputable aux commissionnaires. Mais le 10 février 1998, la Cour de cassation a purement et simplement annulé la condamnation de l'Union des commissionnaires, qui n'était pas, à son avis, responsable juridique du transport. Le 8 novembre 2000, statuant de nouveau, la cour d'appel de Paris a confirmé la restitution des 10 millions de francs, augmentés d'intérêts substantiels, en estimant que Gersaint avait abandonné toute revendication, à défaut d'avoir effectué les démarches nécessaires dans les temps. La faute retomba intégralement sur la tête des commissaires-priseurs, qui furent condamnés aux entiers dépens de la procédure depuis le premier jour. Un nouveau recours auprès de la Cour de cassation est la dernière chance pour les commissaires-priseurs de n'avoir pas à s'acquitter d'une facture salée. Ainsi finit un regroupement qui avait l'ambition de s'imposer comme un acteur majeur du marché de l'art.

6.

Bourrage et préemption

Dans sa chronique, Champfleury évoque le cas d'un client pris au piège du « bourrage ». La technique n'a pas changé. Imaginez l'expert qui pose sur la table un crapaud en porcelaine « de la Compagnie des Indes ». Mise à prix : 100 euros. Personne ne bouge.

— Comment ! il n'y a pas amateur ? s'exclame le commissaire-priseur. Pour une telle pièce ! Bon, disons... démarrons à 80. A 80, toujours personne. Bon, il faut vendre, disons 60. 60 euros pour ce crapaud. De la Compagnie des Indes, messieurs, je vous le rappelle.

Le bourgeois, au premier rang, flaire l'affaire. Après tout, pourquoi pas ? Sur le guéridon, à la campagne ? Il esquisse un geste.

— 70 ! Il y a enchère à 70.

Allons bon ! Le commissaire-priseur regarde vers la droite.

— 80. Ah, au fond ! 90 ! Par madame, au chapeau.

Et son regard glisse vers le bourgeois.

— 100, vous avez dit 100 ? Non ? 95 ? Allez, va pour 95 !

A qui s'adresse-t-il ? A un voisin sûrement, car lui n'a rien dit, il en est sûr. Pour 95 euros, il n'en voudrait pas de ce crapaud. Le voici bientôt apaisé, le commissaire-priseur lâche prise. D'autres se manifestent, le commissaire-priseur regarde au fond :

— Ah, non ! 110, cette fois, monsieur. Bon, je veux bien, c'est par vous : 100. Bon. Alors, cette fois, 120 !

Comment ? 120 ? Le bourgeois est en sueur. Il a la nette impression que le commissaire-priseur l'a vivement regardé. Après tout, il est rigolo ce crapaud avec ses yeux globuleux. Mais il aurait voulu y aller doucement, prudemment, 10 euros par 10 euros. Qu'est-ce que 10 euros ? Le moyen de faire autrement ? Sentant l'hésitation, le commissaire-priseur lance les enchères à un train d'enfer.

Un coup d'œil à gauche.

— 130.

Et un regard vers le bourgeois qui n'ose plus bouger :

— 140.

Comment protester ? Ce diable d'homme lui laboure les flancs.

— Fort bien ! Ah, vous y voilà, finalement ! Vous avez raison ! Elle est fort belle cette porcelaine... Qui dit mieux pour ce très bel objet. Allons messieurs, 140, c'est pour rien ! Cela vaut beaucoup mieux. Ah, 160 au fond ! Pas par vous, monsieur (il s'adresse au bourgeois). Par madame, de nouveau, au fond. Rien à gauche, rien à droite. Ah, monsieur, allez-vous le laisser partir ? A ce prix ?...

Le bourgeois sue sang et eau. Son agonie va être brève, il n'en a plus que pour quelques secondes.

— 180, 200 !

Le commissaire-priseur ne prend même plus la peine de s'adresser à des figures fantomatiques à droite, à gauche, au fond ou nulle part. C'est l'estoc. Le bourgeois est paralysé. Du haut de son estrade, le commissaire-priseur plonge son regard dans le sien : cette fois, il n'est plus question de biaiser. Quelques moulinets sinistres du marteau.

— Il n'y a plus personne pour ce magnifique crapaud ! Personne ne couvre l'enchère de 200 ? Une fois, deux fois, trois. Je vais adjuger, à ce monsieur au premier rang. Oui, monsieur, c'est bien vous !

Ce n'est pas une question, c'est une injonction. Comment se récrier ? Faire un scandale ?

— Allons, j'adjuge à 200 ! Pas de regret ? Pour cette extraordinaire porcelaine chinoise ! Adjugé, à 200, pour monsieur.

Et le marteau tombe.

— Maintenant, un tapis, 500 pour ce beau tapis.

Déjà, le « crieur » est sur le bourgeois, lui tend son ticket :

— Un chèque, monsieur. Inutile de le remplir, nous le ferons à votre place.

Le bourgeois s'exécute. Que faire d'autre ? Après tout, 200 euros... A la fin de la vacation, il va chercher son bordereau : 220 euros finalement, avec les frais. D'un air narquois, le commissionnaire lui emballe l'objet dans du papier.

— C'est une belle pièce que vous avez eue là, monsieur.

Il va bien lui falloir rentrer à la maison. Dans l'esprit de Champfleury sûrement, avoir à s'expliquer avec sa bourgeoise (le chroniqueur excluait catégoriquement la possibilité de s'adonner à la passion de la collection tout en étant marié, en raison des récriminations encourues par l'amateur à chacun de ses achats). Au moment de quitter l'hôtel des ventes, l'amateur d'un jour reçoit le coup de grâce. Il passe à côté d'un petit groupe de brocanteurs.

— Tu as vu le dingue qui a mis 200 euros sur ce crapaud. Il est affreux !

— J'en ai autant que tu veux à vendre à 100 euros. Il y a des gens, je te jure, on se demande ce qui leur passe par la tête...

Il ne faut pas exagérer la réalité : la scène ne se passe pas vraiment ainsi. Normalement, il y a bien un enchérisseur, mais un seul. Faisant mine de s'adresser à d'autres personnes dans la salle, ou au téléphone, ou prétendant avoir « un ordre », le commissaire-priseur monte sur le seul amateur qui a vraiment levé le doigt. Il le fait donc en réalité enchérir sur lui-même. Le procédé est contestable, mais il est licite.

Forts du statut d'officier de la loi dont ils ont disposé cinq siècles et demi durant, les commissaires-priseurs sont supposés se comporter en arbitres impartiaux entre vendeurs et acheteurs. N'en croyez pas un mot. En réalité, ils se portent spontanément à la défense des vendeurs, cherchant par tous les moyens – honnêtes s'entend – à valoriser les objets qui leur sont confiés. Il faut les comprendre : plus élevé le prix, plus élevé leur prestige – et accessoirement leur commission, qui est au pourcentage du prix d'adjudication, car il est entendu qu'ils œuvrent d'abord pour la gloire.

Les acheteurs constituent une masse anonyme. En revanche, les riches particuliers susceptibles de se séparer un jour de leur collection ont droit à tous les égards. La mêlée entre commissaires-priseurs, auctioneers, experts, antiquaires, galeristes, courtiers, serveurs sur le Net, et j'en passe, est féroce, et autorise tous les coups bas. Donc, le commissaire-priseur « bourre ». J'ai vu un jour, à Drouot, un riche collectionneur allemand se faire estamper tout simplement parce qu'il gardait son stylo levé en permanence. A grands moulinets du bras, le commissaire-priseur le faisait systématiquement renchérir sur lui-même... jusqu'à ce qu'il baisse le stylo. A cet instant, sans faillir, l'officier ministériel frappait vivement l'estrade de son marteau en criant : « Adjugé ! » C'était sans risque. Quelquefois, il était forcé à un petit rétropédalage, car le client pensait le voir désigner un adversaire chimérique :

— A 25 000, lançait-il, non, c'est pas par moi !

Tel un farfadet, le commissaire-priseur le rassurait bien vite en faisant baisser la dernière enchère :

— Non, monsieur, 24 000, j'ai dit 24 000. A 24 000, c'est bien par vous.

Le monsieur était heureux. Assez âgé, il était venu avec en poche l'équivalent de 650 000 euros. Il est vrai qu'en Allemagne les ventes aux enchères sont plus lentes.

A Paris, il faut courir en faisant « bip-bip » comme le Roadrunner des dessins animés.

Ces « enchères fictives » sont licites. Non sans fondement, les juges de Caen, en 1871, avaient condamné le procédé en ces mots : « le tribunal ne peut consacrer cette industrie, qui a pour objet de tromper les enchérisseurs ». Mais la jurisprudence a évolué, comme en témoigne l'aventure survenue à Mᵉ Jean-Claude Binoche qui avait prétendument « adjugé » pour 760 000 francs [1], le 10 octobre 1977, un tableau de Max Ernst provenant de la collection de la mécène Marie-Laure de Noailles, *Femme et Enfant*. En fait, il n'y avait pas d'enchérisseur : c'était un employé de son étude qui, placé dans la salle, se chargeait d'animer les ventes. Le collectionneur qui avait confié le tableau au commissaire-priseur a réclamé son paiement. Refus de Mᵉ Binoche qui lui a rendu le tableau, en lui expliquant la manigance. Les cours de Justice lui ont donné raison. En valorisant le bien, il ne faisait que défendre les intérêts de son client mécontent, et ingrat par-dessus le marché : « Mᵉ Binoche était libre d'animer les enchères. »

« Il m'avait demandé de tirer le maximum de son lot, explique le commissaire-priseur. Ce que j'ai fait. J'ai donc respecté la mission qui m'avait été confiée. On parle d'enchères fictives : fictives si l'on veut... En réalité l'enchérisseur n'est pas fictif. Il existe bel et bien : c'est le vendeur. Simplement le commissaire-priseur enchérit en son nom. »

Effectivement, rien n'interdit à une personne qui met en vente un objet de venir elle-même dans la salle pousser ainsi les enchères. Ou alors d'envoyer un ami, ou un parent. Evidemment, le vendeur prend alors le risque de se retrouver avec le lot sur les bras, mais il lui suffira d'attendre une prochaine vente pour refourguer son « ravalo » d'un jour...

---

1. 346 500 euros.

Le bourrage peut également représenter un utile investissement, susceptible de valoriser une collection entière, le nom d'un artiste ou la marque d'un objet. Dans certaines spécialités, comme les livres, les marchands « poussent » régulièrement les enchères, afin de justifier les prix qu'ils pratiquent dans leur librairie. Cette action peut prendre la forme d'une véritable manipulation des cours. Prenons le cas d'une galerie, qui est liée à un artiste et se trouve embarrassée par un stock d'une cinquantaine de ses peintures. Valeur moyenne : 10 000 euros. Elle en choisit une, parmi les plus grandes et meilleures de préférence, et la met aux enchères. A la vente, le galeriste, ou un comparse, enchérit jusqu'à 50 000 euros. Le marchand reprend sa peinture, se contentant de régler les frais. Le lendemain, la presse s'extasie : « Nouveau record à Drouot. »

Un jour suivant, à la galerie :

— Pour 30 000 euros, ce n'est pas cher, madame. Regardez le prix de l'autre jour à Drouot. Il est allé jusqu'à 50 000. C'est un artiste qui monte...

Et la cinquantaine de tableaux s'en trouve valorisée d'autant.

En 1926, la galerie Bing avait ainsi voulu créer une cotation artificielle pour les toiles du Douanier Rousseau qui l'encombraient, faisant racheter par son comptable *La Bohémienne endormie* à Drouot. La marque Swatch a été soupçonnée d'agir de même, quand il y a eu une fièvre pour ses exemplaires en série limitée.

Entre temps, si le marchand est prévoyant, il est passé voir son banquier pour lui demander un nouveau découvert :

— Je suis un peu gêné en ce moment. Vous comprenez, voyez la presse : j'ai chez moi cet artiste qui a fait un prix terrible à Drouot.

En général, le banquier comprend. Surtout dans les années 80, quand la spéculation faisait rage. Ce procédé, du reste, est surtout utilisable dans les périodes de hausse du marché, et il fonctionne nettement moins bien dans un contexte de baisse. Il est valable pour toutes sortes d'objets : un viticulteur peut racheter au prix fort une caisse de ses bouteilles dans une grande vente, une marque ses propres produits de collection.

Utilisée par le commissaire-priseur, la technique du « bourrage » se comprend dans la mesure où il faut pousser les enchères jusqu'à « la réserve », le prix minimum fixé par le vendeur. Mais – contrairement à ce que pensent nombre d'habitués –, elle est également autorisée au-delà de ce plancher, même s'il est arrivé à des juges de souligner combien elle « faussait le jeu des enchères ». Dans le cas de Mᵉ Binoche précité, les enchères étaient ainsi allées au-delà du niveau de la réserve, qui était de 700 000 francs. Les magistrats ont eu cette phrase surprenante : « Le vendeur laisse à Mᵉ Binoche toute latitude pour racheter le tableau au-delà de 700 000 francs, s'il juge les enchères insuffisantes. » C'est se montrer étonnamment libéral quant à la portée du mandat de vente. Si un enchérisseur avait atteint, ou dépassé, le fameux plancher de 700 000 francs, l'imprudence du commissaire-priseur aurait fait perdre une affaire importante à son client. Comme l'ont noté gravement les conseillers de la cour d'appel : « Aucun texte ne réglemente les formalités intrinsèques de l'adjudication. » Bref, ce n'est pas nous qui faisons la loi, et dites-vous bien que c'est à la fortune du pot.

Il peut même arriver, dans des cas extrêmes, que le commissaire-priseur ait le droit de « bourrer » sans même avoir de prix de réserve. En principe, si le vendeur n'a pas fixé de réserve, le lot est considéré comme vendu à la première enchère. Il n'empêche : si celle-ci est trop éloignée de la valeur de l'objet, le commissaire-priseur peut encore pousser les enchères. Quitte à ce que l'objet lui reste à la fin entre les mains, et doive être restitué au vendeur. La cour d'appel de Paris a déjà débouté un client qui se plaignait d'un tel incident. Elle a estimé que l'objet était vraiment trop dévalorisé par rapport à l'estimation qu'il avait lui-même acceptée. Le commissaire-priseur avait en somme défendu ses intérêts contre son gré.

Le « bourrage » a donc encore de beaux jours devant lui. Pour leur défense, les commissaires-priseurs soulignent l'utilité d'un procédé leur permettant de repousser les manœuvres de commerçants qui se sont concertés avant la vente pour ne pas enchérir l'un sur l'autre. En réalité, ils s'en servent plus généreusement, dès qu'ils flairent un acheteur fortuné, ou naïf, ou alors l'Etat, qui a le don parfois de réunir ces deux qualités. L'Etat a en effet le droit de préempter dans les salles de ventes, c'est-à-dire de se substituer au dernier enchérisseur. Le consul romain Lucius Mummius, vainqueur de la Corinthe rebelle, fut sans doute l'inventeur du droit de préemption, raconte Pline l'Ancien dans son « Histoire naturelle ». En 146 avant Jésus-Christ, il mit aux enchères à Rome le butin des cités grecques pillées. Le roi de Pergame, Attale II, se porta acquéreur, pour 600 000 sesterces, d'un tableau représentant le dieu du vin Bacchus, œuvre d'Aristide, considéré comme un émule du célèbre Apelle, le peintre officiel d'Alexandre le Grand. La somme était si considérable que le consul en déduisit que le tableau devait avoir un pouvoir magique caché. Il proposa à Attale de le lui racheter. Devant son refus, il lui confisqua le tableau, et le fit placer d'autorité dans le temple de Cérès. C'était la première œuvre d'art grecque exposée à Rome. Aujourd'hui, en France, l'Etat procède de même (enfin, presque). Quand une œuvre l'intéresse, il a le droit de s'en saisir, au prix d'adjudication. Les musées n'ont donc pas besoin de surenchérir pour s'emparer d'un bien qu'ils convoitent. C'est un moyen de faire baisser les prix pour les collections publiques, et pourquoi pas ? Ils disposent ensuite de quinze jours pour examiner le lot de plus près, avant de confirmer leur achat. Il est rare qu'ils refusent de le faire, mais, dans ce cas, le propriétaire se retrouve en position difficile. Il a été privé de sa vente, et il ne trouvera pas

preneur de sitôt pour un objet que les musées ont finalement dédaigné.

Dans ce théâtre d'ombres, chacun peut user de ses
petites et grandes combines. L'Etat peut se contenter de
brandir une menace, celle d'une interdiction d'exportation. Lors de la vente de la collection de Picasso de Dora
Maar, qui a été l'événement de 1998, plusieurs « papiers
déchirés », gribouillages spontanés de l'artiste sur des
boîtes d'allumettes ou des bouts de nappe de restaurant,
ont été interdits de sortie du territoire[1].

Cette mesure conservatoire était au bord de la légalité.
En principe, chacun de ces morceaux de papier était libre
de sortie sans aucune formalité, leur valeur financière
étant insuffisante pour justifier d'une déclaration d'exportation. Pour contourner la difficulté, la direction des
musées de France a classé le tout comme « collection »,
dont la valeur financière était alors suffisamment élevée.
Et la « collection », dans son ensemble, a été interdite de
sortie. Représentés en force à la vente, les Américains se
sont retenus d'enchérir. L'Etat a pu faire ses emplettes
sans difficulté, préemptant la plupart des papiers déchirés
à un prix raisonnable. Et s'abstenant quand, par malheur,
un lot montait trop haut (une *Tête de faune* a quand même
dépassé les 400 000 francs[2], ce qui donne la mesure du
succès de la vente). L'Etat se montrait ainsi incohérent :
si l'ensemble de la collection était jugée indivisible en raison de son intérêt patrimonial, il aurait fallu l'acquérir
tout entière. Et, singulièrement, ne pas en laisser s'échapper les pièces maîtresses. Plus sournois encore, un
tableau-phare, *La femme qui pleure*, a obtenu son autorisation de sortie quatre jours avant la vente. Il n'avait pu être

---

1. Certains avaient été retrouvés par hasard, dans un meuble où Dora
Maar les avait soigneusement gardés toute sa vie durant. Le visiteur de passage
ayant fait cette trouvaille, par ailleurs jeune expert de son état, a ensuite har-
celé le commissaire-priseur pour lui réclamer une prime.
2. 60 000 euros.

exposé à New York avec d'autres œuvres marquantes. Evidemment, le prix s'en est ressenti.

Un an plus tard, un album de cent vingt-trois photographies du médecin de Victor Hugo, prises dans les années 1850 lors de l'exil de l'écrivain à Jersey et Guernesey, a été mis aux enchères à Drouot. Menacé d'interdiction de sortie, il a été préempté par le musée Victor-Hugo de Paris à 1,4 million de francs [1], alors que le commissaire-priseur en espérait le double.

La famille Rothschild eut aussi à souffrir d'une de ces retorses manœuvres. En mars 1981, à l'hôtel George V, Mes Antoine et Rémi Ader, les deux fils d'Etienne, proposèrent aux enchères un fort beau meuble, une commode de Jean-Pierre Latz, ébéniste privilégié du roi Louis XV. Un autre artisan, Jean-François Œben, avait contribué à la décoration florale aux couleurs vives. Plus tard, Patrick Leperlier, expert de Christie's, devait émettre l'hypothèse que ce meuble avait été livré vers 1757 à « la dauphine », Marie-Josèphe de Saxe, au château de Choisy-le-Roi. Les héritiers de la baronne Edouard de Rothschild souhaitaient se défaire de cette commode, ainsi que d'une autre de Jean-Henri Riesener, ébéniste plus célèbre encore de l'époque. Moins spectaculaire, cette dernière revêtait néanmoins plus d'importance historique puisqu'elle provenait de la chambre à coucher de Louis XVI à Trianon. Le musée Getty avait fait une offre pour ces deux meubles. Mais les Musées de France firent savoir à la famille qu'ils s'opposeraient à l'exportation. Elle n'avait d'autre choix que de mettre ses biens en vente à Paris, où ils furent adjugés à peine 2,5 millions de francs à eux deux. Le château de Versailles put préempter la commode du Trianon, pour 1,1 million de francs [2].

Un riche Iranien installé à Paris du nom de Djahan-

---

1. 213 000 euros.
2. Respectivement 732 000 et 322 000 euros.

guir Rihai, fou de mobilier XVIIIᵉ siècle, mit la main sur l'autre commode. Vingt ans plus tard, elle fut mise aux enchères avec le reste de sa collection par Christie's... à New York. Comment ce miracle a-t-il pu s'opérer ? En fait, le meuble n'avait pas été vraiment interdit de sortie en 1981. Plus subtilement, les conservateurs s'étaient contentés de marquer leur hostilité à son départ vers les Etats-Unis. Sur leur injonction, le catalogue de la vente se bornait à indiquer : « Ce meuble est considéré comme d'intérêt national. » Ce que tout le monde prit pour une interdiction de sortie, mais qui, juridiquement, est sans valeur.

De surcroît, Rihai était un collectionneur suffisamment avisé pour savoir que l'avis des conservateurs peut être favorablement influencé par l'octroi de quelque cadeau, aux collections publiques dont ils ont la charge, bien entendu. Il eut le tact de faire quelques dons au musée du Louvre, comme une paire de fauteuils du palais de Rohan et des vases de Sèvres. Il n'eut donc aucune difficulté à obtenir l'exportation de la commode. Achetée 1,5 million de francs à Paris en 1981, il parvint à la revendre 35,5 millions de francs[1] à New York, en novembre 2000.

Quant à la famille Rothschild, qui s'est pourtant montrée particulièrement généreuse envers les musées français, elle a été victime de la loi du milieu.

Depuis 1995, cependant, la législation sur la circulation des biens culturels a été révisée, privant les conservateurs de ce pouvoir régalien sur les exportations. Parfois, il n'est même pas besoin de brandir l'arme d'une interdiction de sortie. La rumeur d'une préemption seule suffit à « casser » une vente. Les conservateurs étrangers ne se risquent pas facilement à venir marcher sur les plates-bandes de leurs collègues français. Les marchands hésitent : vont-ils se mettre à dos les conservateurs d'un grand

---

1. 5,4 millions d'euros.

musée ? Au risque de souffrir d'un ostracisme même passager ? Demain, ils peuvent avoir une affaire à proposer aux conservateurs, ou justement... une demande d'exportation à solliciter.

Les commissaires-priseurs ne sont pas dépourvus de moyens de se venger : comme nous l'avons vu, ils peuvent faire monter fictivement les enchères, s'ils sentent une préemption probable. Celles de la Bibliothèque nationale se voient souvent comme le nez sur la figure. La seule difficulté pour le commissaire-priseur est de ne pas s'aventurer au-delà du plafond que s'est fixé l'Etat. Car, dans ce cas, l'objet resterait en rade. Normalement, ce prix maximum reste le secret des conservateurs (pas toujours scrupuleusement tenu). Si le commissaire-priseur ne parvient pas à le percer, il peut s'en faire une idée approximative. A lui de se montrer suffisamment prudent. En 1992, à Drouot, à la vente du manuscrit du *Boléro* de Ravel, on a ainsi pu voir l'expert donner un coup de pied sous l'estrade au commissaire-priseur, au moment où celui-ci arrêtait les enchères. Probablement, le premier était d'avis qu'il fallait « bourrer » encore un peu, le second qu'il était prudent de s'arrêter. Pour ce morceau de musique, le plus joué au monde, les enchères sont montées à 1,8 million de francs [1]. La partition provenait de Lucien Garban, directeur artistique des éditions musicales Durand, qui l'avait gardée toute sa vie. Il s'agissait du premier jet, crayonné par le compositeur. Il a été adjugé à un collectionneur américain, qui avait déjà obtenu de la veuve de Lucien Garban la version définitive du *Boléro*, écrite à l'encre. Mais, à Drouot, au moment où le marteau s'abattait, on entendit :
— Préemption, pour la Bibliothèque nationale.

---

1. 308 000 euros.

7.

Rapidité, intelligences et pratiques

Me Etienne Ader est une légende de Drouot. Archétype du grand bourgeois, il fut longtemps la grande figure de la profession. Les numismates avertis se pressaient à la vente qu'il organisa le 18 juin 1974. Il proposait notamment six pièces de 100 abbasi chacune. Ayant appartenu à Sacha Guitry, elles provenaient du tribut payé en 1828 aux Russes par Fath'Ali, le souverain de Perse que cette humiliation n'empêcha pas d'abandonner par la suite d'importants territoires à son puissant voisin du nord. Forte de leur valeur historique, chacune de ces pièces était estimée 95 000 francs [1]. Deux enchérisseurs se montraient singulièrement âpres à la dispute : un marchand, d'une boutique appelée la « Galerie des monnaies », et un représentant de l'ambassade d'Iran à Genève. C'est le premier qui emporta l'enchère par deux fois, une fois pour 101 000 francs, une autre pour 412 000 [2]. Apparemment, le diplomate iranien a hésité, protesté une première fois que le marteau était tombé trop vite, obtenu de nouvelles enchères, protesté une seconde fois, en vain ce coup-ci.

_____

1. 58 000 euros.
2. 62 000 et 252 000 euros.

— Ah non ! pas cette fois. Monsieur, le marteau est tombé. Quand c'est adjugé, c'est adjugé.

L'enchérisseur malchanceux a attaqué le commissaire-priseur en Justice. Il a gagné. Dans un jugement du 11 juin 1975, le tribunal de grande instance de Paris a reproché à Me Ader de n'avoir pas laissé à cet enchérisseur « le bref instant raisonnablement nécessaire pour qu'il manifeste clairement sa volonté ». Il a été condamné à 25 000 francs [1] de dommages et intérêts.

En effet, tout va très vite lors d'une vente : chaque lot est adjugé, en moyenne, en une minute. Ce procès est exceptionnel. Il est d'ailleurs remarquable que les magistrats aient pu discerner avec tant d'aplomb les quelques secondes qui manquaient à l'établissement rigoureux de la loi. Auraient-ils (sans avoir en main les éléments leur permettant de l'affirmer) voulu punir quelque connivence cachée, soupçonnée dans ce coup de marteau trop hâtif ? On appelle ce procédé, dans le langage du métier, « couper une enchère ».

Ce n'est guère la politique habituelle des commissaires-priseurs que d'adjuger trop vite. Ils n'y ont pas intérêt, ni pour le prestige de la vente, ni pour le montant de leurs honoraires, qui gonflent toujours de l'addition de nouvelles enchères. Ils auraient plutôt tendance, habituellement, à froisser une autre règle qui veut qu'un objet adjugé ne puisse normalement être remis aux enchères. Dans la rapidité, il y a parfois confusion. Un enchérisseur inattentif a levé le bras au moment où le marteau s'abattait. Ou juste avant ? bien malin qui peut l'assurer. Juridiquement, une adjudication prononcée a un caractère « irrévocable ». Cependant, s'il est assez vif, le commissaire-priseur refait tourner les enchères. Certains n'aiment pas le faire, d'autres se montrent plus coulants. C'est toujours un peu rageant pour celui qui s'était fait adjuger l'objet : il lui faut maintenant y renoncer, ou le payer plus

---

1. 15 000 euros, ou 100 000 francs à la valeur d'aujourd'hui, condamnation assez lourde donc.

cher, aucune des deux hypothèses n'étant particulièrement agréable. Il arrive aussi qu'au fatal coup de marteau, deux enchérisseurs se manifestent en même temps, ou quasiment. Chacun croit être l'heureux gagnant. Le commissaire-priseur, qui fait la police dans sa salle, est tout-puissant : il peut en désigner un d'office, ou, plus généralement, refaire parler les enchères. S'il arrive à un commissaire-priseur de faire plaisir à un ami en abattant son marteau un peu plus vite qu'à l'ordinaire, c'est généralement péché véniel. Il est d'autant plus aisément pardonnable qu'il se prête à un léger sacrifice sur ses honoraires. Il arrive à des commissaires-priseurs, pris de remords, d'user de cet artifice pour permettre à des familles, ou à leurs amis, de récupérer leurs biens saisis.

La légende la plus glorieuse de « coupage d'enchères » est certainement le sauvetage du *Radeau de la Méduse* de Théodore Géricault, orchestrée dans les coulisses par le directeur des musées royaux, le comte Louis de Forbin. Il avait fallu un an et demi à ce précurseur du romantisme, disparu à trente-deux ans des suites d'une chute de cheval, pour achever cette toile d'environ 5 ×7 m. Quand elle a été dévoilée au public, le choc fut grand. Le peintre transgressait le découpage, strictement observé par les peintres officiels, entre scène de genre et peinture historique. Le comte de Forbin, lui, comprit l'importance de cette composition, dans laquelle il sut voir l'influence de Michel-Ange. Il avait, discrètement, œuvré pour sa présentation au Salon de 1819. A l'exposition, Louis XVIII eut ce bon mot : « Voilà un naufrage qui ne fera pas celui qui l'a peint. » Mais la presse royaliste se montrait ouvertement critique d'une œuvre si audacieuse. *La Gazette de France* résumait l'enjeu de cette bataille esthétique, en reprochant à l'artiste de s'éloigner des canons de la peinture d'histoire : « Pas un trait d'héroïsme et de grandeur [...], rien d'honorable pour l'humanité morale ; on dirait que cet ouvrage a été fait pour réjouir la vue des vautours. » Inquiet de ces polémiques, Louis XVIII ne voulait pas entériner l'achat de la toile pour le musée du Louvre. Etait-ce cette transgression des règles de la peinture ? le réalisme cru du sujet ? la présence, délibérée, d'un « nègre » (en réalité, un métis) au plus haut de cette pyramide humaine, porteur du salut des autres, qui laissa la critique interdite[1] ? Plutôt, sans doute, la reprise par l'artiste d'un fait divers à l'actualité brûlante. Les royalistes s'irritaient de ce brutal rappel du « souvenir d'un désastre qu'il aurait convenu d'oublier[2] »

Dans une thèse d'histoire de l'art, datant de 1998, Bruno Chenique souligne ainsi combien ce tableau lui apparaît comme une arme politique. Evoquant le mélange racial voulu par le peintre, il parle de « radeau des épidermes ». Par-dessus tout, Géricault évoquait un drame qui venait d'éclabousser la monarchie. L'histoire du naufrage de la *Méduse* est, en effet, celle de l'impéritie d'un ancien émigré, dont la hiérarchie a tenté de couvrir les crimes. Descendant d'une famille anoblie sous Louis XIV, le vicomte Hugues Duroy de Chaumareys était l'un de ces nombreux officiers de la marine royale qui avaient fui la Révolution pour s'installer en Angleterre. En 1795, il avait été du désastre du débarquement royaliste de Quiberon. Il n'avait pas navigué depuis vingt-cinq ans quand lui fut confié le commandement d'une expédition vers Saint-Louis du Sénégal, destinée à réaffirmer la présence française sur les côtes africaines.

Partie de la rade d'Aix, au large de la Charente, le 17 juin 1816, avec trois cent quatre-vingt-quinze personnes à bord, dont le nouveau gouverneur du Sénégal, la *Méduse* a heurté, le 2 juillet, le banc d'Arguin. S'étant séparé du reste de la flottille, le capitaine avait emprunté un mauvais cap au large de la Mauritanie, et fait cesser les sondages en dépit des protestations des seconds. La frégate a mis deux jours et demi pour sombrer. Faute de chaloupes en nombre suffisant, il fut décidé de construire un grand radeau à partir de la mâture du navire. La

---

1. Il fallut attendre vingt-trois ans pour qu'un critique, Michel Blanc (frère du socialiste Louis Blanc), mentionne cette présence d'un homme de couleur en haut de la pyramide humaine !
2. Philippe Masson, *L'Affaire de la Méduse*, éditions Tallandier, 2000.

Méduse prenant dangereusement l'eau, les « Messieurs » prirent place à bord des chaloupes, dont le capitaine, abandonnant dans la panique plusieurs dizaines de matelots et passagers à bord du navire en perdition. Le gouverneur, un sinistre aventurier du nom de Julien-Désiré Schmaltz, réclama un fauteuil pour lui, sa femme et sa fille, sur une chaloupe, qui embarqua l'essentiel de l'eau et des vivres. Les fortes têtes, des soldats désarmés, les Asiatiques, les Nègres, les Italiens et les Espagnols, soit cent quarante-neuf hommes, durent s'entasser sur le radeau de fortune, sous la menace des armes. Après s'être engagés à tirer le radeau jusqu'à la côte avec les chaloupes, les responsables de l'expédition coupèrent les amarres, laissant les naufragés dériver vers une mort certaine. Oubliant leur promesse de revenir chercher ceux qu'ils laissaient derrière eux.

Dix des naufragés du radeau, seulement, survécurent à ce calvaire de vingt-sept jours, sauvés par le brick de la mission, l'*Argus*. Entre-temps, les malheureux s'étaient entretués et livrés au cannibalisme. Il y avait, à bord du radeau, davantage d'eau-de-vie et de vin que de nourriture et d'eau. Le récit accusateur que fit de ce drame le chirurgien Jean-Baptiste Savigny fut mis sous le boisseau par le ministre de la Marine, François-Joseph Gratet du Bouchage, qui était dans le camp des « ultras » monarchistes. Mais cette relation de la catastrophe parvint au *Journal des débats*, qui en publia de larges extraits le 13 septembre 1816. Cette « fuite » n'avait rien d'anodin. Elle provenait du ministère de la Police, qui était sous l'influence de la fraction libérale. La guerre entre libéraux et royalistes intransigeants faisait rage. Une semaine plus tôt, le chef du gouvernement, le libéral Elie Decazes, avait convaincu Louis XVIII de dissoudre la chambre des députés, qui était sous la coupe des « ultras ». Du Bouchage formait une cible idéale, lui qui avait tout fait pour restaurer la marine de l'Ancien Régime, purgeant systématiquement ceux qui avaient prêté serment à l'Empire pour réintégrer les émigrés, prétendant imposer une discipline de fer dans un corps rétif, cassant les structures existantes. L'indignation suscitée par les révélations des survivants prenant de l'ampleur, il fallut bien traduire le capitaine de frégate en cour martiale. Chaumareys risquait la peine de mort. Le 3 mars 1817, à la suite d'un réquisitoire extrêmement modéré, il fut simplement radié des cadres et condamné à trois ans d'emprisonnement. Le 23 juin, le ministre de la Marine fut remplacé. En octobre, les anciens émigrés qui avaient été réintégrés dans le corps des officiers à la faveur de la Restauration furent invités à prendre leur retraite.

Retracer le drame du radeau de la *Méduse* dans une peinture présentée au Salon tombait d'autant plus mal que l'opposition s'était à son tour saisie de l'affaire pour mettre en difficulté la monarchie. Ainsi, la composition avait-elle pudiquement été rebaptisée *Scène de naufrage*, prudence inutile car les visiteurs savaient bien qu'il s'agissait du radeau de la *Méduse*, comme le clamait haut et fort la presse antiroyaliste. Exposée à Londres l'année suivante, l'œuvre recueillit un grand succès (cinquante mille visiteurs), les Anglais n'étant sans doute pas mécontents de faire gloire à un naufrage de la marine française... « Encore aujourd'hui, fait observer Bruno Chenique, l'affaire du radeau de la *Méduse* continue à opposer les historiens, selon leur sensibilité politique. »

Les 2 et le 3 novembre 1824, par suite du décès du peintre, l'atelier de Géricault fut dispersé aux enchères par son père, à l'hôtel Bullion. *Scène de naufrage*, ainsi qu'il était toujours baptisé, en était le numéro un. Le comte de Forbin comptait bien le faire entrer au Louvre, voyant peut-être son entreprise facilitée par la succession de Louis XVIII, qui venait d'être emporté par la gangrène. Avec habileté, il insistait sur la portée universelle de ce chef-d'œuvre, qui transcendait les péripéties du naufrage. Mais il n'avait pu encore mobiliser les fonds nécessaires. Ami de Géricault, Pierre-Joseph Dreux-Dorcy organisa son rachat, afin de l'offrir au musée au prix coûtant. Des marchands anglais auraient été prêts à enchérir jusqu'à 20 000 francs. Mais, désireux de faciliter l'opération patriotique, le commissaire-priseur aurait fait montre d'une prouesse technique imparable, en « coupant » l'enchère à 6 005 francs, prix auquel l'immense tableau fut attribué au généreux donateur. En aurait-il été autrement, cette œuvre phare aurait pu se retrouver, aujourd'hui, accrochée dans un château de la campagne anglaise, plutôt que d'être le fleuron des galeries du XIXe siècle du Louvre. A moins qu'elle n'eût été découpée et revendue en petits morceaux, personnage par personnage, par les marchands... ou par les « ultras », furieux de cet affront ? L'anecdote édifiante du « coupage d'enchères » a cependant le défaut d'être tardive, et de ne reposer sur aucune source documentaire. Peut-être a-t-elle été inventée pour féliciter le gouvernement de Charles X d'avoir sauvé ce chef-d'œuvre de la peinture française des mains de nos perfides rivaux.

Il existe des filouteries plus sérieuses, qui, heureusement, sont rares. Imaginons un commissaire-priseur peu scrupuleux auquel une dame âgée propose un service Louis XV.

— Mais non, chère madame, je suis au regret de vous détromper, croyez-le bien. C'est une copie du XIXe, belle copie cependant... Raisonnablement, je peux en obtenir, disons, 1 000 euros. Voulez-vous que je le passe en vente ?

Tout ceci semble très raisonnable. Le commissaire-priseur passe un accord avec un beau-frère marchand, dans lequel il est secrètement intéressé au bénéfice. Ou encore, il prévient son épouse qui tient un petit commerce d'antiquité. Pour que la combine marche, il est utile que le marteau tombe à propos... A 1 500 euros, ce qui consolera la cliente. Redevenu service Louis XV dans la boutique d'antiquaire, il se revendra cinq ou six fois plus cher. Il faut beaucoup de malchance pour que la dame s'aperçoive du subterfuge, et encore davantage pour qu'elle puisse en décortiquer le mécanisme au tribunal, et démontrer une complicité avérée. Certes, le commissaire-priseur s'est trompé dans son expertise. Mais n'est-il pas de l'ordre de l'humain de se méprendre ?

C'est pour éviter de telles manigances que l'article premier de l'ordonnance du 2 novembre 1945 stipule : « Le commissaire-priseur ne peut se livrer à aucun commerce en son nom, pour le compte d'autrui ou sous le nom d'autrui, ni servir directement ou indirectement d'intermédiaire pour des ventes amiables. » Soucieux de combattre « les fraudes, intelligences et pratiques », Henri II avait déjà voulu interdire aux jurés-priseurs « de se mêler de l'état de fripiers ». La réforme introduite par la loi du 10 juillet 2000 interdit toujours aux sociétés de ventes aux enchères de faire commerce des objets qui leur sont confiés.

Il existe cependant, en province, des cas de commissaires-priseurs qui se trouvent exactement dans la situation décrite plus haut. Leurs parents s'alimentent dans leurs ventes, au vu et au su de tous. Jamais la chambre de discipline de leur corporation, ou le parquet, ne s'en sont émus. Les magistrats, il est vrai, peuvent fort bien dîner aux mêmes tables que les dignes représentants des professions qu'ils sont censés surveiller.

8.

Les appas de la révise

— Mille.

Il pose une liasse de billets sur la table.

— Mille, t'es pas dingue ? Aujourd'hui, sur une armoire, tu vas jamais gratter mille balles.

— Tu sais rien du tout. Mille, j'te dis.

Et, à mille, c'est dit. La scène se passe au sous-sol du Beaujolais, café populaire au cul de Drouot. En face, des brocanteurs affairés et des amateurs réjouis de leur prise embarquent argenterie, armoire, ours empaillé et luminaire « pop » dans des camions et voitures, garés en double file dans la rue étroite. Au bistrot, trois « brocs » viennent de s'adonner à la « révise », pratique illicite mais usitée. En un instant, ils viennent de rouler (un peu) un commissaire-priseur ainsi que le fisc et (beaucoup plus) un vendeur.

Le principe de base consiste en une entente à l'amiable entre marchands qui guignent le même lot. L'accord peut prendre la forme rudimentaire d'un banal *gentleman's agreement* : des habitués renoncent à enchérir l'un sur l'autre. C'est le pas de deux du gentilhomme : une règle non écrite veut qu'on évite d'enchérir sur une connaissance, dans la mesure où cette largesse ne perturbe pas excessivement le bon cours des affaires.

Dans certaines ventes, il suffit de se pencher vers son voisin qui lève aussi la main :

— On partage ?

Certains lots en effet sont sécables, ce qui évite la bataille de chiffonniers : la caisse de douze bouteilles de vin peut sans difficulté en fin de vente être partagée en deux ; un enchérisseur est susceptible d'être intéressé par un seul livre dans une « manette », autrement dit un carton, de vieux imprimés (c'est, hélas, souvent le même que celui que veut à tout prix son voisin) ; même un tableau peut se séparer entre la peinture, qui intéresse le collectionneur, et le cadre, dont a besoin l'encadreur. Quelques échanges furtifs, et le pacte est conclu. Régulièrement, les antiquaires se mettent d'accord, suivant une version à peine plus élaborée de cette entente, pour acheter un objet précieux en « syndicat » : chacun prend une part de l'achat, et du bénéfice.

L'exercice trouve vite ses limites. Entre marchands, qui doivent bien faire tourner la boutique, et qui passent leur temps à se livrer des coups pendables, ces accomodements ne sont pas toujours réalisables. C'est alors que « la révise » peut déployer tous ses appas.

La révise, c'est la révision. Avant la vente, nos trois brocanteurs, pour reprendre cet exemple, désignent celui qui, à Drouot, va enchérir en leur nom. L'armoire lui est adjugée sans difficulté pour 1 000 euros. Le complot se déplace ensuite au bistrot du coin. Il arrive cependant de voir des marchands pratiquer cette conjuration, sans se gêner le moins du monde, dans les couloirs mêmes de l'hôtel des ventes. Ou sur le trottoir. On voit ainsi de petits groupes de marchands italiens, téléphone portable à l'oreille, dont les discussions animées peuvent fort bien cacher une « révise ». Tout le monde se tient à bonne distance des Italiens, ou des Gitans – réputation oblige.

Cette arnaque est passible, selon le code pénal, de six mois de prison et d'une amende pouvant aller jusqu'à 23 000 euros. Peines très théoriques, en France en tout cas, car une affaire a fait du bruit à New York.

Dans notre cas d'école, le brocanteur qui finalement emporte l'armoire pour 2 000 euros au sous-sol de l'estaminet voisin paye évidemment l'adjudication officielle et les frais. Il remet la différence, soit 1 000 euros, dans un pot commun dans lequel se servent ses deux comparses, selon des modalités assez élaborées. Au lieu d'être destinée au propriétaire qui avait mis l'armoire en vente, cette somme est donc recyclée dans la profession, où les espèces sont toujours les bienvenues. Evidemment, il n'est plus question de taxes.

Il existe plusieurs formes de révise, qui peuvent devenir compliquées à l'extrême. Les participants peuvent enchérir à l'aveugle, chacun glissant son enchère dans l'enveloppe, ou « au chapeau », les bulletins étant ramassés dans un chapeau (si possible, le moins sale), du moins du temps où les messieurs en portaient (inutile de dire qu'on voit rarement de dame dans une révise). Quand on pratique ainsi à l'aveugle, les enchères montent davantage que dans le système ascendant classique, dans lequel l'écart avec le dernier enchérisseur est calculé au plus juste[1]. Certaines révisions peuvent réunir vingt ou trente marchands, voire plus. Le groupe peut se subdiviser, un sous-ensemble prenant par exemple position à l'étage, l'autre au rez-de-chaussée. Le lot ira à la plus forte enchère des deux groupes. Plusieurs bistrots, autour de Drouot, ont l'avantage de disposer d'un étage ou d'un sous-sol, sans compter les recoins, propices au calme indispensable à conclave aussi sérieux.

La répartition du bénéfice est plus complexe encore. La tranche entre le prix final de la révision et l'adjudication prononcée une heure plus tôt à Drouot, qu'on pourrait appeler le différentiel délictuel, ne peut être répartie équitablement. Les réviseurs qui ont abandonné tôt la partie clan-

---

1. Dans les ventes de coupes de bois organisées par les services de l'Etat depuis Colbert, les enchères sont descendantes. C'est le premier qui parle qui a gagné. Autre système : dans les ventes immobilières, à la chambre des notaires, les enchères se font à la bougie. Il faut que le dernier « feu » s'éteigne pour prononcer l'adjudication.

destine n'ont pas pris le même risque que ceux ayant
« poussé » l'objet plus loin. L'honneur n'est pas un vain mot
dans la profession ! Le bénéfice est donc partagé au prorata
des enchères. Celui qui les aura menées le plus loin tou-
chera la plus forte somme, et ainsi de suite en descendant,
jusqu'aux « suceurs », les petits malins qu'on appelle ainsi
car ils s'infiltrent dans les révisions sans jamais vraiment
acheter. Selon une détestable habitude de la langue française, la féminisation du substantif, quand cette forme est
utilisée, exprime un mépris appuyé...

Certains antiquaires qui ont aujourd'hui pignon sur
rue ont débuté ainsi : introduits par un aîné qui les avait
pris en amitié comme « suceurs » dans les « révises » où
ils ramassaient toujours un peu d'argent. Le système
prend ainsi la forme d'une initiation, une sorte de « tonti-
ne » aidant les jeunes à mettre le pied à l'étrier. Dans
l'exemple de cette armoire la répartition des 1 000 euros
de différentiel délictuel se fait ainsi : ils sont trois à enchérir de 1 000 à 1 600 euros. Chacun prend un tiers de la
cagnotte : 200 euros. Ils ne sont plus que deux de 1 600 à
2 000 euros. Chacun prend la moitié : encore 200 euros.
Donc le brocanteur A touche 200 euros, le brocanteur B
400 euros, et celui qui emporte le morceau retranche la
même somme des 1 000 euros. Il débourse 600 euros, qu'il
donne aux deux autres. En tout, il lui en a coûté
1 700 euros (1 100 à Drouot, frais inclus, et 600 pour ses
comparses). Si les mêmes enchères s'étaient déroulées,
normalement, il aurait dû payer 2 200 euros, toujours avec
les frais.

On imagine la complexité des calculs quand le groupe
se fractionne au fur et à mesure des enchères à partir de
vingt-cinq acolytes : au départ, chacun a droit à 1/25 de la
tranche ; ensuite, s'il n'en reste que vingt-deux, 1/22 de la
tranche suivante ; puis, si cinq abandonnent la partie,
1/17 ; et ainsi de suite, jusqu'à ce qu'il n'en reste qu'un.
Dans les années 90, à New York, un marchand italien
raflait ainsi un nombre conséquent de lots dans les ventes
de Christie's et Sotheby's et il procédait ensuite à de

grandes révisions avec ses compatriotes dans une salle comble et enfumée, dans une atmosphère digne du Chicago des années de la prohibition. Il était assisté d'un comptable capable de calculer à une rapidité époustouflante les bénéfices de chacun des participants. Il ne se trompait jamais.

Un expert parisien a participé un jour à une « révise » à Grenoble, qui rassemblait pas moins de cinquante commerçants autour d'un meuble. Il était venu fort d'un mandat de trois grands antiquaires de la capitale, qui étaient disposés à prendre le meuble en syndicat. Il avait donc trois parts dans la révise, ce qui fut dès l'abord un sujet de complication.

— Mais « le duc », c'est pas vrai, il ne s'intéresse pas à ce meuble, il ne l'a même pas vu.

La difficulté fut vite réglée. Les enchères sont montées très haut, pour la bonne et simple raison que les marchands locaux voyaient là un bon moyen de tirer un bénéfice des trois antiquaires parisiens. Malheureusement, ils ont joué trop fort. Quand il ne restait plus qu'une petite fraction des participants, lassé de ce petit jeu, le Parisien s'est retiré. Les antiquaires du coin se sont retrouvés avec le meuble sur les bras, qu'ils ont payé très cher. Il fallait de plus le restaurer. Il est resté invendu des années. Il a été proposé aux enchères chez Sotheby's à New York, mais personne n'en a voulu au prix demandé.

Un cas resté mythique à Drouot porte sur des pièces d'argenterie, adjugées par l'étude Laurin-Guilloux-Buffetaud 427 000 francs [1] en décembre 1972 au palais Galliera, à un groupe formé d'une demi-douzaine d'antiquaires, agissant par le biais d'une société panaméenne. Provenant de la succession de Willy Zietz, elles étaient tout bonnement présentées comme « travail étranger ». Les connaisseurs en déduisaient qu'elles dataient du XIXe siècle. Seule

---

1. 234 000 euros (soit 2,1 millions de francs)

une paire de guéridons était inscrite au catalogue, mais l'ensemble comprenait également un grand miroir de près de deux mètres de haut et une table. En fait, il suffisait de regarder les poinçons, aisément décelables, pour s'apercevoir que ce mobilier avait été produit dans les années 1710 par les orfèvres d'Augsbourg, qui fournissaient la cour de Louis XIV. Ayant eu vent de la rumeur, les commissaires-priseurs changèrent d'expert au dernier moment. Dans le cours de la vente, ils rectifièrent, verbalement, en datant ces pièces « de la première moitié du XVIIIe siècle », et en les attribuant à Augsbourg. Les antiquaires devaient amèrement regretter d'avoir contourné la loi. Car l'affaire s'est terminée devant le tribunal. Non pour répondre d'une accusation de révision. En 1976, l'exécuteur testamentaire de Willy Zietz obtint en appel l'annulation de la vente : la rectification orale au moment de la vente était insuffisante pour réparer une erreur aussi fondamentale. Pour ne rien arranger, il fut reproché aux antiquaires une fausse déclaration en douane. N'étant pas décrites comme une production de l'époque Louis XIV, les pièces avaient en effet été déclarées à leur valeur d'achat. Elles valaient, en théorie, bien plus. L'incident devint une affaire d'Etat, le ministre de la Culture s'indignant d'un subterfuge préjudiciable au patrimoine national. Bref, l'affaire a très mal tourné. Les antiquaires ont perdu toute leur mise, et bien plus encore. Ils se sont fâchés entre eux. On a même parlé d'une dénonciation, à tort selon certains des comploteurs. Un des plus géniaux antiquaires parisiens s'est retrouvé ostracisé dans le métier, pour le restant de ses jours. Cette méfiance se dissipe à peine maintenant que les enfants des antiquaires du faubourg Saint-Honoré succèdent aux pères.

Finalement, c'est un autre antiquaire, n'ayant pas participé à la conspiration de départ, qui parvint à dénouer l'imbroglio : Maurice Ségoura réussit à satisfaire à la fois ses confrères malheureux, dont il racheta les parts ; l'ancien propriétaire, qu'il indemnisa ; le Louvre, à qui il fit un don ; et le musée d'Augsbourg, auquel il revendit le tout pour 2,5 millions de francs[1]. Il s'établit ainsi une solide réputation d'« arrangeur », qui ne l'a pas quitté depuis.

« On révise tant à l'hôtel des ventes qu'une petite révision du règlement n'aurait rien de bien insolite », lançait un polémiste. La révision eut ses grandes heures au XIXᵉ siècle. C'était le temps où la « bande noire », ou plutôt les « bandes noires » car il y en avait au moins une par spécialité, régnaient en maître à Drouot, dont les membres n'hésitaient pas à brutaliser dans les couloirs l'imprudent qui venait déranger leurs plans. Ils pouvaient ainsi « jeter des lourds chenets dans les jambes de l'intrus » ou « le cogner violemment contre les meubles »[2]. En 1887, un commissaire-priseur dut porter plainte contre des « individus marchands » qui avaient répandu de la poudre à éternuer dans sa vente. On appelait aussi ces bandes les « grafinades ».

Les moyens d'éloigner l'importun se sont sophistiqués avec le temps. Dans les années 30, quand une belle dame fortunée avait l'audace d'assister à une vente de bijoux, le clan des bijoutiers allait chercher une collaboratrice éminente, appelée Clémentine, qui avait élu ses quartiers près de l'hôtel Drouot. Moyennant la pièce, elle était invitée à entrer dans la salle, poser son volumineux postérieur à côté de l'élégante. Elle a dû faire une forte impression sur ses contemporains, si l'on en croit ce portrait : « Est-ce une femme ? Oui, à bien regarder, c'est une femme. Elle est énorme, repoussante. La crasse et la poussière composent sur son corsage une géographie suspecte et compliquée. Elle est tête nue et ses cheveux sans couleur pendent en mèches inégalement coupées sur sa nuque en boudin. Des quantités insoupçonnées d'alcool ont culotté sa trogne, dont la teinte violette s'avère le ton majeur de son masque vermillon ; une gueule de grenouille fend sa face

---

1. 1,25 million d'euros (8,2 millions de francs).
2. Edmond Auguste Texier, *op. cit.*

d'une oreille à l'autre, et son sourire, découvrant ses chicots, est proprement terrifiant. Une odeur abominable monte d'elle, de son collet en lapin mangé par les mites, de ses hardes, de son corps, masse informe et jujubant à chaque pas[1]. »

Le monstre s'est insensiblement rapproché de l'inconnue.

— Pardon, madame ! Enfin, poussez-vous, madame !

Quelques coups de coude ou de savate et quolibets bien sentis plus tard, et par-dessus tout une bonne exhalaison, et la dame du monde prenait la fuite sous les ricanements.

Bousculades, bagarres, intimidations ne sont cependant plus de règle en notre époque contemporaine, bien plus délicate. Afin d'écarter un intrus, le groupe constitué s'amuse à pousser systématiquement les enchères sur lui. Soit le malheureux surpaie les objets, soit il n'obtient rien (dans ce cas, par solidarité avec celui qui s'est dévoué, les autres membres du groupe peuvent se partager le surcoût). Avec un peu de chance, l'amateur en sort écœuré. Dans les couloirs de Drouot, il se murmure que même des personnages importants ont pu être victimes de ces « révisions à l'envers ». A l'occasion, Maryvonne Pinault, épouse du patron du groupe Pinault-Printemps-Redoute, aurait été poussée à surpayer des meubles français du XVIIIᵉ siècle par des antiquaires, lui reprochant d'accorder davantage de confiance à ses restaurateurs de meubles qu'à leurs sages prescriptions[2]. Un antiquaire confie ainsi :

— Quand on se prétend grand collectionneur, on se fait conseiller. De grands amateurs comme le duc d'Aumale ou Pierpont Morgan avaient des conseillers, qui ont joué un rôle capital dans la constitution de leur collection. Pourquoi serait-ce différent pour Mme Pinault ?

1. Louis Léon-Martin, *op. cit.*
2. Cela aurait été le cas le 14 décembre 2001, quand elle a acheté à Drouot pour près de 10 millions de francs (soit 1,5 million d'euros), avec les frais, une table pastichant Boulle, reconstitution tardive et incongrue du style de l'ébéniste de Louis XIV. Qui plus est, en mauvais état. De l'avis général, ce meuble ne vaut pas le sixième de ce prix. Mme Pinault a, par la suite, voulu refuser de payer son achat, se rendant compte de sa méprise.

Le rituel de la révise constitue une tradition bien ancrée dans certains secteurs où les marchands ne sont pas en trop grand nombre, se connaissent bien, et sont forts d'une science empirique et livresque que l'amateur peut rarement leur disputer, comme le mobilier ancien, la bibliophilie ou la numismatique. A partir d'un certain niveau de prix, les marchands ont également moins de risque de se heurter à la malveillante concurrence d'un particulier. Dans les sphères éthérées des millions de francs, la foule ne se presse pas. Du reste, les commissaires-priseurs ne sont pas dépourvus de moyens de riposte puisqu'ils ont eux-mêmes à leur disposition l'arme du « bourrage »[1] : si le commissaire-priseur sent qu'il y a de la révise dans l'air, il parvient à rétablir la juste valeur des choses en faisant monter lui-même les enchères. Il fait alors grande œuvre de Justice.

Quand Me Eric Buffetaud avait ainsi proposé à la vente le manuscrit de *Voyage au bout de la nuit* de Céline, la menace d'une révision avait été portée à sa connaissance. Il avait aussitôt obtenu de son client le doublement du prix minimal de réserve, afin de pouvoir contrer la manœuvre. Point n'en était besoin, puisque les enchères sont montées beaucoup plus haut qu'espéré.

La révision est ainsi devenue plus difficile. Les « bandes noires » ont eu beau les repousser à coups de chenêts dans les jambes, les particuliers ont fini par envahir les salles des ventes. La publicité, la publication de catalogues assortis de reproductions et de notices détaillées, la multiplication des moyens d'intervention (téléphone, fax, e-mails, sites Internet...), toute cette professionnalisation du métier contrecarrent ces arrangements passés en coulisses. La profession reste de plus morcelée : les brocanteurs venus de Bruxelles ou de Lyon n'ont aucune envie de repartir le camion vide, et se méfieront des « puciers » de Saint-Ouen. Non sans quelque raison. Les étrangers sont en effet en nombre à Drouot. Un

---

1. Voir chapitre 6.

galeriste de Cologne ne va pas facilement s'entendre à l'avance avec un homologue de Milan. Certains en viennent même à penser que cette belle tradition française est aujourd'hui menacée.

9.

Après la vente, c'est encore la vente

Scène classique d'un hôtel des ventes. La vacation épuisée, le dernier lot adjugé, trois ou quatre marchands qui ont pris leur mal en patience se ruent sur le commissaire-priseur pour d'étranges conciliabules.

— Dis-moi, le 148, à combien peux-tu me le céder ?

— Moi, je peux te prendre le 10, mais à 800, pas plus...

— Le 53, c'est combien ta réserve ?

Autant de marchandages sur des lots n'ayant pas trouvé preneur, ayant été « ravalés ». Ne voulant pas rester sur cet échec, certains commissaires-priseurs se démenaient pour trouver quand même un acquéreur. Le lendemain de la vente, ils passaient leur journée au téléphone, compulsant leur fichier de clients pour proposer les invendus.

— Dis, j'ai une armoire, là... Elle m'est restée sur les bras à la vente d'hier. Oui, elle est pas mal... Le propriétaire en veut 1 000, mais je pense que tu peux l'obtenir pour 800. 700 ? Tu n'es pas généreux ! Enfin, écoute, je peux toujours essayer. Je te rappelle...

Cherchant activement un dénouement à ce drame, ils se tournaient vers le vendeur :

— Votre armoire, vous en vouliez 1 000. Mais je ne suis pas parvenu à la vendre. Non, personne n'en a voulu... Oui, la conjoncture n'est pas bonne... Vous comprenez, j'ai cet antiquaire, qui la prendrait volontiers, mais seulement à 700... Pourriez-vous faire un effort ? Bien sûr, je peux la reproposer à une vente suivante, mais c'est sans garantie.... Evidemment, c'est embêtant. Mais cela vous débarrasserait.

Et le commissaire-priseur aussi, soit dit en passant... Avec un peu de chance, l'affaire est faite, à la satisfaction générale.

Jusqu'à maintenant, cette opération était interdite. Mais les commissaires-priseurs ont toujours eu leurs petits arrangements avec la loi. Avant l'entrée en application de la réforme, celui qui revendait ainsi un bien en douce, pour rattraper une mise aux enchères ratée, était contraint de raturer le procès-verbal de vente, faisant passer le numéro de lot de la sinistre colonne des « ravalés » à celle, à droite, plus heureuse, des « vendus ». Certains étaient connus pour se livrer systématiquement à cette méthode illicite, essayant de placer les objets plusieurs semaines après la vente. *La Gazette de l'Hôtel Drouot*, qui publie chaque semaine les résultats officiels des ventes, devait parfois attendre deux à trois semaines avant d'obtenir le compte rendu de certains offices. La salle arrière de l'étude se transformait alors en brocante d'un marché aux Puces. Plus traditionalistes, d'autres commissaires-priseurs ne cachaient pas leur mépris pour ces « grenouillages ».

Il y a aussi les paroles et les actes. Un jour, un commissaire-priseur parisien m'a juré, main sur le cœur, que jamais il n'avait vendu un objet après la vente. Sortant de son bureau, je remarquai un appareil photo ancien posé sur une table, une étiquette de vente collée sur le bois.

— A quelle vente doit-il passer ?

Le clerc n'y vit pas malice :

— C'est un invendu d'hier. Mais, si vous le voulez, la réserve n'est pas élevée.

Pour toute réponse, je souris bêtement. Il existe aussi des commissaires-priseurs qui refusent ces combines avec une bonne dose de pragmatisme :

— Ce système casse les prix, souligne un professionnel de province.

En effet, s'ils ne voient pas la salle bouger, il est tentant pour les amateurs de s'empêcher d'enchérir. Après la vente, ils proposent un prix bien plus bas que la mise aux enchères. Le propriétaire du bien est coincé : il n'a pas envie de le reprendre. S'il s'agit d'une armoire, ou, pis encore, d'un piano, les frais de déménagement peuvent être conséquents... Les marchandages vont alors bon train. Mais, dans l'ensemble, tout le monde sort soulagé d'une vente après la vente : le vendeur, qui trouve preneur pour son bien ; l'acheteur, qui l'acquiert à un prix raisonnable ; le commissaire-priseur, qui fait tourner sa société ; et l'Etat, qui perçoit ses taxes. Car la transaction, sauf cas extrême, ne se fait pas sous la table. En corrigeant son procès-verbal, le commissaire-priseur donne un aspect légal à l'opération, avant de verser les taxes afférentes. Comme le fait remarquer Me Jacques Tajan, qui se retrouve poursuivi pour quelques entorses à la loi :

— C'est à vous décourager d'être honnête !

Tout le monde y gagne, sauf la loi. Car ces procès-verbaux dressés par les commissaires-priseurs ont valeur d'acte authentique. Leur traficotage est assimilable au faux en écritures publiques, un crime en théorie passible de la cour d'assises s'il est commis par un officier public ou ministériel. Ce qui est le cas des commissaires-priseurs [1]. Pourtant, cette pratique d'initiés a longtemps fait l'objet d'une douce tolérance. Les commissaires-priseurs les plus entreprenants ne se gênaient pas pour détourner une règle qu'ils tenaient pour obsolète et pénalisante pour leurs affaires. C'est si vrai que le législateur s'est résigné à modifier les dispositifs. La loi du 10 juillet 2000 autorise

---

1. Ceux d'avant la réforme de 2000, ou les « commissaires-priseurs judiciaires » nés de la loi.

le commissaire-priseur à conclure une cession de gré à gré, dans les quinze jours suivant l'échec de la vente aux enchères. Par précaution, cependant, le prix ne peut être inférieur à la dernière enchère : il s'agit d'éviter des marchandages à la baisse. « Nous n'avons finalement fait que devancer un peu la loi », ironise un ténor de Drouot.

Longtemps assoupi, le parquet de Paris a changé d'attitude ces dernières années. Il a engagé des poursuites dans les cas lui paraissant les plus graves. Condamné pour abus de confiance, Guy Loudmer a également été poursuivi pour faux en écritures publiques. Il lui est reproché d'avoir, fin 1993, fictivement adjugé 36 millions de francs[1] un Kandinsky, *Dans le Cercle noir*, mis en vente par le galeriste Adrien Maeght. Drouot était pourtant fier d'annoncer un record. L'œuvre avait même été reproduite sur le carton de vœux de fin d'année de la compagnie, qui a dû être précipitamment mis au pilon dès que la nouvelle d'une entourloupe a commencé à circuler. En fait, le commissaire-priseur aurait enchéri dans le vide. Le tableau aurait été vendu juste après la vente pour 30 millions de francs[2].

Me Tajan reconnaît avoir eu recours à ce procédé. Comble de la provocation, il a expliqué à l'émission *Capital* de M6 avoir faussement adjugé 5,3 millions de francs un Monet, qui a, en fait, été négocié, le lendemain, 4,8 millions[3] avec « un amateur britannique ». Selon le commissaire-priseur, son client, venant de Londres, n'avait pu parvenir à la vente, car il était « resté coincé dans les embouteillages ». Pour cette infraction, et cette déclaration publique, Me Tajan reçut la plus lourde sanction prononçable par sa chambre de discipline. Une peine symbolique tout de même : « la censure devant la chambre assemblée », édictée en grande robe. L'histoire ne dit pas s'il fut impressionné par cette cérémonie de la confrérie au cours de laquelle il est obligatoire de vouvoyer le blâmé, qu'on tutoie cinq minutes plus tard.

---

1. 6 millions d'euros.
2. 5 millions d'euros.
3. 808 000 et 730 000 euros.

Le commissaire-priseur fut plus sérieusement ennuyé pour une autre vente de ce type, liée à la succession Giacometti : dans ce cas, le parquet a même ouvert des poursuites criminelles à son encontre. Avant de les abandonner. On pouvait en effet raisonnablement se demander s'il était seulement envisageable de convoquer une cour d'assises pour le juger, lui ou Guy Loudmer, pour des pratiques que la loi a permises depuis lors.

Dans ces deux cas, ce sont les révélations de la presse qui sont à l'origine de l'action de la Justice. Cette infraction n'est en effet pas véritablement recherchée pour elle-même. Elle est cependant apparue parfois par hasard au détour d'une enquête plus sérieuse. Une enquête avait ainsi été ouverte sur plainte déposée par la banque Hottinger, qui s'estimait flouée par un particulier, François de La Taille, auquel elle réclamait une dette d'environ 11 millions de francs [1]. La banque lui avait consenti un prêt, gagé sur une douzaine de dessins, qui avait été généreusement évaluée 48 millions de francs. La banque a récupéré ces dessins. Mais, ayant obtenu une vente ordonnée par le tribunal de Paris, elle n'a pu en récupérer que 3,5 millions [2].

La vente, le 18 octobre 1995 à Drouot, avait été confiée à Mᵉ Binoche. Dans le cours de l'instruction, les enquêteurs ont découvert qu'il aurait vendu irrégulièrement un dessin, *L'Apothéose de Racine* de Pierre-Paul Prud'hon, pour 170 000 francs [3], au musée de Dijon. Les conservateurs confessèrent avoir été contactés par le commissaire-priseur le lendemain de la vente aux enchères proprement dite. Dans ce cas, la faute peut être considérée comme plus sérieuse, dans la mesure où il s'agissait d'une vente judiciaire. En même temps, le principe est toujours le même : la banque peut se féliciter d'y avoir gagné 170 000 francs de plus. Elle n'y a pas perdu puisque le prix est celui de la dernière enchère. Au pas-

1. 1,8 million d'euros.
2. 565 000 euros, pour une évaluation de 7,7 millions.
3. 27 500 euros.

sage, les enquêteurs ont aussi soupçonné Me Binoche d'avoir acheté pour son propre compte un autre dessin de Prud'hon, ce qui est contraire à la loi. Il ne s'en est guère caché du reste puisque cette vertueuse allégorie, *La Récompense accordée à l'esprit guerrier*, figure, accrochée dans sa salle à manger, dans un reportage du magazine *Point de vue-images du monde* consacré à « la demeure princière » du commissaire-priseur, qui a effectivement quelque bien...

D'autres vedettes de Drouot, Mes Francis Briest et Joël Millon, furent mis en cause dans une histoire semblable. Une enquête avait été ouverte pour une affaire bien plus retentissante, comme le marché de l'art en a connu quelques-unes dans l'euphorie des années 80. Un galeriste parisien, Thierry Salvador, a été accusé d'avoir, de 1987 à 1993, détourné une centaine d'œuvres d'art et plusieurs dizaines de millions de francs au détriment d'un investisseur, Michel Anselme. Lancés sur la piste des œuvres volatilisées, les policiers ont retrouvé des traces de passage à Drouot. Me Briest a accepté de Thierry Salvador une sculpture de César, *Ginette*, en règlement d'une dette. Le commissaire-priseur l'a ensuite revendue 600 000 francs[1] à un marchand parisien. Même ayant trangressé les règles de la profession, le commissaire-priseur n'a fait l'objet d'aucune poursuite. Comme l'a fait observer la cour d'appel en condamnant Thierry Salvador à deux ans de prison, Me Briest aurait pu être poursuivi pour « recel », puisque l'œuvre était dérobée. Une peinture de Caillebotte, le *Jeu de la main chaude*, a, elle, été prétendument adjugée en juillet 1990 par Me Millon. Interrogé par les policiers, ce dernier a spontanément reconnu que l'œuvre avait en réalité été cédée le lendemain de la vente publique, pour 2,8 millions de francs[2]. Il n'a pas, lui non

---

1. Environ 110 000 euros.
2. 500 000 euros.

plus, été poursuivi pour faux. Pour sa défense, Me Millon souligne n'avoir pas baissé son prix par rapport à l'enchère.

Ce commissaire-priseur n'est pas le premier venu puisqu'il présidait la compagnie parisienne, et accessoirement la chambre de discipline de la corporation. Le parquet a dû considérer qu'il était difficile d'importuner un notable de cette importance pour un écart aussi véniel.

10.

Cachez ce Maure
que je ne saurais voir

Ce Picasso accroché au mur de votre salon, vous le connaissez si bien qu'il vous prend une envie irrépressible d'en corriger tous les défauts qui vous sont devenus apparents. Rien ne doit vous freiner dans une si grandiose entreprise de réhabilitation. Le droit moral de l'artiste s'arrête à votre porte. Sans compter que Picasso aimait la plaisanterie. Mais dans quelle mesure le tableau que vous aurez repeint de façon si consciencieuse pourra-t-il être vendu comme un Picasso, si vous ou vos descendants étiez conduits un jour à le proposer aux enchères ? A quel moment une œuvre repeinte ou réparée cesse-t-elle d'être originale ?

Certes, ce cas d'espèce est rare. Il arrive plus fréquemment de voir proposer dans les hôtels de ventes des tableaux assez largement restaurés. Les reprises de peinture se voient parfois à l'œil nu. Un examen assez simple à la lampe Wood suffit le plus souvent à évaluer l'état de la couche picturale. Le noir étant fait dans la pièce, la lampe qui diffuse des rayons ultra-violets donne un aperçu de la sous-couche. Les radiographies aux rayons X en disent beaucoup plus, mais ce sont des examens de laboratoire plus lourds et coûteux. Il convient de distinguer les repeints des repentirs. Ces derniers sont des correctifs apportés par l'artiste dans le cours de sa composition. Les repeints postérieurs, souvent consécutifs à des accidents, sont plus embêtants. Le XIXe siècle et le début du XXe ont été friands de restaurations ambitieuses, avec un résultat parfois dévastateur. La composition peut être irrémédiablement endommagée. Une « dérestauration », c'est-à-dire une nouvelle restauration plus appropriée, et même un simple dévernissage ne sont pas des opérations neutres. Elles abrasent toujours un peu de la couche picturale, au risque, si elles sont répétées ou trop lourdement menées, de faire perdre du relief à la peinture. Il y a des cas où il ne reste plus guère de l'œuvre originale.

Isabelle de Wavrin, scrupuleuse observatrice du marché de l'art, dans un éditorial de *Beaux-Arts Magazine*, avait contesté les conditions de mise aux enchères d'une peinture de Cézanne, en 1996, par Me Guy Loudmer. Personne n'avait enchéri pour ce paysage, alors qu'une composition similaire avait atteint 42 millions de francs à Londres au même moment. Présenté à Drouot, *Paysage des environs d'Aix-en-Provence* n'était pourtant estimé que 17,5 millions de francs[1].

Et pour cause, expliquait la journaliste. Très abîmé par une inondation, le tableau aurait été « repeint à plus de 50 % », et fort mal, parole de marchand parisien. Des taches sont toujours visibles sur le ciel du paysage. La peinture ne valait « ni la publicité faite autour d'elle ni ce prix d'estimation ». Pas du tout, s'insurgeait Me Loudmer, pour lequel ces affirmations étaient contredites par un conservateur-restaurateur des Musées de France, Véronique Stedman. Certes, reconnaissait le commissaire-priseur, avec un admirable sens de la litote, « le tableau aurait pu avoir souffert de l'humidité ». Mais, enchaînait-

---

1. 2,8 millions d'euros, contre 6,7 millions pour le tableau de Londres.

il, le spécialiste John Rewald, disparu en 1994, en avait quand même salué « la transparence des couleurs, l'harmonie et le style propre de Cézanne ». La rédaction de *Beaux-Arts* répliqua, forte de l'avis de cinq experts et historiens d'art. Elle souligna que l'œuvre avait déjà fait une apparition peu brillante, en 1970 chez Sotheby's à New York, où elle n'avait qu'avec peine atteint 35 000 dollars, « le prix d'un mauvais Utrillo ». Dans son catalogue de vente, Sotheby's avait eu l'honnêteté de mentionner ses défauts, en reproduisant cet avis, complémentaire sans doute, de John Rewald : « Ce tableau montre des signes de nettoyage excessif, au point que la nature originelle de l'œuvre semble avoir été considérablement modifiée. » Précisions qui ne figuraient aucunement dans le catalogue de Me Loudmer, si bien que le magazine avait trouvé son attitude « pas très glorieuse ». S'estimant diffamé, Me Loudmer fit un procès au journal. Il obtint une lourde condamnation, à un total de plus de 200 000 francs[1] de dommages et intérêts.

Ce n'est pas le seul cas de tableau repeint pour la belle cause de l'art, mais le plus grand miracle est sans doute celui survenu à Drouot au printemps 1996. Surmontant sa légitime répulsion pour les marchands du temple, Dieu dans sa grande bienveillance a consenti en ce jour à laisser s'accomplir ce prodige en l'hôtel des ventes parisien. La révélation est apparue à une vente de Me Marc-Arthur Kohn, sous la forme d'une peinture orientaliste d'un petit maître du XIXe siècle, Edouard-Louis Dubufe. Intitulé *Le Miracle des roses*, le tableau montre un chevalier maure enlaçant une jeune fille au teint de lys, dont la capeline laisse échapper une nuée de roses. A la fois multiculturelle et charmante, cette scène était estimée dans les 75 000 francs[2], ce qui est vraiment cher pour la cote de cet

---

1. 30 000 euros.
2. 12 000 euros.

artiste conventionnel, même pour une toile de grande taille (160 × 110 cm).

Au catalogue, le nom de l'artiste est mal orthographié : « Dubuffé ». Détail ? Sans doute, mais il apporte peut-être la clé de l'opus sacré, qui s'est joué en coulisses : on trouve la même erreur orthographique dans le catalogue d'une vente deux ans plus tôt, à Drouot. Il s'agissait du lot 124 d'une vacation de Me Binoche, le 6 mai 1994. Le tableau est bien le même. Enfin presque... Le titre de la composition, déjà, change. La première version, estimée 35 000 francs, un prix plus normal, était baptisée *La Conversion du Maure*. La scène était aussi plus édifiante. Le chevalier maure portait un regard extatique vers une croix surmontant la tête de la jeune fille. Signe d'une apostasie déjà avérée, il arborait lui-même un crucifix en pendentif. Dans la peinture réapparue en 1996, toute référence au christianisme a été soigneusement effacée. Les cieux ont recouvert d'un voile pudique le halo de la croix. Sur la poitrine du Maure, qui n'est plus converti, un banal médaillon rond apparaît en lieu et place du pendentif originel. Plutôt que de se perdre bêtement dans les nuages, le regard mauresque s'est abaissé vers le visage de la jeune fille, lourd de concupiscence. Les roses peuvent alors apparaître comme un symbole d'une virginité bientôt perdue. Ce n'est plus l'Eglise qui séduit l'Infidèle, c'est le fier Arabe conquérant la belle Chrétienne. Le tableau avait été retouché, de manière à renverser le sens de la représentation.

Pourquoi tant d'artifice ? En 1994, la toile ne s'était pas vendue. L'infortuné propriétaire a dû vouloir plaire à la riche clientèle du Moyen-Orient, appréciant la peinture de style un peu « pompier » du XIXe siècle, et particulièrement sa veine orientaliste. Accrocher *La Conversion du Maure* dans un salon du Caire ou de Djeddah peut être inconvenant, et même périlleux dans ces temps difficiles. Malheureusement, même trafiquée de la sorte, la peinture n'a pas été vendue non plus, les amateurs ayant sans doute été découragés par le prix demandé... Dans quelle mesure

est-elle encore authentique ? Cette dispute pourrait se pro-
longer à l'infini.

Une anecdote illustre combien les meubles peuvent,
eux aussi, subir des transfigurations miraculeuses. Le
18 mars 1980, au palais d'Orsay, l'étude Ader-Picard-
Tajan, secondée entre autres par les expert Jean-Pierre Dillée et Olivier Le Fuel, proposait aux enchères une paire de
« superbes meubles d'entre-deux », c'est-à-dire pouvant se
poser entre deux fenêtres, « d'époque Louis XVI ». Le catalogue précise qu'ils portent de « vieux numéros d'inventaire à l'encre », ainsi que l'estampille de l'ébéniste Etienne
Levasseur, qui remit le goût « de Boulle » à la mode sous
le règne de Louis XVI. Adjugée à 260 000 francs [1], la paire
n'a pas atteint l'estimation, plutôt ambitieuse, qui était de
350 000 francs, mais enfin... Le 31 mars, Isabelle de
Wavrin publia dans *La Vie française* un article qui fit du
bruit dans le Landerneau. La paire venait, en effet, de traverser la Manche, après avoir été achetée, chez Sotheby's,
le 7 décembre. La description du catalogue était moins
flatteuse que celle de Paris : les meubles étaient décrits « *in
the manner of Levasseur* ». Lors de la mise aux enchères, il
avait été précisé, verbalement, qu'il s'agissait « probablement de meubles de fabrication anglaise, des années 1820
à 1840 ». Les enchères montèrent jusqu'à l'équivalent de
124 600 francs. L'acquéreur avait donc doublé sa mise en
trois mois. Ou, du moins, le pensait-il... Car, d'une plume
mordante, la journaliste s'étonnait que d'une fabrication
anglaise tardive pût sortir un mobilier portant l'estampille
de l'artisan parisien, actif dans les années 1780. Ironisant
sur son « arrivée triomphale » à Paris, elle se demandait
comment l'expert avait pu oblitérer les renseignements
apportés à la vente de Londres. « Peut-être n'entend-il pas
l'emploi d'*"in the manner of"*, qui ne veut pas dire : ce
meuble "est de" Levasseur, mais "dans le goût" de Levas-

---

1. 86 500 euros (567 000 francs).

seur ? » Il est vrai, nous l'avons vu, que l'usage d'une langue étrangère comme l'anglais n'est pas très répandu à Drouot. Ou alors, « peut-être un voyage un peu agité par mer avait-il fait apparaître une estampille ou un numéro d'inventaire demeurés sournoisement cachés depuis deux siècles, et ayant échappé aux experts de Sotheby's ? ». A moins que « le Saint-Esprit, sous le trait des marchands, n'ait apposé une estampille ? »... Pointant d'autres exemples, non moins malheureux, dans une vente présentée comme un festival de lots discutables, l'article était titré : « Quand les ventes de prestige en manquent. » Deux jours plus tard, la journaliste reçut un appel téléphonique fort courtois de François Pinault, pour la remercier de l'avoir tiré d'un mauvais pas. L'industriel, qui n'avait pas accumulé la célébrité et la fortune qu'il a aujourd'hui, avait refusé de payer cette paire de meubles, « estampillés Levasseur », qui lui avait été adjugée.

De la même manière, la personne qui a acheté, le 7 juin 1993, la commode de l'ébéniste Charles Cressent dont la reproduction ornait fièrement la couverture du catalogue de Mᵉ Jacques Tajan serait fondée à se poser la question de l'authenticité de certains meubles. D'autant que cette commode lui fut adjugée à 2,8 millions de francs [1]. Un beau meuble Régence, légèrement cintré, et (très) richement orné d'un décor en bronze ciselé et doré. Ce sont justement ces bronzes qui posent problème. Ce dont l'acquéreur n'a peut-être pas conscience, c'est que la commode qu'il a payée si cher avait déjà fait une apparition dans une vente aux enchères, en juin 1990, dans la vente annuelle du château de Cheverny. Dispersant la succession d'un ébéniste, restaurateur en meubles et marchand de Blois, Paul Fesneault, Mᵉ Philippe Rouillac avait alors abattu le marteau à un montant bien plus raisonnable : 400 000 francs [2]. Un replacage, d'une qualité discu-

1. Près de 470 000 euros.
2. 72 000 euros.

table, est toujours visible, montrant les mêmes détails de la veinure et accidents du bois. Seulement, entre ces deux ventes, tous les bronzes ont été refaits, laissant place à une décoration bien plus luxuriante, inspirée des motifs de Cressent, des « putti » entourant un singe musicien, des feuilles d'acanthe, des palmettes, des roses, des fleurettes, des sabots à griffes de lion, couvrant les pieds galbés et remontant le long de la façade. Ce relookage d'enfer est l'œuvre d'un antiquaire parisien, lui-même ancien ébéniste, qui avait acheté le meuble à Cheverny.

Le catalogue parisien ne précise pas cette transformation substantielle. Certes, l'évocation de « faux bronzes » aurait risqué d'atténuer fâcheusement la valeur du meuble. Ne traçant aucun historique, il ne fait pas non plus état de la vente de 1990. A Cheverny, les bronzes, curieusement montés, n'étaient pas non plus ceux d'origine. Mais, alors, le catalogue mentionnait scrupuleusement le fait. Ils auraient même été changés dans le temps afin de maquiller la commode, qui aurait été volée.

Sans avoir des mobiles aussi peu respectables, il arrive fréquemment à des antiquaires d'avoir à refaire des parties de meuble qui sont trop abîmées. Certains entretiennent des ateliers entiers de restauration. Quelques-uns ont la réputation de faire deux meubles à partir d'un original, voire davantage. Une autre commode, de BVRB[1], a été misc aux enchères par l'étude Loudmer-Poulain, au palais d'Orsay en 1976. Elle était dépourvue de toute garniture en bronze. Transformée par un antiquaire parisien, elle est réapparue transfigurée à New York en 1990, chez Sotheby's, ornée d'une décoration « comme neuf », dans le style de BVRB. L'estimation était beaucoup plus élevée. La commode est encore repassée en vente en 2001 chez Christie's. Le catalogue des deux maisons de ventes anglo-saxonnes ne

---

1. Bernard Van Risenburgh, brillant ébéniste de l'époque Louis XV.

mentionnait pas cette transformation pourtant radicale. Comme si le meuble était entièrement d'époque Louis XV. Avertie, Christie's eut cependant l'honnêteté de diffuser une notice de vente, reprenant entièrement l'historique et le descriptif du meuble. Même avec une estimation réduite de moitié par cette fâcheuse nouvelle de dernière minute, le meuble ne trouva pas preneur.

Ces bronzes peuvent être considérés comme des faux. Ne pas mentionner des ajouts modernes aussi importants induit l'acheteur en erreur. En revanche, la transformation des meubles en elle-même est-elle une tricherie ? Sans doute, ces commodes n'ont plus l'apparence qu'elles avaient à leur création. Mais dans quelle mesure un meuble du XVIIIe siècle, ou encore davantage du XVIIe, peut-il prétendre correspondre à sa création ? Dès cette époque, le mobilier subissait des changements au fil des modes et des besoins. Le XIXe siècle a énormément retravaillé les meubles. Il n'y a rien de neuf à renouveler les garnitures en bronze. Ce qui est nouveau, et caractéristique de l'époque contemporaine, c'est qu'en reprenant, avec plus ou moins de bonheur, le style de l'ébéniste on prétende redonner à sa création une pureté originelle, depuis longtemps disparue. Ainsi à partir de quels réfections ou ajouts un meuble perd-il son caractère original ? Bien malin qui pourrait le dire.

Brutale, la question a été posée dans le cas d'une œuvre du peintre expressionniste Egon Schiele, vendue en 1987 par Christie's Londres l'équivalent de 5,5 millions de francs[1]. La scène, qui représentait un petit garçon agenouillé devant Dieu le père, avait plu à Mme Zelinger de Balkany. Mais, après coup, elle s'est aperçue que le tableau avait été repeint, à 94 % d'après une expertise. Christie's a quand même refusé de la rembourser. 6 % de la surface suffit-il à qualifier une œuvre d'originale ?

---

1. 1 million d'euros.

Saisi, le tribunal de Londres ne s'est pas montré tendre envers la dame : « Il appartient au client, tout comme l'acheteur d'une voiture d'occasion, de vérifier lui-même la marchandise, sans se contenter des déclarations de Christie's. » Autant pour la garantie de l'expertise ! Les magistrats ont néanmoins condamné la société à rembourser le prix d'achat pour une raison cruciale : les initiales « ES » avaient été ajoutées quand le tableau avait été repeint. On ne touche pas au nom du peintre !

11.

Trésors cachés : l'inventaire

Des ambassades du commissaire-priseur, l'inventaire en est la plus noble. Son nom même vient de la « prisée » : fixer un prix aux bijoux de famille. Il se trouve donc autorisé à entrer par une effraction légale dans une intimité, généralement à la faveur d'un drame. Décès, divorce, dette, les « trois D » font la fortune des ventes aux enchères.

La grandeur d'esprit à laquelle l'oblige une charge aussi compromettante est certainement le premier souci du commissaire-priseur. Accessoirement, il se félicite de mener régulièrement des inventaires du mobilier familial, ou de l'actif des entreprises, qui constituent une activité particulièrement rémunératrice. Il a donc à cœur de soigner ses relations avec un notaire, dont il est le correspondant. Dès qu'il y a séparation, disparition ou contestation, le commissaire-priseur est appelé la rescousse pour une estimation des biens.

Me Maurice Rheims raconte qu'à son arrivée au bureau, il se plongeait dans le carnet du *Figaro*. Il fallait être le premier à transmettre ses condoléances à la veuve, aux enfants, ou, mieux encore, aux neveux ou nièces, moins affligés, et donc plus réceptifs à un petit discours sur le sort de l'héritage. Un bon commissaire-priseur ne manquait pas un enterrement, où il avait souvent le regret de croiser ses pairs. « La mort dans nos métiers est un heureux événement », concluait Me Rheims[1].

Dans les violences, ouvertes ou cachées, que traversent alors les familles, le titre d'officier ministériel se justifie pleinement. Singulier mandat que de s'immiscer dans l'intimité d'une personne, et d'exposer en place publique tous les objets qu'elle a aimés, de la petite cuiller aux draps de lit, en passant par les lettres. Il arrive ainsi de découvrir un goût dans toute son originalité, éventuellement sa cocasserie, la passion cachée d'un anonyme. Le commissaire-priseur bénéficie d'une forte présomption d'équité. Il ne favorise aucune des parties. Il a prêté serment devant le garde des Sceaux. Il ne peut faire commerce. Fort de son expérience, il pose un regard détaché sur les objets, sans aucun esprit de lucre. Il ne saurait commettre de négligence.

Par excès de prudence, toutefois, il convient, avec l'aide du notaire et éventuellement d'un huissier, de bien prendre note des lots, et de les séparer, dans la mesure du possible, en vue de la vente. C'est souvent dans « les paniers » ou « manettes » que peut se nicher une pépite cachée. De plus, dans le fouillis d'un carton, il peut toujours y avoir une disparition, qui risque fort de passer inaperçue. La rumeur prête à certains professionnels des ventes la réputation de s'entendre avec des brocanteurs, pour leur signaler des merveilles dissimulées durant l'inventaire. Sûrement de la calomnie.

Plus embarrassante, car plus courante, est la relativité de la compétence du commissaire-priseur. Lorsque Me Nicolas Leroy, de Nancy, se vit confier l'inventaire d'un château de Lunéville, en vue d'un déménagement, il insista pour monter au grenier. « Vous n'y pensez pas, vous allez passez au travers du plancher », le prévint la maîtresse de maison[2].

---

1. *Op. cit.*
2. Laurence Mouillefarine, Philippe Colin-Olivier, *op. cit.*

Sans se laisser démonter, l'officier ministériel se lança dans l'exploration des combles, ce qui lui permit d'apercevoir dans la pénombre une toile toute noircie. La peinture semblait en bon état, en dépit d'un vernis assombri du XIXe siècle. Elle appartenait depuis toujours à cette ancienne famille, venue du Nord, ayant compté des officiers parmi ses ancêtres.

La propriétaire était d'autant plus disposée à s'en débarrasser qu'un expert parisien, en ayant consulté une reproduction photographique, l'avait estimée dix ans plus tôt à moins de 15 000 francs. La scène, représentant un vieil homme tendant le doigt, entouré de deux individus au visage stupide et d'une servante aux yeux doux, n'enthousiasmait personne dans la famille. En fait, le vieil homme n'était autre que saint Pierre, reconnaissable à son manteau jaune et sa tunique bleue, ce qui devait, plus tard, fournir la clé du mystère.

Le commissaire-priseur n'a pas pris la peine de consulter un expert, se contentant de passer un coup d'éponge sur le tableau. Il fut catalogué « Ecole de Lorraine », sans aucune estimation. Le bruit a tout de suite couru qu'il pouvait s'agir d'une œuvre importante du XVIIe siècle, peut-être même de la main du grand Georges de la Tour. La rumeur a enflé jusqu'à la capitale : quinze jours avant la vente, Pierre Rosenberg, le grand patron du Louvre, s'est fait envoyer une reproduction à son adresse personnelle. Deux conservateurs du musée sont venus voir la toile. Apparemment insouciant de cette agitation, le commissaire-priseur s'est contenté d'une annonce dans la *Gazette de l'Hôtel Drouot* et de quelques articles dans la presse régionale. Pouvait-il s'agir de cette *Image de saint Pierre* de La Tour, donnée à l'église des Minimes de Lunéville en 1623, qu'on pensait détruite dans un incendie seize ans plus tard ? *L'Est Républicain* évoquait cette possibilité, que certaines maladresses de l'œuvre, dans l'organisation de l'espace notamment, rendaient, pourtant, peu probables.

En réalité, voyant l'illustration parue dans la *Gazette*, le galeriste Charles Bailly pensa immédiatement aux frères parisiens Le Nain, qu'il connaissait bien pour avoir déjà eu deux de leurs œuvres entre les mains. Prenant un train au bond, il passa voir la toile. La typologie des visages, ainsi que le traitement de la matière picturale, le confortèrent dans sa conviction.

Le 19 mars 2000, pris d'un doute, le commissaire-priseur rendit son attribution plus vague encore – « tableau de l'école française du XVIIᵉ siècle » – le mettant aux enchères 100 000 francs, devant une salle comble. Les quatre lignes téléphoniques étant débordées, il fallut se saisir à la dernière minute d'un portable. Les enchères durèrent près de dix minutes, laissant finalement aux prises deux correspondants au téléphone : un groupe de marchands parisiens et Charles Bailly. A 8,2 millions de francs [1], c'est lui qui l'a emporté. Sous les applaudissements de la salle.

Le surlendemain, *L'Est Républicain* reprit une information d'un des participants à la vente : l'œuvre figurerait dans un inventaire du cardinal Mazarin. Charles Bailly et son collaborateur historien d'art, Philippe Nusbaumer, poussèrent plus loin leurs investigations. Pour finir par retrouver, dans l'inventaire posthume des collections du cardinal, dressé en 1661 sur ordre du jeune Louis XIV, cette notice, au numéro 1055 : « Un autre (tableau) faict sur thoille, représentant Sainct Pierre entre deux soldatz et une servante, haut de deux pieds dix pouces et trois pieds neuf pouces de large, garny de sa bordure de bois doré, prisé la somme de 45 livres. » Soit, à deux centimètres près, les dimensions de la toile de Lunéville.

L'inventaire ne mentionne pas d'auteur. Mais d'autres documents font état d'une scène représentant saint Pierre, offerte en 1656 au cardinal, avec un autre tableau, par les membres de l'Académie royale de peinture et de sculpture, qui sollicitait des logements vacants au Louvre. Auteur : le « défunt Monsieur Le Nain ».

Ce devrait, logiquement, être Louis, le plus doué des trois frères, décédé en 1648. Antoine a bien été enterré

---

1. 1,25 million d'euros.

avec lui à Saint-Sulpice, à deux jours d'intervalle, victime de la même contagion sans doute. Mais la peinture ne correspond pas à son style, plus emprunté. Quant à Mathieu, à la manière plus élégante, il disparut en 1677. L'œuvre des trois peintres représente un véritable casse-tête pour les historiens, dans la mesure où ils travaillaient ensemble. Cette peinture met en valeur un aspect moins connu d'une production surtout réputée pour ses portraits réalistes de la paysannerie aisée. L'influence « caravagesque » y est sensible : des personnages à mi-corps, sur lesquels jouent des reflets rougeoyants, dans un fort contraste d'ombres et de lumière. Peut-être justifie-t-elle le surnom du « Romain » qui fut donné à Louis Le Nain. Le sujet fut élucidé. Il s'agissait du *Reniement de saint Pierre* : la nuit du jugement du Christ, interrogé par deux soldats romains, Pierre a nié, par trois fois, avoir été le compagnon de Jésus. Comme quoi, même le meilleur peut avoir ses faiblesses...

Le Louvre a confirmé l'attribution à Louis Le Nain. Le musée avait projeté de préempter le tableau, mais sans pouvoir mobiliser davantage que 5 millions de francs. Décrétée « trésor national », l'œuvre a été (provisoirement) interdite de sortie de France. Le temps que le musée puisse trouver les moyens de racheter la peinture... qu'il pourrait alors payer trois ou quatre fois plus cher que si il l'avait préemptée à la vente.

En attendant, Charles Bailly a eu l'honnêteté et l'intelligence de prendre contact avec la famille de Lunéville, qui pouvait s'estimer lésée par la présentation de son tableau comme une œuvre anonyme. Par l'entremise bienveillante du commissaire-priseur, un accord fut conclu sans difficulté. Cette démarche est élégante. Elle évite à tous des désagréments judiciaires, mais elle a surtout le mérite de l'équité. Son confrère, et voisin, Guy Ladrière a choisi la même voie quand il a découvert dans une vente aux enchères anonyme ce qu'il a compris être un bronze du Primatice, l'artiste que François Ier appela d'Italie pour décorer son château de Fontainebleau.

Le mot de la fin revient à Me Leroy, assurant benoîtement : « Cela me barbe d'aller à Paris, pour voir des experts ou faire le tour des musées. Je préfère laisser une place à la découverte dans mes ventes. Il faut bien qu'il y ait une part de rêve.... »

Parfois, c'est le commissaire-priseur, ou son expert, qui identifie un trésor caché dans les vestiges d'une vie, comme celui de Mayenne, Me Pascal Blouet, trouvant un manuscrit de Chateaubriand dans un tas de vieille paperasse... Ou Me Olivier Rieunier, qui convainc une famille du Périgord que la « croûte », dont elle ne veut plus est une composition du peintre caravagesque Valentin de Boulogne, expertisée par Eric Turquin. Adjugée 22,5 millions de francs[1], en 1989, *Les Tricheurs* se trouvent aujourd'hui à la National Gallery de Washington. La toile avait échappé à trois cambriolages, et à un carambolage sur l'autoroute, sortie indemne de la voiture du commissaire-priseur, dont le coffre était écrabouillé[2].

En 1986, alors débutant dans la profession d'expert, Etienne Bréton vit un grand tableau de deux mètres sur près de trois mètres, oublié dans un escalier de service du château Beychevelle, célèbre cru du Médoc. Il avait été chargé d'examiner les peintures de la propriété de la famille Achille-Fould. Mal décrit, le tableau avait été estimé à 500 francs dans un précédent inventaire dressé par l'étude parisienne Ader-Picard-Tajan. La composition représentait un homme à terre à demi dénudé, entouré par la soldatesque. Etienne Bréton en identifia l'auteur en la personne de Dirck Van Baburen, brillant émule du Caravage à Utrecht. Ce style de peinture connaissait alors un fort engouement. Le tableau fut vendu par une des héritières, qui avait eu la chance de le recevoir dans le partage de l'héritage paternel, au prix record de 11 millions de francs[3], le 4 décembre 1987 à Drouot. Il a été adjugé par

1. 4,2 millions d'euros.
2. Laurence Mouillefarine, Philippe Colin-Olivier, *op. cit.*
3. 2 145 000 euros.

Mᵉ Raymond de Nicolaÿ à l'une des plus importantes galeries de Londres, Agnew's. Pourtant, la composition semblait manquer d'équilibre, un bras surgissant curieusement sur le côté. On a pensé qu'elle représentait Urie, envoyé à la mort au combat par David, qui voulait s'approprier sa femme, Bethsabée (comme quoi, même les meilleurs ont leurs faiblesses). Le mystère a été levé quand la galerie de Londres s'est rendu compte qu'en fait, la toile avait été découpée sur les bords [1]. Le prix en était d'autant plus démesuré...

C'est une autre découverte qu'a faite, un beau jour de 1981, un expert parisien parti inventorier un château de province en compagnie d'un commissaire-priseur. Bien que plutôt versé dans l'art moderne, il est tombé en arrêt sur un paysage qui lui faisait irrésistiblement penser à Claude Monet, un beau Monet, encore sous l'influence de Camille Corot.

— Mais non, c'est un faux, cela ne vaut rien, bougonnait le baron, car c'en était un.

— Ecoutez, rétorquait l'expert piqué au vif, je le trouve beau, et je pense qu'il est bon.

Dans le jargon, « bon » veut dire « authentique », de la main du maître.

— Mais non, mais non ! de tout temps, dans la famille, nous avons su que ce n'était qu'une mauvaise copie.

— Ecoutez, moi je n'y ai aucun interêt. Vous me dites qu'il est faux.

Pour en avoir le cœur net, l'expert prit rendez-vous avec un spécialiste du peintre.

— Absolument, vous avez raison ! D'ailleurs, je connais cette composition, j'en ai un dessin préparatoire.

La messe était dite. L'expert eut l'intrépidité de solliciter une authentification.

---

1. Afin, sans doute, de l'ajuster à un emplacement. Il existe ainsi des tapisseries du xviiᵉ siècle dont le haut a été crénelé, pour qu'elles puissent être insérées entre des poutres !

— En fait, cette peinture, je la veux, préféra éluder son interlocuteur. Je vous en propose 500 000 francs.

— Elle vaut le double !

— Il faut bien vivre... Tenez, pour vous, je la prends à 800 000 francs[1].

L'expert est heureux d'annoncer à son propriétaire que sa présomption s'est révélée être la bonne.

— Comment, 800 000 francs, un Monet ! Vous me volez ! Vous êtes tous des coquins pour vous entendre ainsi sur le pigeon !

On en resta donc là, et le baron reprit sa peinture.

Ce genre de réaction est plus répandue qu'on peut le penser. Une visiteuse d'âge respectable était passée un jour de mars 1979 dans « la bulle », ainsi qu'on surnommait le bureau des estimations gratuites de Drouot, pour présenter une boîte en argent pleine de verroterie. Le commissaire-priseur de service y découvrit une belle émeraude. La propriétaire s'enivra de la nouvelle, si bien que lorsque son émeraude fut vendue aux enchères, pour 650 000 francs[2] en juin 1979, elle se retourna contre le commissaire-priseur :

— Vous l'avez cédée pour rien. Vous vous êtes fort mal débrouillé. C'est une honte !

De même, quand, en 1999 à Bayeux, en Normandie, Me Régis Bailleul adjugea 1,5 million de francs[3] un croquis de Gauguin, reconnu par l'expert Bruno de Bayser, la propriétaire, qui croyait mordicus que c'était un fac-similé, lui marchanda âprement sa commission[4].

---

1. 234 500 euros, soit plus de 1,5 million de francs à la valeur d'aujourd'hui.
2. 245 000 euros (1,6 million de francs).
3. 225 000 euros.
4. Laurence Mouillefarine, Philippe Colin-Olivier, *op. cit.*

L'histoire du baron et de son Monet ne s'arrête pas là. Quelque temps plus tard, la famille du châtelain, un peu déconfite, revint voir l'expert.

— Nous voulons vendre notre Monet, pouvez-vous nous aider ?

Ils l'avaient proposé au même spécialiste, qui n'était pas homme à oublier une offre.

— Fort bien, quel est le problème ? fit observer l'expert, dont on comprend qu'il pouvait tirer une légère irritation de ce barouf.

— C'est qu'il nous a proposé 500 000 francs. Vous nous aviez parlé de 800 000.

Décidément brave homme, l'expert reprit la toile sous le bras. Le spécialiste n'avait rien oublié :

— A la famille, j'ai toujours proposé 500 000. Pour vous, c'est différent, j'étais prêt à aller jusqu'à 800 000. Je ne retire rien.

Et l'affaire fut faite. Le commissaire-priseur s'est alors rendu au château annoncer la bonne nouvelle : c'était 800 000. Et le baron de retrouver la civilité qui sied à son rang. Quand même pas au point de s'enquérir du moyen de remercier le brave intermédiaire. Le commissaire-priseur s'éclaircit la voix :

— Dites-moi... pour l'expert, qui vous a découvert la peinture et vous a obtenu ce si bon prix...

— Oui, oui, vous avez raison. Je suis impardonnable. Il faut le remercier, excusez-moi un instant.

Le baron est revenu avec une enveloppe cachetée, en papier bulle des Postes, telle qu'on ne pouvait plus en utiliser depuis longtemps.

— Vous voudrez bien lui remettre ceci, avec tous mes remerciements.

En homme du monde, le commissaire-priseur s'est retiré. De l'enveloppe il a sorti un billet de 50 francs. Contacté à son cabinet parisien, l'expert lui demanda de ramener l'enveloppe PTT au baron, en précisant que ce serait « pour ses œuvres ». Bien entendu, le châtelain accepta le don.

Bien plus tard, l'expert trop honnête devait raconter l'histoire au spécialiste, qui avec un air de commisération soupira :

— Vous voyez, c'est pour cela qu'il faut être méchant...

12.

Autres heureuses découvertes

« Notre fils a besoin d'une voiture. Pourquoi ne pas lui proposer notre peinture ? » Voyant apparaître le commissaire-priseur Pierre Cornette de Saint-Cyr dans une émission légère de télévision, ce retraité de Perpignan a sursauté. Ce nom peu commun éveillait des souvenirs. Son frère avait, en effet, été de ses élèves quand il enseignait l'histoire et la géographie au lycée de Meknès, au Maroc. Il prit sa plume pour lui demander son avis sur une vieille peinture héritée de son père. Lors du partage de la succession, aucun parent n'en avait voulu. Il aurait lui-même préféré un meuble, mais, enfin, ce fut la peinture...

Portant beau, un peu dandy, ce commissaire-priseur est spécialisé dans l'art contemporain, dont il est personnellement amateur. Il n'a pu s'empêcher néanmoins de remarquer cette flagellation du Christ, représentée avec une violence évoquant irrésistiblement le gothique rhénan. La peinture, sur un panneau de bois de 66 × 46 cm, était dans un état remarquable. Le corps blême du Christ ruisselle de sang. Ses tortionnaires ont des trognes affreuses. En retrait, Pilate murmure ses instructions à l'oreille du bourreau. Me Cornette a montré la reproduction à René Millet. Ne tenant pas en place, volubile, l'expert aime désarçonner son interlocuteur en sautant du coq à l'âne. Il sait parler d'un peintre comme d'un ami cher. Il a parfois à la bouche de curieuses expressions.

— Mais, c'est beau de beau ! siffle-t-il.

A l'occasion d'un déplacement professionnel en Allemagne, il s'était arrêté au musée des Beaux-Arts de Karlsruhe, où il avait vu plusieurs scènes similaires, d'un réalisme tout aussi cru. Il comprit que cette œuvre pouvait provenir du même cycle de la Passion, peint au xve siècle par un maître dont le nom s'est perdu, peut-être pour la collégiale Saint-Thomas de Strasbourg. Un premier panneau, *Le Couronnement d'épines*, a été retrouvé en 1859. De 1920 à 1957, le musée de Karlsruhe a pu en récupérer quatre autres, allant du *Christ au jardin des oliviers* au *Christ cloué* sur la Croix. De son côté, le musée de Cologne avait reçu en legs, en 1860, une *Arrestation du Christ*, montrant une foule de gueux à la mine patibulaire.

Un « curieux tableau gothique, plein de couleurs et d'action ». Ainsi était décrite la peinture que René Millet avait en mains, quand elle était passée en vente à Amsterdam en 1902, sous l'attribution de Hans Holbein l'ancien. Depuis lors, elle avait disparu. En 1928, elle avait été redonnée à cet artiste rhénan, que l'on a appelé, faute de mieux, « le Maître de la Passion de Karlsruhe ». Sa sanglante composition met l'accent sur le corps torturé du Christ en des termes qui ne sont pas sans rappeler l'extraordinaire retable d'Issenheim de Mathis Grünewald, du musée Unterlinden de Colmar. Ses couleurs ont gardé toute leur vivacité. Les détails architecturaux en fond évoquent une influence hollandaise.

La découverte fit du bruit. Le 9 décembre 1998, les enchères ont atteint 29,3 millions de francs[1], décuplant l'estimation. Les galeristes londoniens l'ont emporté sur le musée allemand, qui aurait voulu compléter sa collection. Celui-ci a cependant pu, ultérieurement, réunir les sommes nécessaires au rachat du tableau, qui a rejoint les

---

1. 4,5 millions d'euros.

autres. Satisfait de cette fin heureuse, René Millet se prend à rêver :

— Dans le cycle de ce peintre, il y avait forcément une *Crucifixion*, une *Déposition*, une *Mise au tombeau*, une *Résurrection*, une *Ascension*. Peut-être la *Trahison de Judas* et un *Ecce homo*. Certains tableaux ont dû être détruits, mais pas forcément tous. Peut-être d'autres resurgiront-ils ?

René Millet avait longtemps assisté le plus important expert en peinture ancienne à Drouot, Eric Turquin. Venu de Sotheby's, presque fluet, toujours charmant, ce dernier a une belle clientèle. Et il aime faire des affaires. Il s'est trouvé à l'origine d'une autre découverte, survenue au hasard d'un inventaire, celle d'une peinture disparue de Poussin. La *Sainte Cécile Romaine* provenait d'une maison de la Côte d'Azur baptisée Jeanval, sise dans la commune de Val, ayant appartenu à Alexis Le Go, qui avait été au XIXᵉ siècle secrétaire de l'Académie de France à Rome, installée par Napoléon à la Villa Médicis. Il avait rapporté ce tableau à son retour en France, au tout début des années 1870. Quand son arrière-petite-fille, Marie-Andrée Chevalier, l'a montré à un commissaire-priseur de Marseille, Mᵉ Gérard de Dianous, celui-ci crut bon de s'en ouvrir à l'expert parisien. Le style austère et les coloris faisaient immédiatement penser au maître du classicisme français. Au catalogue raisonné de l'artiste, Jacques Thuillier avait reproduit la composition, sous le titre *La Vision de sainte Françoise romaine*, telle qu'elle avait été recopiée en gravure, à l'époque, par Pietro del Po et Gérard Audran. Elle était complètement perdue de vue depuis 1713.

C'est bien la même scène, d'une allégorie sévère, montrant la sainte chassant la peste de Rome. Ayant fait preuve d'un grand dévouement dans les soins aux malades, lors des épidémies ayant frappé la ville, cette noble dame fut canonisée en 1608. En 1656, Rome ayant été relativement épargnée par une nouvelle épidémie, le cardinal Giulo Rospigliosi commanda ce tableau de dévotion à Poussin, célébrant Cécile Romaine comme la protectrice de la ville sainte.

La peste était pour le peintre une évocation particulièrement douloureuse puisqu'elle avait emporté ses deux seuls parents à Rome, sa belle-sœur et sa nièce, une fillette de dix ans. L'évocation de ce drame intime résonne dans la composition. A terre figure le corps inanimé d'une jeune femme, dont la torsion est inspirée de la statue de Cécile martyrisée de Stefano Maderno. La silhouette saisissante du démon de la peste, qui s'éloigne en emportant des cadavres, reprend la forme d'une statue antique de gladiateur romain. Dans les tons rose et jaune, la composition semble manquer d'équilibre. Mais sa beauté glacée et sa valeur historique ont entraîné l'attention du Louvre. Contacté par Turquin, le musée a accepté de débourser une très forte somme, 45 millions de francs [1], pour en faire l'acquisition. Cet achat dispendieux d'un nouveau tableau du grand peintre, dont le musée détenait déjà trente-sept œuvres, n'a pas manqué de susciter des commentaires sardoniques au sein du ministère de la Culture...

Quand l'acquisition fut annoncée dans la presse, les parents de Marie-Andrée Chevalier sursautèrent en reconnaissant le tableau qui se trouvait dans le salon de la villa du Jeanval. Des neveux et nièces engagèrent une procédure, accusant sans ambages leur tante d'avoir soustrait un bien familial de l'héritage commun. Ce point est formellement contesté par l'intéressée. Elle avait, en effet, eu droit dans sa part d'héritage au « mobilier du salon », à l'exception de quelques peintures nommément désignées. Rien de spécifique n'était dit à propos de la *Sainte Cécile*, que la famille prenait comme une œuvre sans intérêt. Ses neveux et nièces objectèrent que la villa et le mobilier se trouvaient toujours dans l'indivision, le partage des biens n'ayant pas été accompli. La Justice leur a cependant donné tort quand ils ont demandé, à titre conservatoire,

---

1. 6,9 millions d'euros.

la mise sous séquestre des revenus de la vente. 45 millions ? Plus vraiment. Car cette procédure allait révéler d'étonnantes tractations de coulisses.

Le domaine du Jeanval avait été laissé à l'abandon après le départ du dernier membre de la famille y résidant. La maison était régulièrement visitée par des cambrioleurs, dont aucun, soit dit en passant, ne prêta attention à l'obscure toile du salon (tout comme *Les Tricheurs* de Valentin de Boulogne). La famille se résigna à se défaire de la propriété. Marie-Andrée Chevalier demanda alors au commissaire-priseur de Marseille de venir se prêter à un inventaire.

Le commissaire-priseur et son expert lui déconseillèrent une vente aux enchères, alors qu'elle était la voie obligée en vertu de la loi. Comme l'explique Eric Turquin : « Nous pensions au mieux de ses intérêts. » Et des leurs, puisqu'ils se partagèrent une commission considérable, de 16 millions de francs[1], dont l'essentiel apparemment est allé à l'expert parisien, reconnaît-il lui-même. Si le tableau avait été mis aux enchères, comme la loi l'imposait, il aurait dû se contenter de 3 % du prix d'adjudication, en l'occurrence un peu plus de 1 million de francs. Il en perçut en fait 35 %, en compagnie du commissaire-priseur. Dans un premier temps du moins, le parquet ne s'en est guère ému.

Cette commission mériterait d'être inscrite au *Livre Guinness des records* du marché de l'art, et peut-être du commerce tout court. L'expert peut toujours arguer que ses honoraires, en cas de cession privée, sont libres... Les parents mécontents ont une autre explication. Pour eux, ces émoluments « exorbitants » signent la complicité des deux professionnels avec le forfait qu'ils attribuent, à tort ou à raison, à leur tante. Quant au Louvre et à la direction des musées de France, ils assurent n'avoir pas réalisé que la vente pouvait être ainsi entachée d'irrégularité. Et encore moins avoir soupçonné la moindre querelle de

---

1. 2,4 millions d'euros.

famille autour de la propriété du tableau : « Nous avons
fait confiance à Eric Turquin. C'est à lui qu'il revient d'apporter toutes les garanties. »

13.

La dispute de la thèse

Ce n'est pas la seule fois de sa carrière où Eric Turquin s'est trouvé à l'origine d'une découverte dont a pu profiter le Louvre. Nous en voulons pour preuve cette fâcheuse péripétie survenue à l'un de ses confrères, Gérard Schorp, antiquaire et expert en Haute Epoque. Vers 1963, il avait acquis, pour 180 francs[1], une grande peinture d'un brocanteur, qui l'avait lui-même dénichée pour rien à Drouot. Gérard Schorp n'est pas spécialiste de la peinture du Nord du XVIIᵉ siècle. Mais il se doute bien de l'origine de ce grand tableau baroque de 160 × 105 cm, dont les femmes plantureuses évoquent l'influence de Peter-Paul Rubens. Entourant un calice, des anges plafonnants soutiennent la copie d'une thèse de théologie, datée de 1695, invoquant en titre le pain et le vin du mystère de l'Eucharistie. Sur un mode assez déconcertant, le peintre a organisé sa composition verticale autour de l'affiche de la thèse, dont il a contrecollé la version imprimée. Un procédé qui peut sembler remarquablement moderne, deux siècles avant les papiers collés de Picasso.

Entourée d'un cadre doré en trompe l'œil, la page est

---

1. 200 euros (1 300 francs).

portée par de charmants putti et, sur les côtés, par les arts libéraux, reconnaissables à leurs attributs : la grammaire, les mathématiques, la géométrie... Une représentation conforme aux efforts de la scolastique pour concilier sciences et religion. Les personnages allégoriques débordent par endroits sur la feuille imprimée, en fin satin de soie. Le tableau est, comme on dit dans le métier, « dans son jus ». Il a gardé son châssis et son cadre d'époque, et n'a pas subi de restauration.

En 1993, Gérard Schorp présente une reproduction à Eric Turquin, qui lui écrit, le 12 novembre : « Votre *Triomphe de l'Eucharistie* est en effet un très intéressant tableau flamand du XVIIe siècle, que j'estimerais entre 80 000 et 120 000 francs, peut-être davantage. » L'expert ajoute qu'il « aimerait beaucoup pouvoir l'examiner et travailler plus sérieusement sur l'attribution et l'iconographie ». Gérard Schorp apporte sa peinture à Eric Turquin, qui la prend à son bureau de la rue Sainte-Anne, pour l'examiner mais aussi la présenter à d'éventuels acheteurs. Peu après, l'antiquaire reçoit un appel optimiste de son confrère :

— J'ai un client qui s'est montré intéressé. Je pense obtenir un prix encore supérieur à ce que nous espérions.

Cependant, les semaines se passent, sans nouvelles. Quand l'antiquaire se rappelle à son bon souvenir, Eric Turquin n'a pas souvenir de sa promesse.

— Un client ? Non, je ne crois pas... Vous avez dû mal comprendre. Je n'ai jamais parlé de client. Peut-être devrions-nous le mettre aux enchères, qu'en pensez-vous ?

Le 10 mars 1994, le tableau est mis en vente à Châlons-sur-Marne, en Champagne. Eric Turquin réduit de moitié son évaluation. Sur une fiche manuscrite, portant son tampon, bizarrement baptisé *Allégorie de la Bulle*, le tableau est estimé 50/70 000 francs. Lors de la vente aux enchères, il a encore changé de titre : *Allégorie du spirituel et des sciences*. Reproduit en couverture d'un dépliant, qui sert de catalogue, il est sommairement décrit. La légende tient en une ligne : « École brugeoise vers 1695. Toile

162 × 105. Dans un cadre d'époque. » Eric Turquin ne s'est pas trompé dans son estimation : en fin de vacation, Mᵉ Patricia Casini-Vitalis adjuge ce grand tableau, assez bizarre dans sa forme, 50 000 francs [1].

A partir de là, plus rien ne tourne rond pour Gérard Schorp. Le lendemain matin, à la première heure, un encart est remis par le commissaire-priseur à la *Gazette de l'Hôtel Drouot*, pour parution dans le numéro de la semaine suivante : l'adjudicataire fait annoncer que le Louvre est l'heureux récipiendaire de la peinture. Un don lui a été consenti, « qu'il a accepté ». Le jour même, la Réunion des musées nationaux téléphone au commissaire-priseur, indiquant que le tableau est directement pris en main par le Louvre. Le 20 avril, effectivement, il est retiré par les envoyés du musée. Le plus surprenant est à venir : dans son premier numéro de 1995, *La Revue du Louvre* annonce la découverte d'une œuvre du Brugeois Lodewijk de Deyster.

Un premier récit paraît dans le numéro, daté février 1995, de la revue *Arts & Antiques Auction*. Françoise de Perthuis, journaliste toujours fort bien informée, raconte : « Un tableau de l'école brugeoise peint vers 1695, vendu aux enchères à Châlons-sur-Marne, le 20 mars dernier, a été offert au Louvre par un amateur d'art généreux, Philippe Champy. "Je suis heureux, a-t-il déclaré, de voir entrer dans les collections nationales cette œuvre de très grande qualité." Selon Philippe Champy, qui l'avait découvert alors qu'il était exposé chez Eric Turquin, ce tableau est un témoignage de l'histoire de l'art. C'est au marchand d'origine flamande Jacques Leegenhoek qu'on doit l'identification de l'auteur. "Je connais bien la peinture de Bruges, dit-il, et lorsqu'on m'a montré la toile chez Eric Turquin, je n'ai pas hésité." » La journaliste conclut : « Pour autant, le tableau n'est pas passé en vente sous cette attribution, mais comme œuvre d'un maître anonyme, ce qui explique son prix extrêmement bas eu égard à sa qualité muséale. »

L'antiquaire peut, à bon droit, se sentir floué. Un parti-

----

1. 8 200 euros.

culier s'était bien intéressé à la peinture, chez Eric Turquin, et un marchand en avait même reconnu l'auteur. Philippe Champy était un enseignant en économie à la faculté de droit de Paris, qui a fait d'autres dons aux musées nationaux. « J'ai tout de suite vu l'importance d'un tableau qui a été réalisé pour mettre en valeur une thèse de théologie », raconte-t-il, en précisant qu'« il avait fallu plusieurs mois pour en préciser l'attribution, grâce aux travaux du Louvre ». Conservateur au département des peintures du Louvre, Jacques Foucart confirme que la découverte de l'auteur est due à Jacques Leegenhoek, marchand réputé de peinture flamande et hollandaise à Paris.

« Dans mon souvenir, ajoute Philippe Champy, Jacques Leegenhoek avait fait état de cette hypothèse à un assistant d'Eric Turquin, avant la vente. » « J'ai dû leur dire, en effet, pense l'intéressé. Je connais bien ce peintre, dont j'ai vu plusieurs œuvres dans les églises de Bruges, ou dans les musées de Belgique. J'ai tout de suite su que cette peinture était de sa main. » Jacques Leegenhoek est formel : il ne connaissait pas le professeur Champy, et n'a eu contact avec le Louvre, ni avant ni après l'acquisition. Si c'est exact, comment l'hypothèse a-t-elle pu être transmise au musée ?

Jacques Leegenhoek a été aidé dans son identification par la thèse, rédigée en latin. Elle a été soutenue devant un jury de l'université de Louvain par un certain « Joannes Franciscus de Vos brugensis » (de Bruges). Le rapport avec Lodewijk de Deyster, le plus actif artiste de la ville, qui a laissé quantité de gravures et de tableaux d'église, s'imposait dans la foulée. Le marchand a retrouvé dans le tableau son style mouvementé, dans lequel se lit l'influence de Van Dyck.

Pourtant, la toile est passée en vente sans attribution, avec le risque de dévalorisation afférent. Dans sa notice du catalogue des acquisitions du Louvre, Jacques Foucart évoque, avec l'enthousiasme communicatif dont il est coutumier, cette réalisation « enlevée », sans équivalent dans les collections publiques belges, « qui contredit les habituels discours sur la décadence de l'école flamande après 1650 ». Néanmoins, il avait besoin d'une restauration importante, pour renforcer la fine page de la thèse, menacée de disparaître.

Cette feuille de satin donne toute sa singularité à la composition, qui trouve sa source dans l'apparat déployé autour des soutenances de thèse[1]. Depuis le Moyen Age, les universités vivaient au rythme de ces joutes oratoires. A la faculté de théologie de Paris, du baccalauréat à la licence, l'étudiant devait soutenir pas moins de quatre thèses. Pour celle de première année, dix-sept censeurs étaient tirés au sort, dont le vote se déroulait à bulletins secrets. Qu'un seul soit défavorable, et l'étudiant était recalé. Il devait repasser un examen. S'il y en avait deux, cet examen devait prendre forme publique. Trois bulletins noirs, et l'étudiant était exclu deux ans. Répondant à des schémas rhétoriques bien établis, la « dispute » pouvait s'étaler sur des jours, en cas de soutenance collective.

Au XVIIe siècle, les actes de soutenance sont devenus des manifestations de plus en plus grandioses : savants et ecclésiastiques, mais aussi parlementaires, ministres ou princes se pressaient dans la salle. La cérémonie était codifiée par une étiquette très stricte. En grand costume, les participants observaient un rituel bien établi. De riches tentures étaient accrochées dans la salle. Une place était assignée à chacun selon son rang, ce qui donnait parfois lieu à des querelles de préséance, voire à des bousculades. Les étudiants dédiaient leur thèse à un puissant protecteur, opération qui n'avait rien de désintéressé. Son portrait, dans un cadre sculpté, était affiché au-dessus de son siège, ou à sa place, s'il ne pouvait être représenté.

Les séances s'ouvraient par des éloges. Seuls les princes de sang pouvaient rester couverts durant leur

---

1. Véronique Meyer, « Les thèses, leur soutenance et leurs illustrations dans les universités françaises sous l'Ancien Régime », Mélanges de la bibliothèque de la Sorbonne, no 12.

déclamation. Un privilège d'une telle importance ne pouvait souffrir aucune dérogation, comme en attestent les refus réitérés à tous ceux sollicitant une exception. L'événement était répercuté dans les gazettes de la ville. Les propos étaient surveillés de près. A Paris, la faculté était responsable devant la loi, les excès le plus notoires pouvant conduire à un blâme du Parlement. Un opuscule de 1735 détaille « le Juste milieu » auquel il était recommandé de se tenir. Naturellement, il fallait se garder du « vice de l'extrême », du « zèle amer et de l'aigreur de la dispute ». Mais aussi, choses plus pernicieuses, de « l'amour des choses singulières » et de « l'amour de la nouveauté ». Sages préceptes, que, de nos jours, l'étudiant prudent suit toujours, intuitivement [1].

Dès le milieu du XVIe siècle, dans la plupart des facultés européennes, les « positions de thèse » devaient être imprimées sur un placard, qui était affiché dans la cité, à des dizaines, voire des centaines, d'exemplaires. L'utilisation du double format permettait parfois de déjouer la vigilance de la censure. En 1744, pour sa thèse de Mineure, l'abbé Mégrini ayant eu l'audace de se demander si l'infaillibilité promise à saint Pierre s'étendait aux autres apôtres, il fit diffuser un placard anodin, et un autre, plus explicite, une heure à l'avance. La présentation de la thèse était magnifiée par un décor allégorique, dont l'exécution était commandée à des artistes réputés (certains se livraient à des allusions iconographiques tellement obscures qu'elles étaient surnommées « énigmes »). Le plus souvent, la famille s'adressait à un graveur, qui pouvait, à Paris, être aussi réputé qu'un Jean-François Cars ou un Claude Mellan. Plus rarement, elle faisait appel à un peintre, des artistes aussi célèbres que Charles Le Brun, Simon Vouet, Eustache Le Sueur ou François Boucher ayant prêté la main à des modèles de gravures. Une

---

1. On connaît la boutade prêtée au professeur de la Sorbonne Georges Tessier : « Dans votre thèse, il y a des éléments justes et des éléments neufs. Malheureusement, les éléments justes ne sont pas neufs. Et les éléments neufs ne sont pas justes. »

édition originale du placard était tirée sur un support plus précieux, comme la soie. Cette « thèse de satin » était montrée en grande pompe dans la salle de soutenance, souvent encadrée, et généralement remise au protecteur de l'impétrant.

Les dépenses pouvaient être somptuaires. En 1695, la même année que l'étudiant brugeois, le futur botaniste Joseph Pitton de Tournefort soutint sa thèse de médecine, dédiée au premier médecin du roi. Il lui fallut dépenser 300 livres pour le graveur, 243 livres pour le papier et l'imprimeur, 13 livres pour une colleuse, chargée d'afficher le placard au Quartier Latin, 106 livres pour le sculpteur des cadres dorés, et 58 pour ses verres en cristal, 100 livres pour le tapissier, qui devait orner les sièges de tissus, 80 livres pour les quatre gardes suisses placés à l'entrée (qu'il fallait, dans les cérémonies les plus majestueuses, relever à chaque heure), 34 livres pour le voyage du doyen, 30 livres pour le menuisier, qui installa les bancs. Sans compter les inévitables cadeaux à distribuer. Les étudiants peu fortunés étaient parfois conduits à soutenir leur thèse dans une ville voisine, moins exigeante. La thèse de la licence, qui sanctionnait l'aptitude à délivrer un enseignement, donnait lieu aux fastes les plus somptueux. Pour le doctorat, cela devenait plus simple : « Il n'en coûtait qu'une forte somme d'argent », note l'abbé Baston, docteur en Sorbonne à la fin du xviiie siècle. « Ce dont se dispensaient sagement les provinciaux, qu'on appelait pas moins docteurs de la Sorbonne. »

Au xviiie siècle, ce luxe s'est progressivement effacé. Très peu de ces grands placards, plutôt encombrants, ont survécu jusqu'à nous. « Ils sont, cependant, les seuls témoins matériels de ces longues disputes publiques dans lesquelles l'étudiant de l'Ancien Régime devait s'illustrer », comme le souligne l'historienne Véronique Meyer. Et, pourrait-on ajouter, de la grande tradition universitaire française, dont la sélection aujourd'hui encore n'est pas sans rapport avec l'intense bachotage médiéval, ni avec l'assise sociale et financière de la famille...

Les « thèses de satin » ont toutes disparu, d'autant que l'encre était corrosive pour la soie. D'où l'intérêt de celle récupérée par le Louvre, qui avait traversé les siècles protégée par la colle et les vernis. Ce tableau est en outre le seul exemplaire connu d'une affiche contrecollée sur la toile, plutôt que reproduite de la main de l'artiste. Le résultat pictural en est, d'ailleurs, déconcertant, tant cette feuille de satin occupe l'espace.

Tout ceci semble bien avoir échappé à Eric Turquin, qui n'a pas brillé dans son expertise. Il ne veut cependant reconnaître qu'« une méprise », niant formellement avoir été averti de l'intuition de Jacques Leegenhoek, et encore moins des intentions du Louvre. Dans cette atmosphère propice à toutes les suspicions, la rapidité avec laquelle la donation a été acceptée fait rejaillir le soupçon sur le musée. Jacques Foucart, pourtant, n'en fait pas mystère : « La donation avait été proposée avant la vente. J'en avais volontiers admis le principe au vu d'une reproduction. » Jusqu'à ce jour, il ne connaissait pas, non plus, la provenance du tableau.

Quelle que soit la responsabilité des uns et des autres, la vente était faussée. Encore aujourd'hui, l'antiquaire pourrait, sans l'ombre d'un doute, obtenir du tribunal la restitution de son tableau. Il a hésité. Il redoute la longueur des procédures, l'importance des frais, qui s'élèveraient facilement à plusieurs dizaines de milliers d'euros. Il est resté ami avec le commissaire-priseur de la vente, auquel il apportait régulièrement sa contribution en tant qu'expert. A son avis, Me Casini-Vitalis « a fait correctement son travail ». Néanmoins, elle est juridiquement responsable de la mévente, au même titre qu'Eric Turquin. « En tant qu'antiquaire, et surtout expert auprès des douanes et de la cour d'appel, j'ai eu le sentiment que je ne pouvais pas attaquer une institution aussi puissante que le Louvre. Et puis, que voulez-vous, je n'ai pas l'esprit procédurier », conclut-il.

Heureusement pour le Louvre que le délit d'initiés n'est pas caractérisé dans les ventes aux enchères comme en Bourse...

14.

Des découvertes moins heureuses

— Ce n'est pas possible, vous vous êtes trompés d'un zéro !

Quand le représentant du Crédit lyonnais reçut de Sotheby's France l'estimation de la valeur du mobilier de Bernard Tapie, que la banque venait de faire saisir, il était persuadé d'avoir mal lu. Trente millions de francs pour les meubles XVIIIᵉ et les peintures de son hôtel particulier parisien de la rue des Saints-Pères ? Ce n'était pas possible : le tout avait été évalué un demi-milliard de francs par un expert habituel de Drouot !

— Non, monsieur, nous n'avons pas oublié un zéro. 30 millions, c'est bien ce que nos experts ont évalué, et c'est bien le maximum de ce que vous pouvez compter en tirer, lui répondit, sans se départir de sa courtoisie, la princesse Laure de Beauvau-Craon, présidente de Sotheby's France.

Pour la banque, qui espérait rattraper les pertes de sa filiale SDBO, c'était la catastrophe. Réalisée par Jean-Pierre Dillée, cette première estimation si généreuse avait encouragé la banque à consentir des prêts non moins généreux à l'homme d'affaires. La SDBO ne s'est pas montrée d'une prudence excessive puisqu'elle n'avait jamais cru bon de procéder à sa propre expertise. Il est vrai qu'il ne s'agissait que d'une affaire de quelques centaines de millions de francs... L'évaluation des inventaires peut varier selon les experts et la conjoncture du marché de l'art, dont les fluctuations sont parfois brutales. Une peinture impressionniste ou cubiste n'a pas du tout la même valeur en 1989, quand le marché est au plus haut, et en 1991, quand il est dans un état comateux. A ces éléments, il faut en ajouter d'autres, plus ou moins subjectifs : certains experts peuvent se montrer plus souples que d'autres dans leurs estimations. Ils ont généralement tendance à surévaluer un bien s'il s'agit d'obtenir un remboursement des assurances. Dans la mesure où celles-ci ont tendance à sous-rembourser, ce n'est que justice. Les experts peuvent se montrer d'autant plus cléments qu'ils ont affaire à un bon client.

Mais un écart aussi spectaculaire sur des sommes aussi importantes, cela ne s'est jamais vu, si bien que le Crédit lyonnais eut la nette impression d'avoir été floué par l'ancien ministre de François Mitterrand.

Le mobilier de Bernard Tapie a bien eu droit à une demi-douzaine d'expertises. Jean-Pierre Dillée en a réalisé à lui seul trois : deux à la demande de Bernard Tapie et l'une à la requête du Crédit lyonnais, consécutive à la saisie. Opérée au petit matin, le 20 mai 1994, cette opération a pris des allures de vaudeville. Des déménageurs avaient été surpris en train de sortir nuitamment des meubles. L'huissier prit en filature un camion jusqu'à un entrepôt de Gennevilliers. De quoi, si besoin était, éveiller la méfiance du Crédit lyonnais envers son client privilégié. Ayant réussi à mettre deux cents meubles et objets dans un garde-meuble, la banque ne s'est pas contentée, cette fois, de les soumettre à l'expert de Drouot. Elle a demandé un deuxième avis à Sotheby's et Christie's. Un autre expert parisien a, lui, apporté son savoir au Trésor public, auquel Tapie devait également quelques sous. Un commissaire-priseur, aujourd'hui disparu, fut, à son tour, sollicité un an plus tard. Appelée à faire scandale, la première estimation de Jean-Pierre Dillée n'était pas d'une grande précision, puisqu'il a jugé que la collection de Bernard Tapie valait de 357 à 518 millions de francs [1]. Ce qui laisse quand même une certaine marge d'appréciation (et aurait dû mettre la puce à l'oreille des banquiers). Christie's l'a évaluée entre 40 et 50 millions. Sotheby's s'est montrée impitoyable en ramenant la fourchette de 26 à 36 millions de francs [2]. Jean-Pierre Dillée a évoqué un malentendu avec Bernard Tapie : « Quand il m'avait demandé de priser son mobilier, j'étais persuadé qu'il s'agissait d'une expertise destinée à l'assurance. Je l'ai donc évalué à sa valeur de remplacement. Il ne m'a jamais dit qu'il allait s'en servir auprès d'une banque. » Et pourtant, il l'a fait.

Jean-Pierre Dillée a dû faire sérieusement machine arrière. A la suite de la saisie, il a fait subir un recul funambulesque à son propre montant, le faisant tomber à 160 millions de francs [3], soit deux à trois fois moins. Pourtant, comme il l'a avoué, la collection était peu ou prou la même : « J'ai constaté fort peu de changements. Cette fois, mon estimation avait néanmoins un autre objet : une vente aux enchères à échéance rapprochée, dans des conditions qui n'étaient pas bonnes. » Son chiffre restait quand même toujours cinq fois plus élevé que celui de Sotheby's, une différence que l'expert avouait « ne pas être en mesure d'expliquer ».

A Drouot, on avait une explication toute prête : Christie's et Sotheby's ont délibérément sous-évalué le mobilier de Tapie. Elles ont cherché à enfoncer Drouot, en en rajoutant aux dégâts entraînés par la première évaluation mirobolante, maladroitement consentie par Jean-Pierre Dillée. Bernard Tapie avait, lui, une autre cible désignée : « Par ces fuites, le Crédit lyonnais a cherché à détruire ma collection. »

---

1. 59-85 millions d'euros.
2. Respectivement 6,6-8,2 millions d'euros et 4-6 millions.
3. 26 millions d'euros.

Dans cette partie de poker menteur, Bernard Tapie, lui d'habitude si disert, est resté étonnamment discret. Pris dans la tourmente, rendu furieux par cette controverse, l'homme d'affaires refusait de s'expliquer. Cinq mois plus tard, il consentit à sortir de son long silence. Rendez-vous fut pris le 25 octobre 1994, à l'aéroport d'Orly, à l'embarquement de l'avion pour Strasbourg. Bernard Tapie se rendait à une session du Parlement européen, accompagné de deux de ses collaborateurs. L'homme a le tutoiement facile :

— Ah, bonjour, on ne se connaît pas, mais tu m'es sympathique. Cela dit, *Libération* est un journal de salopes.

On pouvait rêver meilleure entrée en matière. Le voyage durait à peu près une heure. La première partie de l'entretien fut plutôt anodine. L'homme d'affaires s'étendait sur sa jeunesse « de banlieue », quand « il mangeait sur une table de formica » et passait ses vacances « au camping », évoquant le choc qu'il aurait ressenti à douze ans en visitant le Louvre avec un groupe de son école. On n'est pas obligé de le croire. Il racontait aussi comment il achetait ses meubles au faubourg Saint-Antoine, quand « il n'avait pas le pognon ». Il montrait un goût marqué pour le mobilier. Outre son côté « nouveau riche », évident, il pouvait entretenir avec les meubles un contact physique, alors qu'il était sans doute plutôt embarrassé par le rapport esthétique et cérébral que réclame un médium comme la peinture. Il la voyait plutôt comme une décoration imposée. Il accrochait ainsi aux murs de sa chambre à coucher des copies de Modigliani ou Chagall. Cette découverte avait même attisé la polémique : le Crédit lyonnais l'accusa d'avoir intégré ces faux tableaux dans sa déclaration de patrimoine. La banque reprit ensuite une version plus machiavélique encore : Tapie avait dissimulé les vrais, peut-être à l'occasion de son déménagement nocturne, pour les remplacer par ces croûtes. Bernard Tapie fut même inculpé. Pourtant, en l'occurrence, il ne semblait coupable de rien. En réalité, ces trois peintures ne figuraient pas dans l'inventaire de son mobilier. Il n'avait jamais prétendu qu'elles étaient authentiques. Il ne s'agissait même pas de copies, mais de pastiches « dans le genre de », ce qui anéantissait la thèse d'une substitution. Il fallut encore attendre sept ans pour que la Justice lui délivre un non-lieu...

Passé ces généralités sur ses choix esthétiques, satisfait d'avoir eu le sentiment de marquer un point sur cette histoire rocambolesque de faux tableaux, Bernard Tapie crut bon de mettre un terme à l'entretien :

— Bon, je pense que nous en avons terminé.

— Pas tout à fait. Euh... la valeur de votre collection... cette estimation...

— Quoi, la valeur de ma collection ? J'ai dit que je ne voulais pas en parler. Point barre. Sotheby's dit n'importe quoi. Elle prétend qu'il y a en a pour 30 millions de francs. C'est, au minimum, quatre ou cinq fois plus. J'ai déboursé 170 millions de francs rien que pour acheter ces meubles !

— Vous en avez gardé les factures ?

Bernard Tapie n'est pas homme à se laisser démonter par l'impertinence d'un obscur journaliste, même si celui-ci lui montre un exemplaire du magazine *L'Estampille-L'objet d'art*, qui eut l'honneur de photographier ses intérieurs.

— Pour certaines de leurs estimations, ils se sont trompés de 1 à 10. Ce bureau par exemple, Sotheby's dit qu'il vaut 1 million de francs, il en vaut 20 !

D'un sac en plastique, j'extirpai alors un catalogue de vente.

— Vous dites qu'il vaudrait 20 millions de francs. Mais, regardez, il fut adjugé moins de 200 000 francs en vente à Londres, il y a dix-sept ans, comme une copie.

— Ah, salope ! J'avais bien dit que *Libération* était un journal de salopes. Tu es une salope comme les autres. Tu es venu pour me piéger.

Bernard Tapie jouait alors de toute sa présence physique, qui est imposante. Il s'emportait à un point tel que des passagers firent mine de se lever, craignant qu'il ne fît un mauvais sort à son voisin. Il s'en aperçut à peine.

— Ecoutez, calmez-vous, au contraire, vous avez l'occasion de vous expliquer...

Aussi soudainement qu'il était monté sur ses grands chevaux, le député se ressaisit.

— C'est Bernard Steinitz, le meilleur antiquaire de France, qui a découvert ce bureau. Il l'a acheté au nez et à la barbe de tout le monde, avec un placage en acajou que les Rothschild avaient ajouté. Dessous, il a retrouvé un cuir d'origine. J'ai été enthousiasmé quand je l'ai vu démonté dans son atelier, et j'ai été très reconnaissant qu'il me fasse partager cette trouvaille. Ensuite, c'est vrai, on a remplacé les chutes en bronze d'origine, qui en faisaient un bureau monumental, pas du tout pratique. Mais je les ai conservées.

Bernard Steinitz, l'œil malin dans un visage de pirate sympathique, était le marchand privilégié de Bernard Tapie. Il avait installé ses meubles et statues dans le décor surréel des anciennes usines Wonder, à Saint-Ouen, qui avaient été rachetées par l'homme d'affaires. On voyait souvent les deux amis ensemble dans les salles de ventes, au point que certains les croyaient partenaires. Il ne fait pas de doute que Steinitz est un homme capable de faire de grandes découvertes. Il l'a montré plus d'une fois dans sa carrière.

— Peut-être. Mais ce n'est pas le seul cas. Regardez cet autre bureau plat. Dillée l'a estimé 10 à 15 millions de francs en l'attribuant à André-Charles Boulle[1]. Or il vous a été adjugé moins de 350 000 francs.

Du sac en plastique surgit un autre catalogue de vente. Vente de Sotheby's à Monaco du 23 juin 1987 : présenté comme « de style », donc comme une copie.

— Ah, t'es vraiment une salope. Un malhonnête. Tu ne peux pas juger une collection de deux cent cinquante objets à travers deux ou trois d'entre eux. On est complètement dans le subjectif ! Sotheby's et Christie's passent leur temps à se planter !

Deux autres catalogues encore, de peintures cette fois. Adjugé 1 million de francs à Drouot en 1987, un Frago-

---

1. Ebéniste attitré de Louis XIV.

nard a été évalué deux fois et demi ce prix par Dillée. Quant à *L'Empire de Neptune*, il a été présenté comme le chef-d'œuvre de la collection de son client. Un Rubens peut-être ? Il vaudrait alors bien de 100 à 150 millions de francs. Ou alors un Snyders, qui collabora avec lui ? Il en vaudrait encore 30 millions [1].

— Vous voyez, ce qui est embêtant, c'est que vous l'avez acheté pour moins de 1 million de francs en février 1988 à une vente aux enchères de Versailles. Il était alors attribué à « l'école de Snyders »...

Et ainsi de suite... Arrivée à Strasbourg dans une ambiance tendue. Descente sur le tarmac. L'élu européen serre la main du journaliste :

— Bon, tu es sympa, tu vas me faire un bon article quand même.

Grand sourire. Et, après avoir assuré qu'il garderait volontiers le contact avec moi, puis s'être amicalement enquis de ma petite famille, il s'en fut assister à la session du Parlement.

Bernard Tapie avait clos son interview par cette affirmation qui semblait bien péremptoire :

— T'en fais pas. Je vais récupérer mes meubles. Et après, il faudra bien faire les comptes....

Il n'avait pas complètement tort. Bernard Tapie, qui avait de la ressource, réussit à obtenir des tribunaux l'invalidation de la saisie dont il avait été victime. Le Crédit lyonnais avait beau réclamer 350 millions de francs, immédiatement exigibles, à sa société familiale, son mobilier n'avait pas été pris en nantissement. Ni le Trésor public, ni le Crédit lyonnais n'obtinrent la vente aux enchères qu'ils auraient souhaitée. Il ne récupéra pas pour autant ses lustres, bureaux et encoignures de style. Ils furent remis aux mandataires de la liquidation judiciaire.

---

1. 16,5-25 millions d'euros, ou encore 5 millions dans l'hypothèse Snyders.

Discrètement, cependant, un an plus tard, dix lots furent mis à l'encan, par les soins de Mᵉ Christian de Quay. Les mandataires devaient couvrir des frais de gestion. Aucune mention de l'illustre provenance ne figurait au catalogue, mais une « fuite » permit au quotidien *Infomatin* de titrer en « une » que les meubles de Bernard Tapie étaient revendus « en douce ». Ces dix lots, numérotés 7A à 7J, étaient proposés en « supplément » à une vente de prestige prévue le 22 juin à l'hôtel George V. Dont deux tapis de Savonnerie, quatre fauteuils Louis XV et une table estampillée BVRB. Le tout estimé 5 millions de francs. Comme on pouvait s'en douter, on retombait sur les estimations de Sotheby's. Malheureusement, c'était encore trop ! Le résultat ne fut pas à la hauteur des espérances. Les dix lots ne rapportèrent que 3 millions de francs. Par projection, on pouvait en déduire une valeur globale de la collection plus proche de 20 millions de francs [1]. Vingt-cinq fois moins que la valeur la plus haute déclarée à la banque.

Les banquiers du Crédit lyonnais ne furent pas les seuls à avoir eu quelques migraines avec des inventaires signés de professionnels de Drouot. Le Crédit agricole a, lui aussi, accusé un commissaire-priseur renommé, Mᵉ Francis Briest, d'avoir gonflé une estimation ayant servi à un prêt bancaire. Le commissaire-priseur fut même inculpé de complicité d'escroquerie. En 1991, il avait été appelé à évaluer des tableaux modernes, signés Bonnard, Foujita ou Kisling, pour le compte d'une société de négoce d'œuvres d'art, Lecarpentier-Falcone. Cette estimation permit d'obtenir un prêt, gagé sur ces œuvres, d'une banque qui fut ultérieurement rachetée par le Crédit agricole. En 1993, la société Lecarpentier-Falcone fit faillite. Le mandataire chargé de la liquidation judiciaire fit réévaluer les peintures par l'étude Calmels, Sotheby's et Chris-

_____
1. 3,2 millions d'euros.

tie's. Ce fut, à un moindre degré heureusement, la réédition du scénario Tapie. Les nouvelles estimations se révélèrent largement inférieures à celles de Mᵉ Briest. « Les périodes étaient complètement différentes, se défend le commissaire-priseur. J'avais fondé mes estimations alors que le marché de l'art était au plus haut. » Pourtant, en 1991, le marché s'était déjà complètement effondré. « C'est exact, mais comme les publications se font avec une année de décalage, les cours disponibles reposaient sur l'année de référence 1990. J'ai d'ailleurs fourni tous les éléments de la cote des artistes au juge. » Il est quand même surprenant que le commissaire-priseur, bien placé pour être averti de l'état du marché, n'ait pas pris la précaution élémentaire de leur faire subir une décote tenant compte de cette conjoncture. Il souligne cependant n'avoir « intérêt lié à aucune des parties ». Mᵉ Briest s'étonne aussi que la banque eût accordé des prêts si importants à une société qui allait rapidement se montrer insolvable. Il n'est sans doute pas le seul à s'étonner des libéralités consenties par les banques à cette époque faste. Il n'empêche : il reconnaît lui-même son imprudence, dans la mesure où il admet avoir réalisé son expertise... sur photographies. C'est en effet à partir de reproductions qu'il a inventorié ces peintures. A sa décharge, il faut dire que c'est une pratique courante, même si elle ne laisse pas d'étonner. Comme quoi l'inventaire est un art délicat, qui nécessiterait un maniement précautionneux.

15.

Sauvé de justesse

Il existe un musée en Lorraine qui n'a pour toute collection qu'un seul tableau. Un drôle de musée qui n'est pas encore un musée, mais qui est en passe d'en devenir un (il doit recevoir la collection du professeur Jacques Thuillier, un des plus pénétrants spécialistes de la peinture du XVII⁰ siècle). En attendant, il dispose d'une des huit œuvres de Georges de La Tour qui ont été retrouvées depuis l'exposition de l'Orangerie, il y a une trentaine d'années : *Saint Jean-Baptiste dans le désert*.

Cette découverte est cocasse. L'histoire a débuté le 6 février 1992 par le décès du propriétaire d'un riche patrimoine immobilier à Paris. Sans enfant, cet homme vivait simplement, à l'écart. Aucun de ses six héritiers n'avait jamais prêté particulièrement attention à une toile noircie d'un mètre sur quatre-vingts centimètres qui se trouvait dans son appartement au mobilier modeste. Le commissaire-priseur Yves Rabourdin non plus, d'ailleurs. Il avait été chargé de la prisée des meubles par le notaire de famille. Conduit donc en ces lieux par les impérieux commandements de l'impartialité et de la compétence, le commissaire-priseur a inscrit à la main sur son inventaire, en un seul lot : « Une toile Saint Jean-Baptiste et un panneau Eglise : 1 500 francs[1]. » Avec le reste du mobilier, le

_____

1. 256 euros.

tout a été évalué 16 400 francs. Cet ensemble est parti en octobre 1993 à Drouot-Nord, succursale de Drouot destinée au bas de gamme, genre téléviseur noir et blanc ou machine à laver années 1950, fonctionnement non garanti. Cette salle, non loin de Barbès, est bien plus animée que Drouot même. La clientèle se fractionne en bandes, les puciers ne se mêlant pas aux Maghrébins ou aux Gitans. Dans une atmosphère bon enfant, on y vient en famille trouver le réfrigérateur à bas prix ou la table roulante de la télévision. Les blagues, plus ou moins racistes, fusent. Rudoyant et raillant volontiers la clientèle, râlant et pestant, les commissaires-priseurs trouvent tout à fait normal de tutoyer les enchérisseurs, ce qui serait impensable à Drouot-Richelieu.

— Bon alors, dépêche-toi. On n'a pas toute la journée... T'es là pour enchérir, ou pour contempler le paysage ?

Par hasard, une héritière de la famille, n'ayant rien de mieux à faire ce jour-là, s'est rendue à la vente. Par curiosité, pour s'amuser. Estimé 1 500 francs, le lot en question a été adjugé à un brocanteur qui avait l'air très heureux de son acquisition. Seulement, au lieu de deux peintures, il n'en comptait plus qu'une : le panneau d'une église sous la neige. Ce paysage avait-il de la valeur ? C'est possible, à en croire la mine réjouie de l'adjudicataire. Toujours est-il que le portrait de saint Jean-Baptiste avait mystérieusement disparu. Pas longtemps, à vrai dire, car à la fin de la vente, cette dame est allée voir le commissaire-priseur auquel elle a fait part de sa surprise. Un peu gêné tout de même, le commissaire-priseur lui a benoîtement expliqué : « J'ai trouvé que la peinture valait mieux que Drouot-Nord. J'ai donc décidé de la mettre de côté, pour la passer à Drouot. Nous pourrons en obtenir davantage. » La dame s'est quand même étonnée que la famille n'ait pas été prévenue, mais enfin...

Sans doute, la peinture était sale, mais la tête du jeune homme penché était pleine de grâce. L'attitude du commissaire-priseur a été pour le moins contradictoire, puisqu'il n'a pas compté pour autant le temps de la réflexion. Il n'a pas pris la peine non plus de contacter un expert. Il s'est contenté de remettre la peinture à Drouot, deux jours plus tard, dans le bric-à-brac d'une vente courante, sans catalogue. Estimation, verbale cette fois : 10 000 francs [1]. Ce n'était guère mieux.

Le matin, à l'exposition des objets, Drouot a connu la fièvre qui saisit à l'occasion l'hôtel des ventes. Tout le monde (sauf le commissaire-priseur, apparemment) s'était aperçu de la sombre beauté de cette tête d'adolescent perdu dans sa méditation, et aussi de ses analogies avec les tableaux du peintre caravagesque de Lorraine. Il suffisait d'aller au Louvre tout proche pour retrouver cette même lueur, cette même chevelure. D'ailleurs, averti le matin de la vente, en quelques minutes, le gratin du Louvre, à commencer par Pierre Rosenberg, alors conservateur en chef du département des peintures, s'est rendu à Drouot. Ce dernier reconnut tout de suite une similarité avec le style de La Tour, même s'il ne pouvait évidemment pas assurer sur-le-champ que le peintre en était l'auteur. La nouvelle s'est même propulsée jusqu'à New York, d'où sont partis des ordres d'achat.

La rumeur a enflé au point de parvenir aux oreilles de la famille. Alertée, elle obtint de justesse le retrait de la toile de la vente de l'après-midi. Par la suite, elle eut le plus grand mal à récupérer son bien. Dans un premier temps, dépitée, l'étude de commissaires-priseurs a refusé de lui rendre le tableau. Sans se soucier de l'autorisation des propriétaires, elle l'avait remis à l'expert Eric Turquin, qui est allé jusqu'à procéder à un micro-prélèvement de peinture en vue d'une analyse chimique. Finalement, il fallut la menace d'un avocat pour obtenir la restitution de la toile.

Nettoyée, elle fut unanimement reconnue comme étant de la main de La Tour. Sur recommandation du Louvre, qui la considérait comme un trésor national, elle fut interdite de sortie de France. La famille n'a malheureusement pu se

---

1. 1 750 euros.

mettre d'accord sur une dation, c'est-à-dire céder le tableau au patrimoine national en échange d'une exonération ou d'une remise sur les droits de succession. Ce moyen aurait été, pourtant, financièrement bien plus avantageux pour elle que la vente. Mais un des parents refusait obstinément de se fier à la parole de l'Etat. Pour mettre fin à l'indivision, il fallut vendre. Comme il n'était plus question de confier cette toile exceptionnelle à Drouot, elle fut soumise aux enchères le 2 décembre 1994, par Sotheby's à Monaco, où elle a été préemptée par l'Etat français pour 11 millions de francs [1]. Tout est bien qui finit bien.

L'expert de Sotheby's, Hugh Brigstocke, a d'abord considéré cette toile comme une peinture de jeunesse, avant d'hésiter. Il est désormais admis qu'elle date des dernières années de la vie de cet artiste primordial du courant caravagesque qui a traversé l'Europe au début du XVIIe siècle. La réapparition de ce chef-d'œuvre fait d'autant plus sensation que nulle trace de la composition n'était parvenue jusqu'à nous. La moitié des quelque quatre-vingts œuvres de La Tour recensées aujourd'hui ont disparu, mais leur composition est connue par des reproductions. L'attribution au peintre lorrain s'impose pourtant. Mais cette découverte rend l'artiste encore plus énigmatique. « Déconcerter l'attente, désigner une autre vérité, telle est justement la vertu d'un chef-d'œuvre », note à propos de ce tableau le professeur Jacques Thuillier [2]. Les tons bruns, de terre, de pierre, de cuir, d'animal, ne laissent échapper aucune de ces touches colorées qui animent d'autres peintures de La Tour. La grâce du visage ou le modelé de l'épaule contrastent avec un bras gauche de forme et proportion assez curieuses, maladroites même. Signe de participation d'un élève, de son fils peut-être ? Jusqu'alors, on avait pensé que l'œuvre de La Tour se

---

1. 1,8 million d'euros.
2. *Saint Jean-Baptiste dans le désert*, éditions Serpenoise, 1994.

découpait de manière bien établie entre des compositions « diurnes », et des « nocturnes », ces dernières invariablement éclairées d'une source de lumière visible, chandelle, lanterne ou brasero, formant un élément évident de référence. Saint Jean-Baptiste est à mi-chemin des deux, première « nocturne » sans chandelle. Ces jeux délicats d'ombre et de lumière ont fait dire à Phil Conisbee, conservateur de la National Gallery de Washington, qu'elle était « la plus caravagesque des œuvres de La Tour »[1]. A moins que l'assombrissement du tableau n'en perturbe la lecture, comme c'est malheureusement souvent le cas pour des œuvres du Caravage ou de certains de ses suiveurs ? Il y a aussi la troublante féminité de son modèle adolescent.

Le débat sur l'hypothétique voyage que le peintre aurait effectué en Italie dans ses vingt ans s'en est trouvé relancé. Mais, comme s'en étonne Jean-Pierre Cuzin, qui dirige le département des peintures du Louvre, si tant est que La Tour se fût rendu à Rome dans sa jeunesse, comment expliquer qu'il eût attendu presque trente-cinq ans pour réaliser cette œuvre ?

Au vu de ce tableau, Rosenberg reconnaît qu'il se trompait quand il pensait La Tour gagné par la faiblesse dans ses dernières années. Comme son *Tricheur*, le peintre n'a de cesse qu'il ne brouille les cartes. La Tour n'a peut-être pas été, de son vivant, l'artiste méconnu et solitaire qu'on a cru. Et si cette peinture disait une autre solitude, celle d'un créateur constamment en décalage, accaparé par sa recherche propre, et qui ne répond aux grandes influences de la peinture européenne qu'en son temps et à sa manière ?

Même si elle peut légitimement concevoir quelque amertume de sa mésaventure à Drouot, la famille précédente eut davantage de chance que le comte de Chava-

---

1. Catalogue de l'exposition de Washington. *Georges de La Tour and his World*.

gnac, qui fut induit en erreur par l'inventaire d'un commissaire-priseur davantage réputé pour sa connaissance des cannes de collection que de la sculpture, Me Christian Grandin. Assisté d'un expert, celui-ci aurait confondu un Atlante avec une cariatide, prenant cette statue en bronze de 57 cm de haut pour un tirage en fonte, valant tout juste 200 francs. Il est vrai que la statue avait été recouverte de peinture. Le propriétaire fut donc tout heureux d'en tirer 4 500 francs [1], en 1981, d'un brocanteur appelé François Piet. Celui-ci eut pourtant l'honnêteté de le prévenir qu'il s'agissait d'un tirage en bronze patiné, donc nettement plus intéressant. Le brocanteur revendit la sculpture à un antiquaire du quai Voltaire qui ne manque pas de flair, Guy Ladrière. Il l'acheta 300 000 francs à l'heureux intermédiaire. L'antiquaire fut plus heureux encore, puisqu'il la revendit 3,2 millions de francs [2], en 1987, au Louvre. Entre-temps, ses recherches lui avaient permis de découvrir qu'il s'agissait d'un Atlante turc, réalisé en 1555 par Agostino Zoppo, pour le monument funéraire d'Alessandro Contarini à Padoue. Quatre exemplaires de cette statue avaient été tirés, pour encadrer la tombe. L'antiquaire a pu comparer le sien aux deux qui se trouvent au musée de Klosterneuburg.

C'est en vain que le comte de Chavagnac chercha à attaquer la vente. Peut-être les magistrats avaient-ils été troublés par le témoignage de l'expert qui avait assisté le commissaire-priseur, Marc Révillon. Selon lui, la sculpture inventoriée n'était pas la même que celle qui a été vendue au Louvre. Des années plus tard, il en était indigné : « Je sais bien distinguer une cariatide d'un homme nu dont les attributs sont exposés, quand même ! » Le tribunal fit simplement valoir que le propriétaire aurait dû s'entourer des conseils d'un spécialiste. Autant pour l'impériale dignité des commissaires-priseurs.

---

1. 1 320 euros.
2. 635 000 euros (4,2 millions de francs).

16.

Le mystère BVRB

En 1973, un jeune commissaire-priseur encore méconnu a réussi, à force de persévérance, à mettre la main sur une grande collection. Il s'appelle Jacques Tajan, et a appris le métier auprès du leader de la profession, Etienne Ader. Plus tard, à son tour, il sera le numéro un incontesté. En attendant, il a fait rentrer une des plus belles affaires de l'année. Il est allé affronter le froid de Chamonix pour convaincre la veuve de l'avionneur Henry Farman de lui confier le mobilier de leur immense appartement de l'avenue Foch, plutôt qu'à un groupe d'antiquaires parisiens. Cette dispersion, bien sûr, se fait au palais Galliera, où se tiennent alors les plus belles ventes parisiennes. Avant de faire fortune dans l'industrie aéronautique, Henry Farman avait été élève des Beaux-Arts. Son mobilier témoigne de son goût pour le XVIIIe siècle français.

Etienne Ader tient le marteau. Le lot 127 est le plus disputé. Il s'agit d'une magnifique commode BVRB, aux panneaux en laque du Japon incrustés de nacre de burgau. Une véritable sculpture, qui, en dépit de sa monumentalité, est un chef-d'œuvre d'équilibre. Un meuble d'exception. Il n'existe qu'une demi-douzaine de commodes similaires dans le monde, réparties dans les plus belles collections, comme celle de la reine d'Angleterre. Les créations de cet ébéniste dans l'esprit rocaille sont extraordinairement élégantes. Les professionnels les reconnaissent par la perfection des lignes qui soulignent les bords des panneaux, par la qualité des bâtis en chêne, aussi bien que par les bronzes finement ciselés qui protègent souvent les pieds. Des cartouches cruciformes recouvrent les angles. Sur les meubles plus petits, une agrafe en bronze au centre de la ceinture équivaut à la signature de ce maître.

Le recours au « bois de bout » (scié perpendiculairement au fil) lui permettait d'enjoliver sa marqueterie, en jouant sur les veines. BVRB fut aussi un des premiers artisans auxquels les « marchands merciers » (équivalents des décorateurs d'aujourd'hui) confièrent le soin d'orner ses meubles de plaques en porcelaine de Sèvres, ou de panneaux en laque récupérés à grands frais sur les paravents, coffres ou cabinets d'Extrême-Orient. Seuls les artisans chinois et japonais maîtrisaient alors cette technique, les laques du Japon, de meilleure qualité, étant davantage prisés que ceux de Chine. Une autre commode de BVRB aux formes similaires avait été envoyée par Louise Elisabeth, la fille aînée de Louis XV que l'on appelait « Madame Infante », à sa cour de Parme. Elle se trouve désormais au palais du Quirinal de la ville. Mais, dans ce cas, ses panneaux sont en imitation de laque, réalisés à Paris selon une technique dite du « vernis Martin ».

De l'histoire de la commode mise aux enchères à Galliera, on ne savait rien sinon qu'elle avait déjà été adjugée 2 800 francs-or dans la dispersion du mobilier d'un collectionneur appelé H.H.A. Joos le 29 mai 1894, par Me Léon Tual, galerie Georges-Petit à Paris. En 1973, elle était estimée 550 000 francs. Les enchères dépassèrent le million de francs, un prix record pour l'époque[1]. L'heureux acquéreur était un antiquaire qui tient aujourd'hui le haut du pavé à Paris, Jacques Perrin. Plus d'un quart de siècle plus

---

1. 700 000 euros (4,6 millions de francs)

tard, le ciel tombe sur la tête des professionnels parisiens. Christie's, ennemi juré des commissaires-priseurs, présente la même commode à la Maison de l'Amérique latine, sur le boulevard Saint-Germain à Paris. Elle va être mise aux enchères le 24 novembre 1998, à New York, pour le compte d'un marchand de Manhattan, Martin Zimet, qui l'avait lui-même rachetée à Perrin en 1981. L'estimation est énorme : on parle de 20, de 30 et même de 40 millions de francs[1], somme jamais atteinte pour un meuble aux enchères. La raison ? La journaliste Béatrice de Rochebouët la divulgue dans *Le Figaro* : l'expert de Christie's, Patrick Leperlier, a découvert que ce meuble n'était pas seulement exceptionnel mais unique. Il a pu prouver qu'il provenait du château de Versailles grâce à une marque d'inventaire d'apparence anodine. Une marque royale qui vaut de l'or.

A Paris, en ces jours de septembre, ce fut le tollé. Après son achat à la vente de Mᵉ Ader, Jacques Perrin avait fait restaurer la commode. L'antiquaire l'avait ensuite exposée au Carré Rive Gauche, où elle avait été mise en scène par un décorateur très connaisseur, Daniel Passe-Grimod. Comment diable cette marque royale avait-elle pu passer inaperçue de tant d'antiquaires, experts, commissaires-priseurs, mais aussi des conservateurs ? Pierre Verlet, qui, au Louvre, avait été à l'origine d'un formidable travail de recherche sur le mobilier royal, avait dû voir ce meuble. Comment, sept ans plus tard, le Louvre, qui contrôlait pièce à pièce toutes les exportations d'œuvres d'art, avait-il pu laisser filer un tel trésor ? Visible au dos, la marque ne dit pas grand-chose au profane : « Nᵒ I 343 ». Un simple numéro d'inventaire, tracé à l'encre de manière appliquée, d'une graphie banale qui n'évoque en rien l'atmosphère raffinée de la cour du roi. Mais, quand il entendit parler de ce numéro, Patrick Leperlier a sursauté. Cet ancien employé d'Air France a passé sa vie dans les papiers de la monarchie. Il est devenu ainsi un

---

1. De 3 à 6 millions d'euros.

des spécialistes les plus pointus du mobilier français. Se plongeant dans le *Journal du Garde-Meuble royal*, il a trouvé à ce numéro la description détaillée de la commode. Elle avait été livrée le 23 janvier 1745 pour la chambre de la dauphine à Versailles. Dans un ouvrage de référence paru en 1989, *Les Ebénistes français*, Alexandre Pradère avait cité ce passage in extenso en relevant qu'il s'appliquait probablement à l'une des commodes semblables connues de BVRB.

Les conservateurs de Versailles auraient été ravis de récupérer un tel meuble. Mais le prix demandé en était beaucoup trop élevé. De plus, l'affaire s'est vite compliquée. Dès le départ, *Le Figaro* a évoqué les bruits les plus fous courant dans les milieux professionnels, choqués d'apprendre que la France eût pu perdre un meuble de cette importance : et s'il était sorti en contrebande ? En réalité, une licence d'exportation avait bien été délivrée. En 1981, Pierre Verlet n'était plus de ce monde. Les archives du Louvre permettent de constater que l'aval du conservateur de service a été donné en août, sans aucune observation. Sommaire au possible, le dossier se compose d'une chemise, sur laquelle est inscrite la présentation rudimentaire du meuble tel que décrit par l'antiquaire. Un seul document à l'intérieur : une photographie, fournie par la galerie Perrin. Si le conservateur a passé des heures à étudier la commode, il n'en a pas laissé trace dans les archives du musée... Autre spéculation alors : et si la marque était fausse ? Si elle avait été ajoutée par quelque esprit malin ? Ce pouvait être difficilement Martin Zimet lui-même, car il ne fut pas le moins surpris de la trouvaille de l'expert de Christie's. Quand il avait confié son stock au bureau new-yorkais de la société, il n'avait fait aucune mention de l'origine de Versailles. Sa galerie, French & Co, avait inséré dans les magazines spécialisés des pages entières de publicité à l'honneur de la commode, sans rien dire d'une éventuelle provenance royale.

Pourquoi pas alors Patrick Leperlier lui-même, qui se prétend justement plus malin que tout le monde ? C'était vraiment lui prêter beaucoup de malhonnêteté et de culot, pour un risque considérable et un bénéfice difficile à expliquer. Pour farfelue qu'elle paraisse, cette hypothèse fut pourtant colportée jusque dans les couloirs du Louvre. Toutes ces méchantes rumeurs, ajoutées à un prix d'estimation exagéré, firent capoter la vente de New York. Ce fut un des plus beaux plantages financiers de Christie's, qui avait eu l'imprudence de consentir une garantie financière démesurée à l'antiquaire new-yorkais, pour des raisons qui sont toujours restées assez floues. La commode BVRB lui est finalement restée sur les bras.

Pourtant, cette rumeur résistait difficilement à l'examen. Avec l'aimable coopération de la conservation de Versailles, il nous a été donné de nous coucher dans la royale poussière du château pour scruter les marques des meubles, avec, à la main, la reproduction de la marque controversée de la commode. La graphie est incontestablement la même. Le bureau de pente BVRB de la dauphine (vendu, ironiquement, par le même Jacques Perrin à Versailles) porte le n° I 344 et le bureau plat du grand cabinet du dauphin le n° I 347, écrits de la même calligraphie, avec le I en chiffre romain suivi des chiffres arabes. Les conservateurs de Versailles, qui ont examiné à demeure la commode BVRB lors de son passage à Paris, ne doutent d'ailleurs pas de son authenticité. Pour en avoir le cœur net ils ont quand même suggéré une analyse de l'encre. Dans l'espoir de dissiper tout doute, Christie's a confié deux minuscules échantillons du N de la marque au laboratoire d'analyse de la faculté d'histoire de l'art de Londres. Sa conclusion a confirmé l'évidence : « Il n'y a aucune raison technique de douter qu'il s'agisse de la marque d'origine. » L'encre a été apparemment déposée dès la fabrication du meuble. L'échantillon, passé sous un microscope à balayage électronique couplé à un système de micro-analyse élémentaire, a révélé la présence de fer et de soufre, composants de l'encre gallique couramment utilisée jusqu'au XIXe siècle. Cette encre d'un bleu teinté de brun est à base de noix de galle de chêne et de sulfate de fer (appelé « vitriol »). Incidemment, le laboratoire mentionne la présence, inexpliquée, de calcium. Sans pouvoir avancer une datation exacte, ce qui est techniquement impossible, le laboratoire exclut catégoriquement que l'encre puisse être récente. L'hypothèse d'une contrefaçon, postérieure à la sortie du meuble de France en 1981, s'écroule.

Il faut bien revenir à la case départ, et à l'hypothèse, formulée avec regret par Jacques Perrin : « Comment peut-on penser que des dizaines de personnes, dont plusieurs spécialistes, aient pu se montrer inattentives à ce point ? » En fait une telle mésaventure peut s'expliquer par la difficulté d'appréhender le mobilier. Un expert parisien, dont ni le sérieux ni l'honnêteté ne peuvent être mis en cause, confie : « Moi aussi, j'ai vu cette commode, en passant chez Zimet. Elle était contre un mur. Il ne me serait pas venu à l'idée de la déplacer tout seul. » Etant donné le poids de la plaque de marbre, il y a un grand risque de briser un pied. Pour un meuble estimé plusieurs dizaines de millions de francs, c'est une catastrophe. Il faut faire appel à trois ou quatre ouvriers, tout en multipliant les précautions. « De toute manière, reprend cet expert, je n'avais aucune raison de le faire. Je connaissais ce meuble par cœur. » Ou plutôt, comme tout le monde, il croyait le connaître par cœur. Il est vrai qu'on ne va pas décrocher *La Joconde* pour l'examiner sous toutes les coutures, à moins d'avoir de très sérieuses raisons de le faire.

Par surcroît, le numéro a pu être vu, mais pas compris. « Qu'un tel numéro d'inventaire soit passé inaperçu, surtout il y a vingt ou trente ans, ne me choque pas du tout, fait observer Bill Pallot, de la galerie parisienne Aaron. Très peu étaient capables de retrouver l'historique d'un meuble. Après tout, les antiquaires ont du talent, du goût, de l'argent, ce ne sont pas forcément des historiens de l'art. » Alexandre Pradère, expert indépendant ayant longtemps exercé à Sotheby's, qui est la mémoire de ce métier, reconnaît que l'histoire du mobilier est encore « une science dans l'enfance ». Il n'existe ainsi aucun catalogue raisonné des ébénistes de cet âge d'or, quand bien même ils s'appelleraient Cressent, Riesener ou BVRB. La connaissance des meubles, déjà compliquée, a en outre souffert d'un long désintérêt. Au XVIIIe siècle, les meubles de la Cour étaient régulièrement réformés dès qu'ils étaient démodés. Le XIXe siècle fut victime de la séparation entre arts « majeurs » et « mineurs » : la sculpture ou la peinture étaient beaucoup plus nobles que l'ébénisterie. Dans les catalogues de vente, on ne relevait même pas les estampilles d'ébéniste. Il fallut attendre 1923 pour que le comte François de Salverte commençât un travail de recherche dans les archives sur les estampilles. Certaines ont encore longtemps gardé leur mystère. Ce fut justement le cas de BVRB. Il y a cinquante ans, on ne savait même pas à quel artisan pouvaient correspondre ces initiales retrouvées sur certains des plus beaux meubles de l'aristocratie. Le nom de cet ébéniste ne figurait nulle part dans les archives royales. Pour ses besoins en mobilier, la Cour passait en effet par le canal d'ébénistes attitrés comme Gaudreaus ou Joubert. Sous Louis XV, pour les réalisations à la dernière mode, les commandes passaient par le truchement des marchands merciers tels Hebert, Julliot et Lebrun, qui se gardaient bien de faire de la publicité aux ébénistes qui leur servaient de sous-traitants. « Ainsi, ce n'est que très tardivement qu'on a compris que certains des plus beaux meubles de la Couronne étaient produits par ce mystérieux BVRB », souligne Jean-Dominique Augarde, qui allie une mémoire photographique aux archives incomparables de son Centre de recherches historiques sur les maîtres ébénistes. C'est finalement un élève de Verlet, Jean-Pierre Baroli, qui a découvert en 1959, dans les archives notariales du faubourg Saint-Antoine, une lignée d'ébénistes hollandais dont le nom était d'ordinaire orthographié Bernard Van Risamburgh (en ces temps, l'orthographe était mouvante). Risenburgh est la variante retenue aujourd'hui.

Pour les marques d'inventaire, plus succinctes, la confusion a encore été plus grande. Elle n'est pas toujours dissipée aujourd'hui. Un C renvoit-il à l'inventaire du château de Choisy ? De Compiègne ? Ou de Chanteloup ? Le pionnier de cette recherche fut Pierre Verlet. Il se plongea dans les trois mille six cents feuillets des dix-huit volumes du *Journal du Garde-Meuble*, dans lequel, à partir de 1685, était inscrit pratiquement tout meuble entré dans les collections royales. « Les collections de la Couronne de France ont formé jadis un ensemble prodigieux : aucun temps, aucun pays n'a pu et ne pourra certainement jamais montrer pareille réunion de chefs-d'œuvre », écrivait-il, en liminaire de son premier volume. Mais cette publication date seulement de 1943. Jusqu'alors, les ouvrages sur le mobilier ressemblaient davantage, pour reprendre son expression, à des « assemblages factices de belles images ». Même après ses recherches, certains spécialistes n'ont pas toujours fait preuve du même sérieux. Dans un livre de l'après-guerre, qui sert encore de référence à nombre de professionnels, W renvoie au château de Wideville, vaste résidence que s'était fait établir le surintendant des finances de Louis XIII, Claude de Bullion. En fait, il s'agit d'une marque de Versailles[1]. Mal lus, deux G entrelacés sont interprétés comme étant la marque de Compiègne. Il s'agit en fait d'une marque du garde-meuble royal. On a longtemps pensé qu'EHB signifiait « Ecuries de l'hôtel Bourbon », jusqu'à ce qu'un conservateur anglais, Geoffrey de Bellaigue, comprenne qu'il s'agissait d'Edward Holmes Baldock, important marchand du XIXᵉ siècle qui avait coutume d'« embellir » le mobilier français qu'il revendait à l'aristocratie britannique.

Dans les ventes aux enchères, les trouvailles sont ainsi nombreuses. Six mois avant la mise en vente à New York de la commode BVRB, dans un catalogue du groupe Millon à Drouot, six chaises de Jacob étaient cataloguées avec

---

1. Ou alors, dans une graphie plus droite, moins ouvragée, le W peut renvoyer aux meubles Empire du prince de Wagram.

« marque de château ». Sans autre précision. Le grand antiquaire parisien Philippe Kraemer a compris que derrière la mystérieuse inscription se cachait l'origine : « Versailles, pour les écuries du comte d'Artois. » Il les a achetées à un prix bien moindre que leur valeur, avant d'en faire cadeau au château. Ce n'est pas la seule découverte dont a bénéficié Versailles. Le 26 juin 1992, les conservateurs ont préempté, pour la somme plus que modeste de 82 000 francs [1], un bureau à pente plaqué de bois de violette et d'amarante. Le catalogue de Me Pierre-Emmanuel Audap, dont l'expert était Jean-Paul Fabre, le classait vaguement comme d'époque Louis XV. Il faisait bien état d'un numéro d'inventaire à l'encre, « I 494 », mais cette indication n'eut pas l'heur d'intriguer davantage les vendeurs. Plus tard, Dominique Augarde devait retrouver dans le *Journal du garde-meuble royal*, à ce numéro, la description détaillée de ce bureau, inscrite « au nom de Dieu » : il avait été livré en août 1748 pour la chambre à coucher de la Pompadour au château de la Muette. Cet historien a pu également identifier la provenance d'une paire de girandolles en forme de cariatides, en biscuit et porcelaine de 126 cm de hauteur. Elles avaient été fabriquées par la manufacture royale de Sèvres pour être offertes en 1786 par Louis XVI à la reine Marie-Louise d'Espagne. En les adjugeant 880 000 francs [2] le 2 décembre 1991, l'étude Ribeyre-Baron, assistée de l'expert Roland Lepic, les avait simplement présentées comme étant « fin XVIIIe », sans même préciser qu'elles étaient de Sèvres. Pourtant il suffisait de regarder d'un peu près les socles pour y voir la marque de la prestigieuse manufacture. Il se trouve qu'elle avait, de plus, gardé les moules en plâtre de cette commande royale. En 1996, à une vente de Me Tajan, un pliant avait été présenté comme « travail italien du XVIIIe siècle », alors qu'il portait une marque prouvant qu'il avait été fabriqué pour le duché de Parme de

---

1. 14 000 euros.
2. 154 000 euros.

Madame Infante. La palme d'or revient sans doute à un catalogue de 1986 du même commissaire-priseur faisant référence à « la marque du château de Scitivaux de Greische », absolument inexistant, pour un mobilier de salon qui avait en fait été livré au pavillon de Saint-Cloud de la comtesse d'Artois.

En 1989, Bill Pallot fut seul à s'apercevoir que des chaises mises aux enchères chez Sotheby's portaient des étiquettes : « Pour le service de Mme Elisabeth à Compiègne. » Ce fut une sorte de revanche pour sa galerie Aaron, qui, à la Biennale des antiquaires en 1984, avait malencontreusement présenté un cabinet comme « ouvrage allemand, d'Augsbourg ». Il a été acheté par le Victoria and Albert Museum de Londres. Peu après, Lunsingh Scheurleer a révélé dans le *Burlington Magazine* qu'il avait été en fait livré par l'ébéniste Pierre Gole au Palais-Royal, pour le duc d'Orléans. A une autre Biennale, une petite table en ivoire et corne bleutée, découverte par l'antiquaire Bernard Steinitz, fut refusée comme fausse par le comité d'experts. Ce métier ne manque pas de disputes, de jalousies et d'intrigues... Cette avanie n'a pas empêché Bernard Steinitz de revendre sa table au musée Getty. Cette fois, c'est une conservatrice de Versailles qui l'a identifiée. Béatrix Saule en a retrouvé la mention dans l'inventaire posthume de Louis XIV : c'est le seul meuble ayant survécu du « Trianon de porcelaine », pavillon décoré de faïences bleu et blanc que Louis XIV avait fait installer dans le parc de Versailles. Là encore, les conservateurs chargés de contrôler les exportations avaient laissé sortir ces deux meubles de France sans ciller, une perte immense car les meubles royaux du Grand Siècle ont presque tous disparu.

Autre pièce majeure de cette époque : le bureau brisé (le plateau s'ouvre par le milieu) donné par Jayne Wrightsman au Metropolitan Museum de New York. Bernard Steinitz encore, qui a décidément du nez, l'avait repéré dans une vente de Christie's à New York en 1984, où il l'avait emporté pour moins de 250 000 francs[1]. Eminent spécia-

---

1. 55 000 euros.

liste de Boulle, Jean Nérée Ronfort, du Centre d'études historiques des maîtres ébénistes, a pu retrouver ce bureau dans l'inventaire posthume du mobilier de Louis XIV. Ainsi Bernard Steinitz a-t-il pu le revendre à sa cliente américaine bien plus cher qu'il ne l'avait acquis. Celle-ci a fait une meilleure affaire encore quand elle l'a cédé au Met. Aujourd'hui, il pourrait bien valoir cinquante fois son prix d'achat.

17.

Le fauteuil perdu de Versailles

L'identification d'un meuble peut toujours soulever des querelles passionnées, qui ne sont pas toujours aisées à trancher. Ainsi du pataquès entraîné par cette vente aux enchères qui s'est tenue le 14 mai 2000 à Dijon. Ce dimanche, Me Christian Bizoüard a adjugé deux chaises, présentées comme provenant de Bagatelle, « folie » que s'était fait construire en bordure du bois de Boulogne le frère de Louis XVI, le comte d'Artois. La notice du catalogue était sans équivoque. Et la campagne de promotion emphatique : « Rare et unique paire de chaises exécutée par Georges Jacob et sculptée par Jean-Baptiste Rode en 1778 et 1779 pour la chambre du comte d'Artois à Bagatelle. » Effectivement, qu'y a-t-il de plus rare que l'unique ? Cet enthousiasme sémantique mis à part, le catalogue précisait que, si elles ne portaient pas l'estampille du menuisier, les chaises avaient été marquées au feu d'un « B » couronné, la marque de Bagatelle. Elles ont été retrouvées dans le mobilier sauvé *in extremis* d'un incendie au château de Chermont. Dans cette demeure a vécu au XIXe siècle une petite-fille plus ou moins illégitime du comte d'Artois, couronné en 1824 sous le nom de Charles X. Les chaises sont décorées d'un étrange arsenal guerrier : masses, flèches, lauriers entremêlés d'épis de blé. Pour l'expert Yves Dauger, ce décor correspond à une lubie du frère du roi, qui se prenait pour un grand militaire. Il répond en détail à la description minutieuse attachée à la facture du sculpteur au moment de la livraison de ce mobilier. Certains antiquaires parisiens ont cependant fait la moue devant tant d'extravagance, même si le cadet du roi était réputé pour sa singularité d'esprit. Auteur d'un ouvrage de référence sur le siège au XVIIIe siècle, Bill Pallot confessait ainsi : « Je ne crois pas qu'il puisse s'agir de chaises fabriquées pour le comte d'Artois, ni même par Jacob, dont je ne retrouve ni le style ni la qualité d'exécution. La marque de Bagatelle a dû être ajoutée au XIXe siècle. Les chaises elles-mêmes sont sans doute du XVIIIe siècle, mais, pour moi, elles évoquent plutôt l'Italie du Nord, probablement un travail piémontais. Quant à l'estimation [350 000 francs[1]], elle est trop modeste si la paire provient à coup sûr de la proche famille du roi. » La rumeur n'a pas empêché Camille Bürgi, qui fait figure d'original dans le milieu des antiquaires, d'enchérir jusqu'à 460 000 francs[2], en s'associant avec un ami, un expert en vin appelé Didier Second. Un peu tardivement, à son tour, Camille Bürgi fut pris d'un doute. Avant de remettre son chèque, il tenait à voir les chaises en compagnie d'un expert. En effet, se fiant au catalogue, il n'était pas allé les examiner à Dijon. Irrité, le commissaire-priseur lui rétorqua que, comme au poker, il faut payer pour voir. Camille Bürgi refusa de payer, niant même avoir été celui qui enchérissait par téléphone. Le commissaire-priseur n'en avait pas la preuve contraire. Il ne se laissa pas démonter. Il remit les chaises en vente, cette fois en prenant la précaution de les présenter discrètement à Paris aux connaisseurs, ce qui leur permit de vérifier la coïncidence des détails avec la description d'archive. De plus, certains spécialistes avertis ont pu trouver une correspondance entre ces sculptures et celles d'un

---

1. 53 000 euros.
2. 70 000 euros.

coffre et de deux fauteuils, qui avaient été livrés à Bagatelle par les mêmes artisans. Plus d'un fut convaincu. Cette fois, les enchères montèrent jusqu'à 910 000 francs[1]. Le plus étonnant, c'est que la paire fut de nouveau adjugée... à Camille Bürgi et Didier Second, désormais convaincus du bien-fondé de leur entreprise. Mais cette fois, ils durent payer deux fois plus cher. Le prix du triomphe de la province sur Paris ?

Bill Pallot s'est trouvé impliqué dans un autre embrouillami, resté jusqu'à maintenant dans le secret des coulisses. Le 5 juillet 2001, Sotheby's a tenu sa première vente aux enchères à Paris. La compagnie avait un peu forcé les portes de la place, puisque la loi mettant fin au monopole des commissaires-priseurs n'était pas encore entrée en application, faute de décret. Sotheby's annonça néanmoins la dispersion d'une importante bibliothèque belge et du stock d'un antiquaire monégasque en son quartier général, rue du faubourg Saint-Honoré. La compagnie parisienne des commissaires-priseurs leva les lances pour repousser l'envahisseur vers les portes de la capitale, réussissant à obtenir en urgence du tribunal l'interdiction de la vente au lieu prévu. Sotheby's dut déménager livres et meubles en vitesse porte Maillot, trouvant refuge dans les locaux de deux commissaires-priseurs rénégats, Mes Hervé Poulain et Rémi Le Fur, amis et associés de longue date. Sinistre, paradoxalement tapissée aux couleurs de Drouot, la salle dans cet affreuse bâtisse n'attira guère de monde, en dépit du prestige de la vente. Celle-ci se déroula néanmoins très bien. La collection de l'antiquaire, Luigi Laura, rapporta 64 millions de francs[2]. Le lot phare était un fauteuil en bois doré, qui avait été réalisé pour le pavillon du Belvédère de la reine Marie-Antoinette au Petit Trianon. Il fut adjugé deux millions de francs[3] à un particulier améri-

1. 139 000 euros.
2. 9,8 millions d'euros.
3. 300 000 euros.

cain. Richement sculpté, le fauteuil aurait fait partie d'une série de huit commandée en 1780 au menuisier François Foliot, auteur notamment d'un lit somptueux pour la chambre à coucher d'hiver de Versailles, ainsi que du mobilier original de la Chaumière des Coquillages à Rambouillet.

Les montants en forme de brandon du fauteuil, le dossier orné de guirlande de fleurs, les pieds cannelés et décorés de guirlandes de perles pouvaient être rapprochés du décor des chaises qu'il avait également réalisées pour le Belvédère. Chef du département du mobilier de Versailles, spécialiste incontesté ayant accumulé une somme incroyable d'archives, Christian Baulez était, évidemment, très intéressé. Luigi Laura avait fait savoir qu'il saurait se montrer généreux si le musée de Versailles se portait acquéreur. Tout aurait dû se passer pour le mieux. Cependant, le directeur général du musée, Pierre Arizzoli-Clémentel, reçut un appel de Maryvonne Pinault. Forte de son statut de mécène et de membre du Conseil artistique des musées nationaux, l'épouse de François Pinault avait déjà fait savoir, en petit comité, son avis défavorable à l'acquisition par le Louvre d'un coffre de la Renaissance décoré de nacre. Elle avait exprimé des doutes sur l'authenticité des éléments du coffre, mais un rapport scientifique fouillé conclut au contraire. Le coffre fut acheté 30 millions de francs[1] à la galerie Kugel. Cette fois encore, Maryvonne Pinault fit part de ses préventions à l'égard du fauteuil mis en vente chez Sotheby's. Elle recommanda vivement à son interlocuteur de Versailles de prendre l'avis de Bill Pallot. L'expert en sièges confirma : « Je trouve la sculpture grossière ; le bois manque de finesse ; la qualité du travail n'est pas digne d'une commande royale. Quant au décor, il ne reproduit pas exactement celui des chaises du Belvédère. » Bien que n'étant pas lui-même spécialiste du xviiie siècle, Arizzoli-Clémentel prit le risque de contredire son conservateur. Il déconseilla la préemption. La Direction des

1. 4,6 millions d'euros.

musées de France suivit cette mise en garde. Il est vrai que le fauteuil est, de prime abord, déconcertant. La sculpture paraît en effet moins aiguë que celle des chaises. L'épaisseur du noyer de la ceinture est inhabituelle. Des spécialistes firent valoir qu'elle pouvait s'expliquer par la nécessité d'évider le bois à cet endroit. Ils soulignèrent que les menuisiers ne fabriquaient pas forcément des répliques à l'identique. Que dans un atelier comme celui de François Foliot, artisan très apprécié de la Couronne, d'autres mains travaillaient, les sculptures étant notamment confiées à son demi-frère Toussaint ou à Pierre-Edmé Babel. Bref, qu'il fallait concevoir ces meubles avec un peu de liberté. Rien n'y fit.

Cependant, lorsque l'acquéreur demanda l'autorisation d'exporter le fauteuil, la dispute conduisit la Direction des musées de France à redoubler de précautions. L'objet de la controverse fut soumis au laboratoire de recherche des musées de France, procédure exceptionnelle pour un meuble. Chef du département du mobilier et des objets d'art au Louvre, lui aussi admiré pour ses connaissances, Daniel Alcouffe fut appelé à la rescousse et sembla partager l'opinion favorable de son confrère de Versailles. Le fauteuil fut apporté au pavillon du Belvédère, où son dossier, par sa forme et sa largeur, s'inscrivait exactement dans l'espace incurvé de l'entrefenêtre. La guirlande tournante sculptée dans le bois du fauteuil évoquait en outre un décor peint sur le mur. Les musées s'étaient-ils trompés ? Ils avaient sûrement eu le tort de procéder à tous ces examens sur le tard, une fois les jeux faits. En tout cas, il leur était désormais difficile de s'opposer à la sortie de France d'un objet qu'ils venaient de refuser. Le fauteuil ne fut pas considéré par la commission scientifique comme un « trésor national ». Pierre Arizzoli-Clémentel y voit la confirmation de ses doutes : « le fauteuil est certainement authentique. Mais il apparaît très usé, et il a été réparé. J'ai donc bien fait de me montrer prudent, d'autant que l'engagement de faire un cadeau aux musées était resté bien vague. » « Quant au reste – c'est-à-dire l'intervention de Maryvonne Pinault, il ne veut en dire mot – ce sont des racontars de salon. » Le rapport accompagnant le certificat de sortie soulignait en effet que la ceinture antérieure du siège avait été changée. Probablement a-t-elle été refaite au tout début du XIXᵉ siècle quand la mode n'était plus au tissu drapé qui servait d'ornement aux sièges. Cette réserve sur l'état du meuble aida la France à sauver la face. Et voici comment Versailles a perdu un fauteuil...

Pour réussie qu'elle fut, la vente de Sotheby's fut pourtant perturbée par un petit couac, sur un objet très secondaire, mais qui témoigne encore de la difficulté de trancher parfois avec certitude.

En fin de vente furent proposés quelques meubles « provenant de divers amateurs », comme il est coutume de le dire. Estampillée Riesener, une grande armoire Louis XVI en acajou massif de plus de deux mètres de haut était estimée 600 000 francs [1]. Un prix bien élevé pour un meuble ne montrant pas véritablement l'élégance propre à ce maître ébéniste. De plus, il était déjà passé en vente. Il avait été modestement adjugé, dix fois moins cher, 61 000 francs, à Drouot par Mᵉ Buffetaud, le 13 octobre 1997. Seulement, aucune estampille n'était alors signalée. Appartenant à un autre commissaire-priseur parisien, Hervé Chayette, elle était simplement cataloguée comme « armoire XVIIIᵉ ». Elle avait été achetée par un antiquaire parisien, qui fit montre d'une certaine confusion.

— Cela fait longtemps que je n'ai plus cette armoire. Vous êtes bien ébéniste ? l'ébéniste de Sotheby's ?

— Non, pas é-bé-niste, jour-na-liste.

— Ah, journaliste ! Non, je n'ai jamais ajouté de marque à cette armoire. Du reste, je ne l'ai jamais achetée.

Sigmund Freud parlait à ce sujet du lapsus du chaudron, en évoquant un procès dont l'objet était cet ustensile

---

1. 93 000 euros.

de cuisine, rendu abîmé à celui qui l'avait prêté en bon voisin. L'accusé se défendit en ces termes :

— Ce chaudron ne m'a jamais été prêté. D'ailleurs, il était déjà abîmé avant.

C'est la fameuse réponse du président Valéry Giscard d'Estaing, soupçonné d'avoir accepté quelques diamants de son ami, le dictateur sanguinaire Bokassa : je n'ai jamais reçu de diamant. Et d'ailleurs, ils n'avaient pas la valeur qu'on a dite.

S'étant repris, ayant fait l'effort de chercher dans ses fiches, l'antiquaire assura bien n'avoir jamais vu de près ou de loin cette armoire. Peu importait au fond. Chez Sotheby's, les experts débattaient devant une estampille à demi dissimulée, et qui paraissait bien authentique. Le bois n'était pas abîmé, comme il arrive quand une fausse estampille est apposée, brutalisant une essence qui a durci avec le temps. De plus, la marque, « H. Riesener », n'est pas commune chez cet ébéniste qui signait « J. H. Riesener ». Elle se retrouve cependant sur une armoire ayant appartenu au couturier Karl Lagerfeld. L'estampille de l'atelier avait-elle, un moment, perdu sa première lettre ? « Si la marque avait été ajoutée par un faussaire, il aurait sûrement repris la signature habituelle, connue, de l'ébéniste, fait valoir Me Le Fur. L'estampille a dû être tout simplement découverte à l'occasion de notre vente, comme cela s'est vu dans d'autres cas. » A la dernière minute cependant, les organisateurs se résignèrent à retirer le meuble contesté de la vente. Ils ont finalement reconnu que l'armoire pouvait difficilement être l'œuvre de Riesener. Elle était loin de valoir le prix demandé. Mais ils ont avancé une nouvelle hypothèse : l'estampille n'est pas fausse pour autant. Car, profitant de sa célébrité, Riesener signait parfois d'autres réalisations que les siennes, qu'il revendait d'autant plus cher. Sur plusieurs meubles, son estampille a été retrouvée à côté de celle d'Adam Weisweiler. On a imaginé une collaboration entre les deux hommes, mais le style de ces ouvrages correspond plutôt à celui de Weisweiler. On peut supposer que, devenu ébéniste du roi, Riesener lui sous-traitait certaines de ses commandes. De plus, quand, en 1774, il succéda à Louis Joubert à cette fonction, il reprit une partie de son stock, qu'il pouvait ainsi écouler sous son nom. L'armoire correspond davantage au style de Joubert, qui fut un des premiers à utiliser l'acajou.

Alexandre Pradère a ainsi publié une note de 1786 du service du garde-meuble royal, s'inquiétant des prix exagérés de Riesener, et le soupçonnant d'« acheter ses ébénisteries dans le faubourg Saint-Antoine ». La Couronne finit par se passer de ses services.

18.

La Vierge sévillane

Songeuse, elle regarde la Terre. Une jeune Vierge en attitude de prière sur fond d'un ciel tumultueux, nimbée de lumière solaire, la tête cerclée de douze étoiles, enveloppée d'un ample manteau bleu sombre, les pieds posés sur la lune ; tel se présente un grand tableau estimé 350 000 francs[1] à la vente de Mᵉ Jacques Tajan, le 22 juin 1990. Expert habituel de ce commissaire-priseur, Eric Turquin a attribué cette *Immaculée Conception* à « l'entourage de Diego Velazquez », un des plus brillants esprits de la peinture européenne du XVIIᵉ siècle. Le marché de l'art était encore en pleine euphorie. Dans cette période pourtant déjà frénétique, la vente fut particulièrement folle. Le niveau de l'estimation fut pulvérisé. La montée des enchères ne s'arrêtait pas, laissant deux protagonistes aux prises. D'un côté, le galeriste Charles Bailly, fort des superbes coups déjà inscrits à son palmarès. Non moins féroce, son adversaire n'était autre qu'Eric Turquin. Dans une salle tétanisée, les enchères montaient de million en million. Le marteau s'abattit à 18 millions de francs[2]. Charles Bailly avait gagné. Cinquante fois le prix d'estimation. C'était époustouflant.

---

1. 54 000 euros.
2. 3 millions d'euros.

Me Tajan était blême. Voir son propre expert miser
17 millions pour acquérir une toile qu'il avait estimée
350 000 francs fut un choc pour le commissaire-priseur ;
il était furieux et ne le dissimulait guère. Comme une mauvaise surprise ne vient jamais seule, Charles Bailly donna
la clé de son obstination farouche : « Je suis persuadé qu'il
s'agit d'un Velázquez, et vous allez voir, je vais le prouver ! » De quoi nourrir l'amer dépit du commissaire-priseur. Car si la peinture avait été du prodige sévillan, et non
plus de son entourage, ce n'est pas 18 millions de francs
qu'elle aurait valu, mais quatre ou cinq fois plus. Me Tajan
aurait manqué l'occasion d'une vente historique : aucun
grand Velázquez n'était apparu en vente depuis vingt ans.
Il n'y en a, en principe, plus en mains privées. Son œuvre
est monopolisée par les musées, à commencer par le
Prado à Madrid. L'attitude étrange d'Eric Turquin était
d'autant plus susceptible d'intriguer le commissaire-priseur, sinon de l'irriter. « Provenant d'une famille qui la
détenait depuis quatre générations, la peinture m'a longtemps laissé perplexe, avoue l'intéressé ; aujourd'hui
encore, je n'ai aucune certitude. Les spécialistes du peintre
n'ont pas voulu me confirmer une possible attribution à
Velázquez. J'étais donc obligé de me montrer prudent.
Compte tenu de la parenté de style, je l'ai attribué à son
entourage. Personnellement, je ne peux exclure qu'elle
puisse être de la main de Velázquez. » Cette prudence l'honore. Mais comment expliquer qu'il ait en quelque sorte
contredit sa propre estimation en enchérissant ainsi ?
L'expert se défend de toute entourloupe : « Je n'ai pas
enchéri pour mon propre compte. Je l'ai fait pour le
compte d'un client. Il se trouvait dans la salle, et m'adressait des signes discrets. J'étais affolé. Je ne savais
comment m'arrêter. Je n'aurais sans doute pas dû enchérir
ainsi. Je reconnais avoir commis une erreur qui pouvait
effectivement prêter à confusion. » Quel client ? Un amateur d'art, qui a vendu sa société de Bourse au bon
moment. Mais aussi, et c'est plus intrigant, un ami de
Pierre Rosenberg, qui dirigeait alors le département des

peintures au Louvre. Or ce dernier est cruellement conscient des manques de la collection espagnole du musée, qui ne compte aucun Velázquez. Cette préoccupation l'a déjà entraîné dans des ennuis judiciaires, quand le Louvre a acquis un grand portrait de Murillo qui s'est révélé avoir été dérobé à une vieille dame appelée Suzanne de Canson, dépouillée et séquestrée par son entourage... Le Louvre se trouvait donc bien trop exposé. Il pouvait difficilement préempter une peinture d'« atelier », pour annoncer ultérieurement qu'elle était de Velázquez. On lui aurait reproché d'avoir berné son monde. Le vendeur aurait obtenu, à coup sûr, l'annulation de la vente.

Le Louvre aurait-il cherché à acquérir *L'Immaculée Conception* par un biais détourné ? Ce scénario est démenti par tous les intéressés, à commencer par Pierre Rosenberg : « L'absence d'un Velázquez est certainement le grand "trou" dans nos collections. Mais je n'ai jamais conseillé ce tableau à quiconque. Je n'ai pas le droit de m'exprimer sur une peinture qui se trouve sur le marché. Du reste, donner un avis aussi catégorique m'aurait été difficile : je ne suis pas spécialiste de ce peintre. Il m'est impossible de me prononcer sur l'authenticité de cette peinture. Mais je sais que les avis sont très partagés. » D'autres conservateurs ont été rebutés par certaines faiblesses, la finesse de la couche picturale, une raideur du sujet, des nuages un peu cotonneux : « Si c'est un Velázquez, ce n'est pas celui qui manque au Louvre ! » Le collectionneur fortuné, qui souhaite garder l'anonymat, rejoint Pierre Rosenberg : « C'est un ami, mais il ne m'a rien dit, et je ne lui ai rien demandé. » Eric Turquin renchérit : « Ils ne se sont pas parlés. Je puis vous l'assurer. » Il reste un mystère : comment expliquer qu'un amateur ait pu prendre un tel risque ?... se montrer prêt à investir près de 20 millions de francs, guidé par sa seule intuition, sans prendre la précaution élémentaire de solliciter le moindre avis autorisé autour de soi ? « J'ai en effet agi selon mon intuition. J'ai essayé de faire un coup, ce n'est pas plus compliqué. » Peut-être est-ce en effet ainsi qu'il a pu faire fortune en Bourse....

Eric Turquin se retrouve donc sur la sellette. En réalité, il a fait consciencieusement son travail. Naturellement, il a rapproché cette peinture de « l'Immaculée Conception » de Velázquez accrochée à la National Gallery de Londres, dont la composition est similaire. Cette œuvre de jeunesse reprend l'image sainte codifiée par son maître, dont il a épousé la fille, Francisco Pacheco. Le débat sur le mystère de l'Immaculée Conception agitait alors l'Eglise. Le couvent des Carmes de Séville, qui avait passé commande à Velázquez de cette peinture, s'était montré favorable à sa reconnaissance comme un dogme de l'Eglise. L'artiste, la vingtaine, accédant au rang de maître, en a fait un chef-d'œuvre du naturalisme, même s'il n'atteint pas à la grandeur des portraits de Cour qui, plus tard, assureront sa gloire. Les contrastes dans le ciel sont superbement mis en œuvre. Le visage recueilli de l'adolescente, tout en émotion rentrée, tranche par son humanité sur les conventions de l'époque. Eric Turquin a contacté José Lopez-Rey, auteur d'une monographie sur le peintre paru sous l'autorité du Wildenstein Institute, et Alfonso Perez-Sanchez, ancien directeur du Prado, qui venait de monter une rétrospective de l'œuvre de Velázquez. Au simple vu d'une reproduction, les deux spécialistes ont pensé que cette peinture, passablement noircie, était une copie, réalisée à la même époque que l'original du couvent sévillan, autour de 1620.

« C'est un Velázquez. Il n'y a plus l'ombre d'un doute. Et je suis en mesure de le prouver. » Quatre ans plus tard Charles Bailly criait victoire. Il avait confié sa peinture à Sotheby's, qui la proposa aux enchères, le 6 juillet 1994, comme une œuvre du maître de Séville. Au premier étage de sa galerie, quai Voltaire, le marchand sortait des calques, qu'il posait sur des macrophotographies de sa toile. Sur les calques des « extraits » de la peinture de Velázquez.

— Vous voyez, cela correspond.

A la radiographie, on a discerné des traces de brosse sous la couche picturale. C'était un tic de Velázquez : il essuyait sa brosse sur les parties vierges du tableau. Transportée à Londres, la peinture a été confrontée au tableau de la National Gallery. Le conservateur des peintures espagnoles, Gabriele Finaldi, a trouvé le résultat « extrêmement intéressant » : il « n'exclut pas du tout que cette deuxième version soit aussi de la main de Velázquez ». Jonathan Brown, spécialiste américain, se montre plus convaincu encore : « J'ai étudié la toile, une fois celle-ci nettoyée. Le drapé du manteau de la Vierge est typique du jeune Velázquez. C'est une œuvre de prime jeunesse, moins aboutie que d'autres. Les pigments se sont effacés par endroits, ce qui explique certains défauts d'apparence. Mais il n'y a aucun doute : c'est un Velázquez. » Autre spécialiste de la peinture espagnole, Bill Jordan partageait cette opinion. Conservateur au Metropolitan Museum de New York, venu du musée Getty, George Goldner approuvait à son tour : « Même si je ne suis pas spécifiquement un spécialiste de Velázquez, je pense que cette œuvre est bien de lui. » Zahira Veliz, restauratrice spécialisée des Velázquez, avait travaillé trois mois pour nettoyer la peinture. Elle allait dans le même sens : « La technique est entièrement cohérente avec celle utilisée par Velázquez dans sa période sévillane. » Le Louvre lui-même finit par se ranger à cet avis, au point d'essayer d'acheter l'œuvre. Mais le prix proposé en était trop élevé. Passant outre l'opposition des conservateurs, le ministre de la Culture Jacques Toubon délivra au marchand une autorisation d'exportation. Sept pages du catalogue de Sotheby's étaient consacrées à ce débat et aux arguments en faveur de l'attribution.

Exceptionnellement scrupuleux et compétent, Etienne Bréton, alors expert attaché à Sotheby's et devenu, depuis, consultant indépendant, voyait venir la vente avec confiance, en soulignant « l'énorme intérêt » soulevé par le tableau quand il fut exposé à travers le monde.

Son optimisme fut démenti. La mauvaise nouvelle vint d'Espagne. On avait dit que Lopez-Rey, avant sa mort, avait eu des doutes sur son refus d'authentifier le tableau.

S'il en eut jamais, il les a emportés dans la tombe : quand le Wildenstein Institute réédita son ouvrage en 1998, en puisant dans ses notes, l'œuvre ne fut pas acceptée. Par-dessus tout, quelques semaines avant la vente, dans une déclaration au quotidien *El Pais*, Alfonso Perez-Sanchez manifesta son opposition à l'attribution à Velázquez : « Je suis convaincu que cette *Immaculée Conception* est l'œuvre d'Alonso Cano. Velázquez et Cano étaient tous deux, en même temps, des disciples de Pacheco à Séville. Ce tableau a sans doute été peint alors, dans son atelier. Mais, pour moi, aussi bien dans la composition que dans la palette des couleurs, cette version est étroitement liée aux autres *Immaculée Conception* réalisées par Cano, qu'elles soient peintes ou sculptées. » L'hypothèse était loin d'être farfelue. Un Velázquez un peu faible ou un beau Cano ?

Cela n'empêchait pas Perez-Sanchez de plaider à sa manière en faveur du tableau : « A mon avis, il serait digne d'entrer au Prado, d'autant qu'il se trouve à la jonction de deux époques et de deux artistes-clés de la peinture espa-gnole. » Francisco Calvo Serraller, autre ancien directeur du musée, partageait cet avis. Mais pas forcément, faisait-il remarquer, au prix réclamé... celui d'un Velázquez incontesté. Bailly en demandait plus de cinquante millions de francs[1]. Au bas mot, enchaînait un responsable de Sotheby's à Londres, qui parlait même de 200 millions. Imprudemment.

En réalité, la vente publique fut tuée dans l'œuf par la controverse. Déjà, le Getty avait hésité à l'acheter lorsque la peinture lui avait été discrètement proposée. Le Prado ne semblait pas y croire. Personne ne voulait irriter le Louvre. Le tableau ne fut pas vendu[2].

Charles Bailly en a gardé une profonde amertume : « Ce fut ma plus grande découverte, et mon plus grand échec. »

---

1. Plus de 8 millions d'euros.
2. Auparavant, Charles Bailly avait pris soin de conclure un arrangement financier avec la famille ayant confié la peinture à Mᵉ Tajan, comme il le fit pour d'autres de ses découvertes. Voir chapitre 9.

19.

Postiches et pastiches

La grande toile que Me Jacques Tajan a mis aux enchères ce 12 décembre 1995 est davantage un document d'histoire qu'une œuvre d'art. Cette représentation de la Cène dans un style hollandais assez maladroit, d'un peintre nommé Han Van Meegeren, fut adjugée 350 000 francs[1]. Sous l'apparence insignifiante de cette vente se dissimule l'épilogue d'une histoire extraordinaire. Cette peinture fut au centre d'une des plus grandioses supercheries de l'histoire de l'art : elle fut longtemps prise pour une importante œuvre religieuse de Vermeer.

En hiver 1937, l'historien d'art Abraham Bredius, faisant figure d'autorité suprême sur l'œuvre du peintre de Delft, a été transporté par une découverte. On lui a présenté une composition inconnue paraphée « IV Meer », la signature de Johannes van der Meer, autrement dit Vermeer. Une grande représentation du *Christ à Emmaüs* de 116 × 128 cm. On connaît peu de grands sujets religieux de Vermeer. Trente ans plus tôt, Abraham Bredius avait retrouvé *Le Christ dans la maison de Marthe et Marie*, œuvre de jeunesse encore gauche marquée par le caravagisme, et *L'Allégorie de la Foi*. Mais, pour l'historien d'art,

---

1. 57 000 euros.

la vision de ce nouveau tableau est autrement plus inspirante. Il rédige un certificat d'authentification en des termes enthousiastes : « Grâce à Dieu, cette œuvre magnifique est sortie de l'ombre où elle se trouvait, immaculée, intacte comme si elle venait tout droit de l'atelier de l'artiste. » Il ne croyait pas si bien dire.

Publiant un article dans le *Burlington Magazine*, il allait encore plus loin : « Nous avons ici un chef-d'œuvre – je dirais LE chef-d'œuvre – de Vermeer, un de ses plus grands tableaux en dimension, une œuvre totalement différente de toutes les autres, et dont, pourtant, chaque pouce ne peut être que de Vermeer. » C'est la différence même qui, au lieu d'éveiller les soupçons, soutient l'assimilation à l'œuvre de Vermeer.

L'émotion fut immense. La presse fit campagne pour que le gouvernement ne laissât pas disparaître un tel trésor national. La mobilisation du pays fut décrétée. Porté par la ferveur populaire, pas mécontent de pouvoir damer le pion au Rijksmuseum d'Amsterdam, le musée Boymans, de Rotterdam, se porta sur-le-champ acquéreur. Une souscription publique permit de couvrir le prix d'achat : 500 000 florins, soit plusieurs centaines de milliers de nos euros. Quand le musée accrocha le tableau à ses cimaises, ce fut l'émeute. Le pays avait sombré dans l'hypnose collective.

En réalité, le « chef-d'œuvre » sortait effectivement « tout droit de l'atelier de l'artiste ». Mais l'artiste en question n'était autre que ce peintre sans envergure, bien que bon dessinateur, pris d'un délire de revanche, qui avait longuement travaillé à cette toile, isolé dans une villa proche de Roquebrune. Pour mystifier ce monde qui l'avait rejeté. Cette aventure fit la fortune de Van Meegeren, qui ne voulut pas s'arrêter en si bon chemin. Il avait déjà réalisé sur la Côte d'Azur une *Cène*, qu'il avait signée du paraphe de Vermeer. En 1939, de retour aux Pays-Bas, dans son atelier de Laren, il s'attaqua à une deuxième *Cène*, plus grande encore (174 × 244 cm). Il réussit à la vendre, deux ans plus tard, à un richissime armateur d'Amsterdam, Hendrick Johannes Van Beuningen, le triple du prix payé pour *Le Christ à Emmaüs*. Il fallait faire vite, éviter que cette œuvre capitale ne tombât aux mains de l'occupant allemand ! Le même collectionneur lui avait acheté des faux Frans Hals et Pieter de Hooch. Van Meegeren poursuivit son œuvre de faussaire, mais sans se soucier de déployer la même habileté. En tout, il vendit huit « Vermeer », dont le plus grand est resté *La Cène*. En 1943, de plus en plus porté sur la boisson, il céda son dernier faux, le plus médiocre, *Le Lavement des pieds*, pour 1,3 million de florins au Rijksmuseum, que le dépit d'avoir raté *Le Christ à Emmaüs* avait rendu encore plus aveugle. La fortune si mal acquise de Van Meegeren se calculerait de nos jours en millions d'euros.

La duperie aurait pu durer encore, s'il ne s'était retrouvé victime d'un malheureux accident historique. Sous l'Occupation, une de ses contrefaçons, *Le Christ et la femme adultère*, avait abouti dans les mains d'Hermann Goering, qui appréciait beaucoup la peinture religieuse du Nord. En mai 1945, le capitaine Harry Anderson, de l'armée américaine, découvrit ce pseudo-Vermeer, caché en Autriche, dans la collection du satrape de Hitler. L'enquête aboutit vite à Van Meegeren, qui fut arrêté sous l'accusation de collaboration. Après quinze jours passés en prison, il se résolut à passer aux aveux : il n'avait pas trahi son pays ; au contraire, il avait trompé Goering. Libéré du poids du secret, grisé par son triomphe, savourant enfin sa revanche sur les autorités académiques qui n'avaient pas su reconnaître son talent, Van Meegeren s'attribua la paternité d'autres œuvres comme *Emmaüs* ou *La Cène*. Les juges ne crurent pas un mot de cette fable ridicule, sûrement inventée par un mythomane atteint de la folie des grandeurs, pour se tirer d'un mauvais pas. Devant les magistrats et policiers incrédules, l'accusé se saisit d'un pinceau et se mit à peindre une scène religieuse à la façon de Vermeer. Il a désigné des composants chimiques modernes, qu'il avait repris dans ses peintures, comme la bakélite, matière plastique inventée en 1907. Une radiographie aux rayons X du tableau vendu à Goering permit de discerner les traces d'une scène de bataille que Van Meegeren avait achetée en 1938. Il procédait ainsi, en grattant des peintures du XVIIe siècle dont il conservait le fond afin de donner un aspect ancien à la toile. Il en gardait autant que possible les craquelures. Chimiste de formation, il utilisait ensuite des pigments anciens, à base de lapis-lazuli, de blanc de céruse ou de cochenille. Grâce à des mélanges d'huiles essentielles et de bakélite dissoute à la thérébentine, il durcissait la couche superficielle, lui donnant l'aspect de peintures vieilles de trois siècles. Avec des couleurs quand même étonnamment fraîches. Il tenait cette technique d'un peintre appelé Van Wÿngaarden, qui avait été son maître, et qui est aussi soupçonné d'avoir tiré quelques avantages matériels de ses multiples talents.

Le scandale fut immense. Van Meegeren devint un héros populaire, un filou célébré pour son talent. Ayant usurpé l'identité d'un génie au nom presque semblable au sien, il obtint le succès dont il aurait rêvé pour son propre œuvre. En décembre 1947, il fut condamné pour avoir ainsi dupé la communauté des experts, mais surtout l'Etat, à un an de prison et 3,5 millions de florins de dommages et intérêts. Deux semaines plus tard, il était emporté par une crise cardiaque.

Une commission scientifique, présidée par le chef du laboratoire des musées royaux de Belgique, le professeur Paul Coremans, et composée de conservateurs de la National Gallery de Londres et du British Museum, avait démonté la supercherie. Certains n'étaient toujours pas convaincus. Un amateur belge, Jean Decoen, batailla jusque dans les années 70 pour la réhabilitation du *Christ à Emmäus*, et son retour aux cimaises du musée. Il percevait des fonds de l'armateur d'Amsterdam, qui avait été si fier d'acquérir une grande *Cène* de Vermeer. Jusqu'à sa mort, en 1954, celui-ci tint son tableau pour authentique, allant jusqu'à poursuivre de sa vindicte Paul Coremans, accusé de dénigrement. André Malraux fut de ceux qui apportèrent leur témoignage à ce scientifique intègre, qui mourut subitement dans le cours du procès, ayant vu ses derniers jours empoisonnés par cette controverse. Au final, les héritiers Van Beuningen durent bien se faire une raison, puisqu'ils se débarrassèrent de l'encombrante peinture, la cédant à un avocat, vivant en Suisse, chargé de la succession de l'armateur. C'est lui qui la confia à Me Tajan.

Toute honte bue, elle fut achetée par le musée de Rotterdam, qui s'appelle aujourd'hui Boymans-Van Beuningen, après avoir hérité de la collection de l'armateur. *La Cène* se trouve dans ses collections, cette fois comme un Van Meegeren.

L'ampleur de cette tromperie nous surprend aujourd'hui. Maladroit, creux, le style de Van Meegeren se ressent de l'académisme qui avait cours à La Haye dans les années 30. Sans doute son *Emmaüs* était-il davantage travaillé. Mais les personnages de *La Cène* sont terriblement figés. Il n'est pas besoin d'être grand expert, ni même de se livrer à un examen détaillé, pour voir combien les regards sont morts, vitreux. Or les peintures de Vermeer vibrent de la vie et de l'intensité du regard de ses personnages, tout en concentration sur un geste, quand il ne s'adresse pas au spectateur, convoqué à titre d'acteur de la scène.

Néanmoins, Van Meegeren parvenait à convaincre ses contemporains en soulignant, par le choix des sujets, le traitement de la couleur, des ombres et des lumières, une influence caravagesque qu'on venait à peine de découvrir dans la prime œuvre de Vermeer. On pensait alors que le peintre avait dû faire le voyage en Italie auquel se pliaient tant d'artistes européens. En fait, l'influence du Caravage lui était accessible par ses suiveurs de l'école de Delft. Sa belle-mère possédait ainsi une scène de bordel de Dirck Van Baburen, dont Vermeer réalisa une autre version. Ce léger déplacement fut la touche de génie de Van Meegeren, car il venait, par son étrangeté même, confirmer l'attribution à l'artiste. Tout le monde, ou presque (il y eut quelques voix discordantes), eut foi en ces peintures. Elles révélaient un chaînon manquant dans l'œuvre de Vermeer qu'au fond tous attendaient.

C'est aussi qu'on sait très peu de chose de Vermeer, pour la simple raison qu'il n'a que très tardivement été reconnu à la mesure de son génie. On n'a retrouvé de lui que trente-cinq peintures, dont plus d'un tiers ne sont pas signées. Certaines, dans le passé, avaient été attribuées à d'autres maîtres, dont le nom ne dirait rien aujourd'hui au grand public, mais qui le dépassaient par la réputation. Dans un cas même, sa signature a été grattée... pour conférer davantage de valeur au tableau. Au XIXᵉ siècle, des tableaux comme *La Dentellière*, *La Jeune Fille à la flûte* ou *L'Allégorie de la foi* se monnayèrent l'équivalent de quelques centaines d'euros. Son œuvre la plus célèbre, *La Jeune Fille à la perle*, a été adjugée aux enchères, en 1881, 2 florins. Plus 30 centimes pour les frais.

Dans la seconde moitié du siècle, certains entreprirent de réhabiliter ce peintre, dont le critique d'art et marchand Thoré-Bürger. En 1907, pourtant, le nom de Vermeer ne disait encore rien au financier et collectionneur américain Pierpont Morgan. L'affaire Van Meegeren montre ainsi la confusion qui handicapait encore la connaissance de Vermeer trente ou quarante ans plus tard. A sa manière aussi, ce faussaire a su exploiter ce conformisme du nom : quelle plus grande valeur pour un tableau qu'une signature célèbre, flanquée du certificat d'un grand expert ?

Tout le monde n'était pas Pierpont Morgan : quand un antiquaire new-yorkais lui montra une peinture de ce Vermeer dont il n'avait jamais entendu parler, la *Jeune Fille écrivant*, il fut subjugué. Et il débourna sur-le-champ une très forte somme pour faire l'acquisition d'une composition qu'il trouvait tout simplement extraordinaire. Sans se laisser arrêter par le nom d'un peintre qui lui était inconnu.

Mᵉ Pierre Cornette de Saint-Cyr eut moins de réussite que son confrère Jacques Tajan quand il voulut proposer aux enchères une partie du stock d'un galeriste parisien, Daniel Delamare. Un marchand un peu singulier, puisqu'il s'était fait une spécialité de vendre de faux Van Gogh, Pissaro ou Dufy, somptueusement installé avenue Matignon, au grand dam des galeristes occupant le quartier qui se bouchaient le nez à son passage. Cet homme d'affaires entreprenant passait commande à des artistes inconnus de paysages « à la manière de ». Tout était pastiché, y compris la signature de l'artiste. Chaque peinture était unique. Daniel Delamare revendait ces toiles à de nouveaux riches, américains notamment. Pour une centaine de milliers de francs[1], ils pouvaient ainsi montrer à leurs amis un champ de blé signé Van Gogh. Des nababs, comme l'Australien Alan Bond, lui commandaient copie des précieuses œuvres qu'ils avaient en leur possession. Sans doute afin de pouvoir remiser les originaux au coffre.

Cette activité de copiste n'est pas illégale, tant que personne ne prétend vendre des œuvres authentiques. Daniel Delamare prenait ses précautions. Sous la couche picturale, il faisait marquer ses toiles de plusieurs coups de tampon à la mine de plomb, visibles aux rayons X, empêchant selon lui toute utilisation frauduleuse. La différence avec les copistes habituels résidait dans l'adjonction de fausses signatures. Sa sincérité n'a pas ému ses collègues. Quand, désireux de faire un coup, il voulut vendre ses tableaux aux enchères, le comité professionnel des galeries d'art a protesté. Le président de Drouot, Me Joël Millon, a refusé à Me Cornette les facilités de la vente, qui aurait dû se tenir le 12 décembre 1991, dans la salle de prestige de Drouot-Montaigne. Les commissaires-priseurs, en effet, ne peuvent vendre que de la marchandise d'occasion. Or ces tableaux étaient réputés « neufs », puisque proposés directement par leur producteur.

---

1. Une quinzaine de milliers d'euros.

L'interdiction de vendre de la marchandise neuve n'a pourtant pas toujours été respectée à Drouot. Pendant des années, l'hôtel des ventes fut envahi de tapis neufs de basse qualité, fournis par milliers par des marchands parisiens. Certains soutiraient une couverture légale à leur trafic en obtenant du tribunal de commerce, pas toujours très observateur apparemment, l'autorisation de liquider leur stock aux enchères. Et ils recommençaient six mois plus tard. Non sans que la presse eût, de manière répétée, évoqué ce trafic continu, trois commissaires-priseurs furent finalement mis en examen. Mais leur faute n'était passible que d'une amende. Certains de leurs confrères avaient fait, eux, leur spécialité d'une autre production en grand volume : des croûtes russes, qui sortaient en série industrielle, encore frais, d'ateliers de peintres médiocres, du moins par l'imagination. Chaque trimestre, ces commissaires-priseurs (dont l'un était quand même associé au président de Drouot) annonçaient une vente de trois cents ou quatre cents tableaux, rassemblés sous les intitulés aussi pompeux que trompeurs de « vente de l'école de Moscou » ou de « l'école de Saint-Pétersbourg ». Chacune de ces bluettes était proposée au bourgeois pour quelques milliers de francs.

Le modus operandi de ces artistes vaut d'être décrit : le peintre aligne une demi-douzaine de toiles devant lui. Il peint tous les cieux. Puis, toutes les prairies. Puis, toutes les rivières. Il recommence : il peint tous les océans. Puis, tous les bateaux... La cadence est infernale. Vivant en France dans des conditions irrégulières, certains ont été interpellés dans une villa de la banlieue parisienne, avec des centaines de compositions autour d'eux. En l'attente d'une nouvelle vente de « l'école de... » à Drouot.

D'une vente à l'autre, le visiteur de l'hôtel des ventes retrouvait les mêmes tics, les mêmes modèles aussi. La production s'adaptait. Dès qu'un sujet apparaissait porteur, les compositions correspondantes se multipliaient comme des petits pains. Avec le temps, les nus de jeunes filles se faisaient de plus en plus nombreux, et de plus en plus lestes. Un signe sûr du goût de la clientèle.

Pendant des années, Drouot vécut au rythme de ces ventes. Cela n'empêcha pas la Compagnie de s'opposer à l'intrusion d'un Daniel Delamare : pas de neuf ici ! Les Modigliani, Gauguin et Cézanne factices furent mis en enchères par soumissions, ce mode de dispersion particulier échappant au monopole des commissaires-priseurs. Le 11 juin 1992, à l'hôtel Bristol, à deux pas de la galerie Delamare, cent vingt enveloppes, contenant des offres de prix, furent ouvertes devant commissaire-priseur et huissier de Justice. Goguenards, quelques galeristes du quartier déposèrent des propositions de 100 francs. Mais des collectionneurs japonais, des noms aussi illustres que Lawrence Rockefeller ou Edmond de Rothschild se manifestèrent, à des prix sensiblements égaux à ceux pratiqués par la galerie.

Daniel Delamare connut ensuite une succession de déboires. Poursuivi en Justice par un arrière-petit-neveu de Renoir l'accusant d'avoir abusivement utilisé le nom de son illustre parent, lui-même poursuivant ses adversaires, ayant raté un gros contrat au Japon où il espérait voir ouvrir le « Delamare Museum », il dut fermer boutique en 1997.

L'intéressé en tire une morale : « J'ai voulu consacrer le concept de double original. Ce faisant, j'ai désacralisé le marché. On ne pouvait me le pardonner. » Et plus prosaïquement : « J'étais installé sur 350 m², je gagnais 700 000 francs[1] par mois. Les galeristes étaient verts ! » Quant aux commissaires-priseurs, une fois encore touchés par la grâce, ils ont, sans le vouloir, dénoncé la fragilité d'une époque capable de légitimer ainsi le faux.

---

1. 110 000 euros.

20.

La malédiction de Jefferson

En 1787, Thomas Jefferson, alors ambassadeur des Etats-Unis auprès du roi de France, et futur président de son pays, passa commande à la veuve du comte de Lur Saluces de deux cent cinquante bouteilles du millésime 1784 du château d'yquem, qu'il tenait pour le « meilleur vin de ce nom » du Sauternais. A son consul à Bordeaux, il confiait qu'yquem avait « touché le palais des Américains plus qu'aucun autre vin qu'il avait vu en France ». Il en profita pour passer une commande de ce fabuleux breuvage pour le compte du président George Washington, en demandant spécifiquement qu'il leur fût livré non en fûts mais en bouteilles, conditionnement qui n'était alors pas si répandu. Ce fut cette invention de la bouteille de verre qui permit de mieux faire vieillir le vin, qu'on préférait jusqu'alors en primeur.

L'intérêt de Thomas Jefferson pour les vins français est entré dans la légende, d'autant qu'il se montra un chroniqueur fort avisé de la viticulture. Cet esprit libéral encyclopédique, juriste, architecte admirateur du style palladien, francophile s'exprimant dans un français parfait, fut dans le Bordelais capable de distinguer les meilleurs crus, comme yquem, lafite, margaux ou haut-brion bien avant le fameux classement de 1855. Les récits qu'il nous a laissés sur les vignobles français sont émaillés d'observations dont la pertinence scientifique est aujourd'hui reconnue. Thomas Jefferson ne pouvait se douter qu'il allait ainsi se trouver à l'origine d'un épisode malheureux survenu deux siècles plus tard, quand un collectionneur allemand de vieux vins revendit une fortune aux enchères des bouteilles en verre soufflé du XVIIIᵉ siècle, censées contenir les fameux crus commandés par l'ambassadeur.

En juin 1986, à l'occasion de la foire mondiale du vin, Vinexpo, Christie's fit ainsi sensation lors d'une vente aux enchères dans le parc des expositions de Bordeaux, organisée avec l'assistance d'un commissaire-priseur local. Marvin Shanken, figure du monde du vin, était présent. Ce propriétaire fortuné et un peu fantasque du magazine américain *Wine Spectator* se battit comme un beau diable pour acquérir à 198 000 francs[1] une demi-bouteille de margaux 1784 gravée aux initiales « Th.J. » Il prenait ainsi sa revanche sur une vente à Londres, le 5 décembre précédent, où il avait raté un lafite 1787 portant la même illustre gravure. Au terme d'un duel féroce entre les deux hommes, le flacon avait été emporté par Christopher Forbes, fils de Malcolm Forbes et éditeur éponyme du magazine américain, pour 1 160 000 francs[2]. Tous les records de ventes publiques de vin étaient battus. Ces deux lots avaient été confiés à Christie's par un collectionneur allemand de vins anciens, Hardy Rodenstock, connu pour organiser d'ahurissants banquets aux cours desquels les vins du XIXᵉ siècle coulaient à flot. Christie's assurait que ces bouteilles, présentant « d'excellentes conditions de conservation », avaient été « découvertes début 1985 dans une cave parisienne qui avait été murée » au moment de la Révolution, et mise au jour lors de travaux. Elle contenait des bouteilles aux initiales de l'ambassadeur américain de margaux, lafite, yquem, latour et mouton.

Les premiers doutes naquirent des propos du proprié-

---

1. 40 000 euros.
2. 238 000 euros.

taire allemand lui-même, qui ne voulut jamais localiser sa découverte. Or, la résidence de Jefferson à Paris n'a rien d'inconnu : il vivait à l'hôtel de Lanjeac sur les Champs-Elysées. Le nombre de bouteilles, censé être d'une demi-douzaine au départ, fut également sujet à des variations étranges : la quantité semblait enfler au fur et à mesure que de nouveaux spécimens se trouvaient proposés sur le marché. Expert de Christie's, Michael Broadbent admet lui-même n'en avoir jamais su le chiffre exact.

La présence de mouton dans cette cave pouvait aussi laisser perplexe. C'était en fait un anachronisme. Cette série de vins peut sembler logique aujourd'hui puisqu'elle aligne cinq premiers crus classés. Mais, à l'époque, dans un ensemble aussi sélectionné, ce vin aurait plutôt fait figure de mouton noir. Son vignoble, de constitution plus récente, n'avait ni la réputation ni le mérite de ses prestigieux voisins. Il appartenait au baron de Brane, qui était beaucoup plus préoccupé par son autre domaine, plus proche de Bordeaux, château Cantenac. Le baron n'avait pas une vision des terroirs aussi affinée que celle de Jefferson, pourtant simple visiteur de passage. Ce n'est qu'après l'acquisition du domaine par le baron Nathaniel de Rothschild, en 1853 aux enchères au tribunal de Lesparre, que le vin de mouton put rivaliser avec les plus grands. C'est d'ailleurs pour cette raison que le cru, aujourd'hui célèbre sous le nom de mouton-rothschild, a raté l'opportunité du classement de 1855. Il ne fut classé premier cru qu'en 1973. La prescience de Jefferson allait-elle jusqu'à prédire cette consécration ?

Tout en récusant les suspicions, Christie's eut la prudence d'arrêter de proposer des bouteilles « de Jefferson » aux enchères. Hardy Rodenstock continua, lui, à en écouler. Il aurait sans doute mieux fait de s'abstenir.

A un proche, Hans-Peter Frericks, il céda un Lafite 1784 et un 1787 « à un prix d'ami », selon ses propres termes. Mais quand il apprit que son ami essayait de les revendre avec un substantiel bénéfice, il s'est fâché, et fit tout pour s'opposer à cette revente. Pourquoi donc ? se demanda Frericks qui, à son tour, eut des soupçons. Pour en avoir le cœur net, il fit ouvrir une bouteille par l'expert de Christie's, avant de la confier pour analyse à un institut de Neuerburg. Catastrophe ! L'examen établit que le contenu était un mélange de vin et dépôts datant effectivement du xviiie siècle avec du vin des années 60, dans une proportion de 60/40. Il révélait notamment la présence d'isotopes radioactifs issus des expériences nucléaires atmosphériques. De plus, un minuscule éclat de feuille de plomb avait été trouvé dans la bouteille, confirmant qu'elle avait été ouverte et « complétée » par une bouteille du xxe siècle (au xviiie siècle, elles étaient cachetées à la cire).

Fin connaisseur et excellent professionnel, Michael Broadbent est resté ébranlé par cette affaire. Contrit, il sort toute une masse documentaire à l'appui de sa bonne foi. Trois experts ayant examiné la bouteille record de lafite avaient établi qu'il s'agissait bien « de verre soufflé de l'époque 1780-1790 ». Les lettres avaient été gravées avec un poinçon du xviiie siècle, et selon une graphie d'époque. Quand il passait des commande groupées pour George Washington et lui-même, Thomas Jefferson demandait aux châteaux de bien distinguer les envois. Ce qui expliquerait la gravure de ses initiales. D'autres analyses furent menées sur le contenu d'autres bouteilles, avec des résultats différents. Rien de probant : de toute manière, la bouteille de latour pouvait avoir été trafiquée, et pas forcément sa voisine. Hardy Rodenstock nous a clairement laissé entendre que le mélange détecté à l'analyse aurait été effectué par son ancien ami, pour le discréditer. Il assure que toutes les bouteilles sont authentiques, mais ne s'est jamais expliqué sur la localisation de cette découverte.

Généreux, le collectionneur allemand a fait déguster certaines de ces bouteilles dans ses somptueux dîners, en Allemagne ou dans le Bordelais, où il avait encore ses entrées. Depuis, il est déclaré persona non grata dans le vignoble.

Un crochet par les Etats-Unis s'imposait : le musée consacré à Thomas Jefferson, installé dans sa maison de Charlottesville en Virginie, n'a jamais cru que ces bouteilles provenaient de lui. Sa conservatrice, Susan Stein, s'explique : « Nous avons pourtant mené un important travail de recherche. Cette prétendue cave parisienne demeure un mystère total. Certains des millésimes mis en vente ne correspondent pas aux commandes dont la trace est restée dans la correspondance de Jefferson. Si elles sont effectivement d'époque, les gravures ne sont pas forcément déterminantes : il n'était pas le seul à avoir de telles initiales. » A New York, la rumeur de fraude avait de toute façon perdu de son importance. Forbes Jr. exposa fièrement sa bouteille dans le hall de son immeuble de presse à New York. Placé sous les néons, le lafite ne s'est pas mis à bouillir, mais presque. Le bouchon s'est rétracté, finissant par tomber dans la bouteille. Les amateurs étaient indignés. Christopher Forbes prit la chose avec philosophie : « Nous avons encore la bouteille originale, avec le vin, la cire et le bouchon d'origine. Même s'ils ne sont pas tout à fait dans l'ordre que nous aurions souhaité... »

Un soir d'avril 1989, un marchand de vins, William Sokolin, était invité à une rencontre d'œnophiles au Four Seasons, le restaurant chic de Manhattan, pour déguster le millésime 1986. Il ne résista pas à l'envie de montrer une autre de ces bouteilles gravées aux initiales de Jefferson, un margaux 1787. Il était tellement ému qu'il la fit tomber sur un coin de table, cassant la bouteille. Le précieux liquide se répandit sur la moquette. Certains s'empressèrent d'en recueillir quelques gouttes sur le doigt. Ils ont assuré à l'infortuné marchand qu'il était madérisé... La malédiction de Jefferson avait encore frappé.

Ce scandale, qui ne fut jamais vraiment élucidé, n'était que la pointe de l'iceberg. Dans les années 80, les fausses bouteilles anciennes se sont répandues dans les ventes aux enchères, en France et jusqu'en Suisse, en Belgique ou en Angleterre. La contrefaçon peut être assez rudimentaire : un petit malin achète une vieille bouteille de grand cru, dont le niveau est très bas. Dans ce cas, le commissaire-priseur, ou l'expert, a le scrupule d'annoncer « à l'épaule ». Ou, pis encore, « en vidange ». C'est mauvais signe. Une baisse légère de niveau est logique dans une bouteille de plusieurs dizaines d'années d'âge, car, malheureusement, le liège n'est pas un matériau complètement étanche. Cependant, si le niveau est trop descendu, un échange s'est produit entre l'air et le vin, qui n'y survit pas. Considérés comme anecdotiques, ces flacons font de tout petits prix. Le petit malin, lui, s'en satisfait. Il injecte un vin jeune à la seringue, pour refaire le niveau de la bouteille, avant de la faire partir dans une autre salle des ventes, où elle se vendra le triple. Ce détestable procédé est cependant détectable en renversant la bouteille : si une légère coulure se manifeste, il y a vraisemblablement eu fraude. L'autre petit jeu auquel il est possible de se livrer est la valse des étiquettes. Dans la mesure où les producteurs ne distinguent pas les étiquettes de bouteille de celles de magnum (contenant l'équivalent de deux bouteilles), il est toujours possible d'en décoller une pour doubler sa mise initiale, en remplissant le magnum de n'importe quel vin bon marché.

Des bandes d'aigrefins ont cependant mis sur pied des méthodes plus sophistiquées, en tirant profit d'une pratique ancienne dans les vignobles : le reconditionnement. Amateurs et professionnels peuvent en effet demander aux domaines viticoles de soumettre leurs antiquités à une cure de jouvence : changer le bouchon et l'étiquette. Le producteur repose une étiquette et un bouchon neufs, avec sa marque et le millésime ancien : 1945, 1947 ou autre. Eventuellement, il peut y avoir un transvasement : sur une caisse de douze bouteilles, dont le niveau a légèrement baissé au fil des décennies, une est sacrifiée pour remettre les autres à niveau. Certains pensent que cette opération favorise la longévité du vin. Du temps de leur gloire, les établissements Nicolas reconditionnaient ainsi régulièrement leur stock de vieux bordeaux.

Le principal intérêt de ce geste est en fait de rendre la bouteille mieux présentable. Ce vœu n'a rien de répréhensible s'il s'agit de renouveler une étiquette abîmée. Dans les ventes aux enchères, il est ainsi toujours intéressant pour un particulier de se porter acquéreur d'une bouteille dont l'étiquette est devenue quasiment illisible, ou même manquante. D'habitude, les négociants, sommeliers ou cavistes n'enchérissent pas pour ces produits, qu'ils ne peuvent pas ensuite proposer à leurs clients. Le connaisseur peut ainsi se régaler avec des amis, en s'offrant un grand cru pour la moitié ou le tiers du prix normal. Cela ne veut pas dire pour autant que le vin a été mal conservé : favorable à la cave, l'humidité l'est moins pour le papier.... En soi, la remise à niveau du vin est plus discutable, puisque, même bien faite, elle altère forcément le contenu de la bouteille.

Beaucoup plus grave, des étiquettes et des bouchons de vieux millésimes aux marques de château ont été manifestement ramassés par des faussaires. Il leur restait à trouver des bouteilles anciennes en verre soufflé, pour refaire les niveaux avec n'importe quoi, et mettre en vente des bordeaux des années 1910-1930, dont le niveau était excellent, le bouchon parfait, et l'étiquette comme neuve. Tous indices qui doivent donc entraîner la suspicion du consommateur, et, en principe, encore davantage celle du professionnel des ventes. Le cas échéant, il peut vérifier auprès du domaine viticole concerné, qui tient normalement un livre des reconditionnements. Un négociant bordelais s'est vu ainsi offrir deux magnums de latour 1929 « reconditionnés au château ». La propriété n'avait jamais reconditionné de magnum de ce millésime. Un naïf a amené chez Me Guy Loudmer deux bouteilles étiquetées des années 1900, mais en verre mécanique. Des faussaires ont voulu jouer sur l'association d'un cru et d'un millénaire prestigieux : Christie's Londres a laissé passer, dans un de ses catalogues, un romanée-conti 1947. A cette époque, il aurait été difficile d'extraire la moindre goutte d'une terre dont les vignes étaient arrachées... Nombre de faux sont passés en vente dans des villes comme Calais ou Rambouillet. Le critique renommé Michel Bettane a acheté un ausone 1959 aux enchères dans cette dernière localité : « Il était complètement faux, avec un fort taux de sucre résiduel[1]. » La mésaventure est arrivée à l'auteur de ces lignes pour un haut-bailly 1926, trouvé également à Rambouillet. Des viticulteurs se sont émus. Copropriétaire de Romanée-Conti, Aubert de Vilaine a admonesté le commissaire-priseur et son expert, après avoir détecté une série de faux la-tâche 1960 dans leurs ventes. Depuis, des châteaux comme Yquem ou Pétrus ont pris des mesures pour marquer leurs bouteilles. A notre connaissance, aucune poursuite n'a jamais été engagée. Pourtant, souligne Alain Bradfer, auteur d'un livre de cotations des vins, « les opérateurs se comptent sur les doigts de la main, les relais sont connus, et les salles de ventes où le réseau trouvait ses débouchés aussi ». Le petit monde des spécialistes avait fini par le savoir : les malfaiteurs disposaient d'une base près d'Annecy, et d'une connection commerciale dans l'île de Man, trouvant relais dans deux experts qui plaçaient systématiquement des vins falsifiés dans leurs ventes aux enchères.

Le marché s'est trouvé encore plus empoisonné quand la supercherie s'est reportée sur des millésimes plus récents, comme le 1982, très prisé depuis que le critique Robert Parker en a fait l'année du siècle. Les faux pétrus 1982 sont ainsi légion. Cette tromperie est plus difficile à détecter, car, dans ce cas, il est normal de trouver une bouteille en bon état, et un niveau satisfaisant. Quand les premiers faux ont commencé à circuler, ils étaient composés d'assemblages de vieux bordeaux qui pouvaient se révéler très bons. Aujourd'hui, le plus souvent, ils sont faits avec

---

1. Du sucre qui n'a pas fermenté. S'il en reste trop, il rend le vin plus doux et plus épais.

des vins médiocres. Même chez les escrocs, l'honneur se perd.

A Drouot, les experts qui monopolisent les ventes, Alex de Clouet et les Maratier, se sont efforcés de circonscrire le phénomène. Mais la fraude a aussi gagné en sophistication. Le 18 octobre 2000, dans une vente de Mᵉ Jacques Tajan, le chapitre des bordeaux s'ouvrait ainsi par une série prestigieuse, cinq caisses de six bouteilles de grande valeur : des margaux ou lafite 1900. Estimation de chaque lot : 130 000 francs [1]. Il est plutôt étonnant de trouver en si grand nombre des grands crus de 1900. Il n'y avait, cependant, a priori pas de raison de se méfier puisque les caisses étaient dites accompagnées d'une « attestation de reconditionnement » en bonne et due forme, de la vénérable maison bordelaise Barton & Guestier [2], « avec accord du château ». Dans l'avion qui la conduisait de Bordeaux à Paris, la propriétaire de château Margaux, Corinne Mentzelopoulos, feuilletait par hasard le catalogue de la vente. Elle avait beau être une jeune fille timide

---

1. 20 000 euros.
2. Il y a un siècle, cette société de négoce diffusait du lafite ou du margaux qu'elle mettait elle-même en bouteille. Traditionnellement, le négoce se chargeait des vins issus des grands domaines. La bouteille portait alors une étiquette indiquant le nom du château et spécifiant : « mise Barton & Guestier », « mise Tastet & Lawton » ou « mise Johnston »... Les négociants allongeaient considérablement ces vins d'ajouts venus du Bordelais, des Côtes-du-Rhône, mais aussi d'Espagne ou d'Algérie. Ils appelaient cela « fortifier », ou « hermitager », les vins. Les assemblages étaient adaptés aux marchés, pour le « goût anglais » ou « hollandais ». Cette pratique s'est sans doute maintenue dans le secret des chais des quais de Bordeaux ou de Bristol jusque dans les années 50. Chaque commerçant avait sa recette, si bien qu'un margaux ou un lafite des années 1900 peut se révéler très différent d'une « mise » à l'autre... Quoi qu'on en pense aujourd'hui, le résultat pouvait être excellent. Ce furent, justement, les propriétaires de margaux et de mouton-rothschild qui, en 1924, mirent fin les premiers à cet usage, en embouteillant toute leur production eux-mêmes. L'embouteillage au château est, aujourd'hui, obligatoire pour des bouteilles qui en portent l'étiquette. Un siècle et demi avant la révolte des propriétaires, Jefferson écrivait : « Le vigneron ne frelate jamais son vin car ce serait suicidaire de le faire. En revanche, dès qu'il passe entre les mains d'un négociant, il n'en ressort jamais pur. Ceci étant la base de leur négoce, aucun degré d'honnêteté, d'amitié personnelle ou de sympathie ne peut l'empêcher. »

que son père n'avait pas destinée à prendre les rênes du domaine, elle a su reprendre son héritage avec beaucoup d'efficacité. Elle sursauta en voyant une telle quantité de margaux 1900. Et s'indigna quand elle lut la mention de l'attestation. Elle sut immédiatement que c'était faux.

Consciente de l'atteinte au prestige de sa marque, elle saisit le service de la répression des fraudes. Courtoisement, elle alerta également le commissaire-priseur : « Les vins sont peut-être authentiques. Je n'en sais rien. Mais je puis vous assurer que le château n'a jamais agréé ces reconditionnements ! » La veille de la vente, le château Margaux envoya deux fax au commissaire-priseur, l'un pour interdire la vente, le second le sommant de préciser que jamais il n'avait donné son agrément à un quelconque reconditionnement, si jamais il décidait de maintenir la vente coûte que coûte.

Ainsi alerté, Mᵉ Tajan décida quand même de mettre les lots aux enchères, se contentant, à la dernière minute, d'une rectification verbale : « Les vins n'ont pas été reconditionnés avec l'accord du château. » A première vue, son attitude peut paraître bien légère. « Mais, après tout, le vendeur était un viticulteur-négociant honorablement connu de Pomerol. Il avait bien produit un certificat de Barton & Guestier », fait observer son expert, Alex de Clouet. De plus, château Margaux avait reconnu auprès du commissaire-priseur ne pas s'opposer à la vente. De toute manière, il n'y eut pas grand mal, puisque personne ne voulut enchérir pour des lots aussi chers et suspects.

Il devait bientôt s'avérer que c'était la troisième fois dans l'année que le commissaire-priseur proposait des caisses de margaux et lafite 1900, toutes de la même provenance. Un premier essai, le 25 mai 2001, était resté infructueux. Le 29 juin 2001, le commissaire-priseur avait adjugé une caisse de margaux 1900 pour 220 000 francs et six lafite pour 100 000 francs[1]. Certes, il n'a pas été le seul

---

1. 33 000 et 15 000 euros. Un des deux acheteurs a demandé la nullité de la vente. L'autre a tout bu.

à avoir été trompé, puisque Christie's en a aussi proposé dans ses ventes de Londres. Des personnalités aussi prestigieuses qu'Alain Ducasse, dirigeant plusieurs restaurants gastronomiques, ont, elles aussi, été flouées. Selon plusieurs dégustateurs, et non des moindres, les vins sont délicieux.

A Lafite, l'étonnement n'est pas moindre : « Le château n'a jamais donné son aval au reconditionnement de ces bouteilles 1900. » Appartenant à une autre branche des Rothschild que Mouton, cette digne société cultive une discrétion de bon aloi. Elle a ainsi préféré ne pas se porter partie civile. Chez Barton & Guestier, la situation est plus confuse. La société aussi bien que sa maison-mère, la multinationale Seagram, s'enferment dans le mutisme. Il semblerait, en effet, qu'une centaine de prétendues bouteilles de 1900 ait été reconditionnée par ses soins, non sans susciter quelques remous au sein de la maison. La découverte d'un si grand nombre de bouteilles séculaires avait, en effet, de quoi éveiller des soupçons. Les faussaires auraient ensuite fabriqué trois cents bouteilles, en se servant du certificat comme couverture à leur opération. Dans quelle mesure la maison Barton & Guestier a-t-elle vérifié si le vin était authentique ? Elle ne répond pas à cette question.

Trois expertises ont été commandées. Un laboratoire de Lyon a trouvé dans les échantillons de vin, comme dans le cas de la « bouteille de Jefferson », des traces de césium 137, postérieures à 1960. Les vins dateraient de 1962 ou 1963. Les escrocs ont manifestement cherché à jouer sur le gonflement attendu des prix à l'occasion de la célébration du millénaire, en jouant par surcroît sur le rapprochement avec 1900. Le jeu en vaut la chandelle, puisqu'il s'en est trouvé sur Internet proposées aux Etats-Unis pour plus de 60 000 francs[1] la bouteille. Cette fois, la Justice a été forcée de se saisir de l'affaire. Une instruction a été confiée au juge Renaud Van Ruymbecke, de la sec-

---

1. 9 000 euros.

tion financière de Paris. Il a interrogé le viticulteur-négociant de Pomerol, qui s'est présenté comme une victime.
Par le biais des ventes aux enchères, il cherchait à créer
une cote lui permettant d'écouler le reste de son stock qui
s'est révélé si calamiteux. Il avait acheté trois cents de ces
faux à un caviste bruxellois d'origine algérienne, Khaled
Rouabah, qui a refusé de répondre aux convocations.

Heureusement tout n'est pas perdu pour l'amateur de
vins fins, car la diffusion des bouteilles trafiquées est restée limitée à des bouteilles de grand prix. Il suffit d'ouvrir
un catalogue de ventes pour constater que la quasi-totalité
des lots se composent de caisses de douze bouteilles, dont
la plupart sont dans des fourchettes de valeur qui n'inté-
ressent guère les trafiquants. Les bouteilles uniques, de
vins cotés, dans des millésimes aussi recherchés que 1945
ou 1961, sont rares. Le marché est donc resté globalement
sain. La fraude a quand même contribué à casser la spéculation. Les amateurs vont aux ventes afin de pouvoir
déguster des vins introuvables dans le commerce de détail,
à des prix modiques. La morale est sauve.

21.

Ne pas confondre melon et pastèque

— Le commissaire-priseur prend l'entière responsabilité des œuvres décrites au catalogue. Me Blache prend d'autant plus volontiers cette responsabilité qu'elle lui est imposée par le décret de 1945[1].

Ainsi, dans sa grande sagesse, Me Blache, commissaire-priseur à Versailles, ouvrait-il ses ventes. Le décret en question, du 11 décembre 1945, stipule que « les indications au catalogue engagent la responsabilité solidaire de l'expert et du commissaire-priseur ». Un grand progrès avait été fait depuis l'époque où les commissaires-priseurs se permettaient d'afficher leur irresponsabilité (juridique, s'entend) dans les salles : « L'exposition mettant le public à même de se rendre compte des objets, aucune réclamation ne sera admise. »

En particulier, commissaire-priseur et expert sont censés garantir l'authenticité des objets qu'ils passent en vente. Autrefois, en théorie, cette garantie après-vente courait pendant trente ans. Les commissaires-priseurs se plaignaient beaucoup de cette particularité française,

---

1. Cité par Paul Guillaumin, *Drouot hier et aujourd'hui*, éditions de l'Amateur, 1987.

s'ajoutant au cortège d'handicaps que l'autorité aurait mis un malin plaisir à échafauder au fil des siècles pour rendre leur travail impossible. Dans la réalité, ils savaient bien que la jurisprudence avait déjà battu ce principe en brèche. Dans la loi du 10 juillet 2000, le délai a été réduit à dix ans. Les commissaires-priseurs trouvent encore le temps long.

Dans la vie réelle, la situation est tout autre. Il est vrai qu'en principe, si vous vous apercevez neuf ans après une vente que la torchère Boulle qui vous a été adjugée est en réalité une méchante copie du XIXᵉ siècle, vous pourriez obtenir un dédommagement, et même la nullité de la vente. Toutefois, le parcours est tellement semé d'embûches que vous y regarderez à deux fois. Même confronté à l'évidence, le commissaire-priseur ne va pas ingénument proposer de rembourser l'acheteur malheureux, quand bien même il est couvert par une assurance professionnelle. Il va même se servir de l'assurance pour repousser l'échéance désagréable entre toutes d'un remboursement :

— Certes, madame, tout ceci est bien embêtant. Mais il faut m'attaquer en Justice. Sinon, je ne peux pas faire jouer mon assurance.

Et voilà la brave dame partie pour des années d'une procédure pénible, et coûteuse. Il a fallu ainsi beaucoup d'opiniâtreté à une collectionneuse fortunée, Yolande Fauré, pour obtenir la réparation à laquelle elle avait droit. Elle avait acquis, en mai 1989 aux enchères à Versailles, une peinture intitulée *El Taller* (« l'atelier », en espagnol), de l'artiste contemporain catalan Miquel Barcelo. Le prix était élevé : plus de 700 000 francs[1]. Mais la peinture contemporaine connaissait alors un engouement sans précédent. Cet artiste-voyageur, dont les sujets ont varié avec les époques, était en vogue. Il a peint des paysages, des natures mortes parfois assez fortes, et aussi des autoportraits, en déclinant le thème du peintre en son atelier. Sur de grandes toiles de deux mètres sur trois, il aime travail-

---

1. 133 000 euros, frais inclus.

ler la matière, la matière brute, les couleurs vigoureuses. Admirateur de l'artiste américain Jackson Pollock, il se veut, comme lui, un peintre du geste, collant sur ses toiles de manière aléatoire des objets de la vie quotidienne. Né en 1957, avec sa tête de beau gosse un peu rebelle, il a accédé à la notoriété jeune et s'est lié à des galeristes aussi importants que Leo Castelli à New York, et, en Europe, Bruno Bischofberger ou Yvon Lambert.

A l'époque de la vente de Versailles, la spéculation faisait rage. Il était possible de revendre le double ou le triple une œuvre achetée un an plus tôt. Seulement *El Taller* n'a pas été revendu le double, ni un an plus tard, ni jamais. Inquiète d'une rumeur qui circulait dans les milieux de l'art, Mme Fauré a contacté Yvon Lambert, qui a interrogé l'artiste espagnol. Ce dernier a été catégorique : « Madame, c'est un faux. » Il a ainsi été conduit à dénoncer vingt contrefaçons, toutes vendues au prix fort à la fin des années 80 par le même commissaire-priseur de Versailles, Mᵉ Olivier Perrin. Le faussaire copiait des éléments disparates repris des œuvres du peintre, en collant par exemple des cigarettes ou du riz sur la toile. Il se servait apparemment d'un carnet d'esquisses de Barcelo, publié en 1983 sous le titre *Agenda*. Parfois, il reprenait une composition en inversant la position du personnage. Alors que l'artiste peint sur des toiles de lin, ces faux sont sur toile de coton. La signature est grossièrement imitée, en majuscules. Le pasticheur s'est aussi laissé trahir par des détails, laissant percer selon l'artiste son ignorance de la cuisine espagnole : « Il peignait une paella dans une poêle à frire, et il confondait melon et pastèque ! » Sommé par sa cliente de rembourser, après cet avis sans appel du peintre, le commissaire-priseur a fait la réponse que l'on sait.

Comme la dame a les moyens, et que 700 000 francs représente quand même une somme, elle a attaqué. Une expertise judiciaire a été ordonnée, concluant sans l'ombre d'un doute : « Le tableau litigieux intitulé *El Taller* n'est pas de Miquel Barcelo. » Une autre expertise a abouti à la même conclusion concernant deux autres œuvres, *Le*

Déluge et *Le Peintre et le loup*, à la facture qualifiée de « grossière ». Les macro-photographies comparant ces peintures à celles de Barcelo sont parlantes. Le modelé robuste des têtes ou des mains dans les œuvres authentiques se transforme dans les pastiches en apparences molles. Le trait déterminé, presque rageur, de l'artiste n'existe plus dans la copie. Les reliefs grumeleux disparaissent. Les anatomies sont maladroites. Le loup a perdu sa queue. Le pasticheur aussi, pourrait-on dire.

Le peintre, très affecté par cette affaire, contrairement à ce qu'une rumeur insistante a voulu faire accroire, a déposé une plainte en Espagne. Une commission rogatoire internationale a été délivrée par un juge madrilène, entraînant l'ouverture d'une enquête en France. Quant aux acquéreurs, ils se sont présentés en ordre dispersé devant les tribunaux civils. L'acquéreur du *Déluge*, autre variation du thème de l'artiste dans son atelier, a obtenu à l'amiable le remboursement de son achat. Une galerie de Mallorca, qui avait acheté trois de ces faux, a réclamé l'annulation des ventes et l'obtention de dommages et intérêts. Parallèlement, les enquêteurs français ont interrogé les dix-huit personnes qui avaient placé ces faux en vente auprès du commissaire-priseur de Versailles. Il est vite apparu que derrière ces noms, ou prête-noms, les tableaux avaient tous une origine commune : une marchande parisienne du nom d'Anne Bouder. Elle a reconnu : « Vingt-sept toiles me sont passées entre les mains. Mais je les avais obtenues d'un collectionneur toulousain, Gérard Dupont. » Interrogé à son tour par la police, celui-ci a admis avoir vendu à Mme Bouder ces prétendus Barcelo pour 300 000 francs [1], fin 1985-début 1986. Ils provenaient d'un lot de trente-cinq toiles et dessins qu'il avait achetés en 1983 à un certain Michel Batlle pour la moitié, 150 000 francs. Ces transactions se faisaient en liquide, sans justificatif ni facture, et les prix étaient curieusement modiques. Il assure néanmoins : « J'ai toujours cru que ces œuvres étaient authentiques. »

---

1. 62 000 euros.

Michel Batlle n'était pas un inconnu pour Barcelo. Peintre lui-même, émule de Barcelo, il tenait une galerie à Toulouse, Axe Sud, dans laquelle il avait organisé une exposition consacrée à l'artiste espagnol. Ce dernier ne se fait guère d'illusions sur son ancien ami : « Michel Batlle est certainement le faussaire. » Quand l'affaire a éclaté, il a reçu dans son atelier de Majorque la visite de Michel Batlle et de Gérard Dupont, qui lui ont demandé avec insistance de retirer sa plainte. Miquel Barcelo a même déclaré avoir été menacé en ces termes : « Vous ne savez pas ce que vous faites. Vous vous en prenez à des gens puissants, et c'est vous qui allez en souffrir le plus. » Médiocre dialogue de feuilleton policier, il faut bien l'avouer.

Barcelo ne s'est pas montré moins tendre envers Anne Bouder, s'étonnant de la voir échanger des « Barcelo » pour 15 000 francs : « A l'époque, ma cote était déjà bien supérieure. Elle pouvait difficilement l'ignorer. »

Dans un cas pareil, les enquêteurs peuvent soupçonner ce qui s'appelle en termes juridiques « le vil prix ». Si vous avez acheté à un inconnu, au fond d'une impasse louche, un Picasso rarissime de la période bleue, pour une poignée de billets, sans facture, les policiers, qui sont gens simples, auront tendance à flairer une combine. Que l'œuvre ait été volée ou qu'il s'agisse d'un faux, votre attitude louche fait de vous un complice du larcin. En l'occurrence, les Barcelo se sont revendus quarante fois leur prix d'achat. Un seul d'entre eux s'est vendu plus du double du prix payé pour un lot d'une trentaine de toiles. Mme Bouder croit pouvoir expliquer ces mouvements d'accordéon par la frénésie spéculative qui s'était alors emparée du marché. Quant à Michel Batlle, il proteste de son innocence : « J'avais moi-même acheté le lot à un marchand barcelonais, dont j'ai livré le nom aux policiers : Luis Claret. » Malheureusement, ce mystérieux fournisseur n'a jamais pu être retrouvé, ni même identifié. Les enquêteurs soupçonnent en fait le peintre d'avoir aussi été à la source de faux Combas. Antonio Gomez Dominguez, chef du groupe des œuvres d'arts de la police espagnole, accuse Gérard Dupont d'avoir, de la même manière, cherché à brouiller les pistes : « Avant de nous livrer le nom de Michel Batlle, il a voulu nous égarer, évoquant des personnes dont il livrait une description détaillée, mais toutes aussi inexistantes les unes que les autres. » Aux yeux du commissaire, encore un homme simple sans doute, les deux hommes étaient complices. La Justice espagnole a cependant clos le dossier, les faux ayant été fabriqués et vendus en France, aux enchères ou de manière plus discrète. Les enquêteurs espagnols citent ainsi le cas d'un universitaire ayant fait des recherches sur Barcelo, qui aurait payé en liquide deux de ces toiles dans une cafétéria de Nice... Depuis, l'artiste dit n'avoir pas eu de nouvelles de l'enquête pénale en France.

Quant au commissaire-priseur versaillais, en seize mois, de février 1988 à mai 1989, il a fait passer pas moins de vingt « Barcelo » apocryphes dans ses ventes. Pour un homme de l'art, cela fait désordre. Commencées à 42 000 francs, les adjudications se sont envolées jusqu'à 665 000 francs[1], le record revenant à l'infortunée Mme Fauré. Le commissaire-priseur a eu ce mot malheureux : « Même si ce sont des faux, c'est bien grâce à moi si la cote de Barcelo s'est envolée ! » Plus sérieusement, il dit n'avoir eu « aucun moyen de se douter de la supercherie ». Les policiers ont quand même été troublés d'apprendre qu'il entretenait une relation amicale avec Anne Bouder. Le commissaire-priseur ne le nie pas. Mais il se défend : « Il aurait été absurde de ma part de présenter sciemment en vente publique, avec force publicité, des faux attribués à un artiste encore vivant. » Mᵉ Perrin s'étonne aussi du silence des marchands représentant Barcelo : « Ils connaissent son œuvre, ils recevaient nos catalogues, ils étaient évidemment au courant de ces ventes dont la presse se faisait l'écho. Ils ne se sont pas manifestés pour les empêcher, ni eux, ni l'artiste ! » Sous-entendu : après tout, ne tiraient-ils pas

_____

1. De 8 000 à 126 000 euros.

eux-mêmes avantage de la flambée de la cote ? Car l'ironie de cette histoire est que le record obtenu pour un Barcelo dans une vente publique soit tombé sur un de ces pastiches.... Ou alors, autre allusion possible : ces œuvres n'étaient pas des faux. Simplement, les trouvant médiocres *a posteriori*, l'artiste en aurait profité pour faire le ménage dans son œuvre. Il aurait répudié des tableaux qu'il trouvait trop faibles, ou qui tout simplement ne lui plaisaient plus. Dans la version romancée qu'il a assez honteusement livrée de cette affaire, sous le titre *L'Homme au chapeau rouge*, l'écrivain Hervé Guibert se fait l'écho de cette hypothèse crasse, et présente contre toute vérité un Barcelo insouciant de la falsification dont il a été victime, cultivant volontairement l'ambiguïté.

La légende a parfois prêté un tel mouvement d'humeur à des artistes importants. On disait Picasso, quand il était dérangé par un riche Américain venu lui présenter une de ses œuvres, fort capable de renvoyer l'importun en lui disant : « Non, ce n'est pas moi qui ai peint cela. » Peut-être apocryphe, l'anecdote a quand même le vraisemblable pour elle, quand on connaît le caractère et l'humour du « maître ». Une mésaventure du genre est arrivée à Mᵉ Jean-Claude Binoche en 1972, quand il a mis en vente deux tableaux de Giorgo de Chirico, à l'occasion de la dispersion de la collection Kruger. L'artiste demanda le retrait des toiles, en prétendant qu'elles étaient fausses. Agé de quatre-vingt-dix ans, il est venu lui-même le certifier au tribunal. Il était connaisseur, puisqu'il avait lui-même, dans les années 40, répété ses propres compositions des années 10, parce qu'elles se vendaient bien. Malheureusement pour lui, Mᵉ Binoche avait trouvé des courriers signés de l'artiste datés de 1919 évoquant ces deux œuvres, en se plaignant de les voir mélangées à « des Modigliani de merde ».

— On vous dira ce qu'on veut, ces tableaux sont 100 % faux ! a lancé l'artiste à la barre avec un accent à couper au couteau.

Les juges ne l'ont pas cru, et ont autorisé la vente, qui s'est fort bien passée.

Rien n'indique que Miquel Barcelo ait pu avoir une telle réaction, tout au contraire. Il n'empêche : il s'est retrouvé sur la défensive. Il a dû montrer qu'il avait catalogué entièrement son propre œuvre, et qu'évidemment les tableaux litigieux n'y apparaissaient pas. Ainsi, parce qu'il s'est élevé contre une dénaturation insupportable de son travail, dont il tenait à défendre l'intégrité, qu'il a passé outre aux menaces, et qu'il a tenu à supporter tous les désagréments qu'apportent les procédures judiciaires, un artiste s'est retrouvé sali par la rumeur.

Finalement, Mme Fauré s'est désistée de son action au civil, après un arrangement dont le contenu n'a pas été révélé, mais assorti d'une indemnisation qui fut dite « confortable ». Inquiète du dommage causé à la profession, la Chambre nationale des commissaires-priseurs était discrètement intervenue en ce sens. Il avait quand même fallu huit ans et demi à la propriétaire « du Barcelo record » pour parvenir à cette transaction amiable. Un collectionneur néerlandais qui avait acquis un autre de ces faux, pour 235 000 francs [1], eut moins de chance. Il avait assigné le commissaire-priseur dès 1991. Le tribunal lui a bien accordé l'annulation de la vente et le remboursement de la somme. L'expert et le commissaire-priseur ont été condamnés *in solidum*. Dans les faits, il s'est fait balader pendant des années d'interlocuteur en interlocuteur, pour n'obtenir qu'une somme dérisoire des héritiers de l'expert, décédé depuis lors.

---

1. 45 000 euros.

22.

Clair comme du cristal de roche

Le faussaire que nous rencontrons a l'air diablement sûr de lui. Son anecdote est racontée de manière lacunaire dans un livre policier, *Vanity Art*[1]. L'auteur, qui se cache derrière le pseudonyme de Salvatore Walker, est en réalité un antiquaire milanais du nom de Giacomo Wannenes, qui entend bien régler ses comptes avec le milieu. Tracés au vitriol, ses portraits font sourire ceux qui reconnaissent assez aisément « les cinq sorcières » – la coalition des antiquaires parisiens qui tient le haut du pavé – ou « la girafe » – une marchande qui a la réputation de proposer à l'occasion de faux bronzes dans sa galerie. Le style du livre, qui respire la traduction maladroite, n'est pas fameux, l'intrigue policière est assez mal tournée, et le ton vindicatif. L'auteur paraît s'identifier à un personnage ayant mérité le surnom de « Perfidie », qui prétend tirer vengeance des rebuffades que lui auraient fait subir les décorateurs en multipliant les propos homophobes.

Mais plusieurs épisodes croustillants sur les avatars du marché de l'art, souvent rendus de manière lacunaire, reposent sur des faits réels. Ainsi, ce faussaire qui a inspiré un des personnages centraux du roman a bel et bien

---

1. Éditions Ramsay, 2000.

existé. Il s'appelait Eric Hebborn. Ce barbu aux allures de Falstaff était un dessinateur talentueux. C'était aussi un révolté, né dans une famille pauvre de Londres en 1934, abandonné par sa mère, placé à huit ans en maison de correction après avoir mis le feu à l'école. Sur le tard, il publia ses Mémoires. Elles firent sensation. Il révélait être l'auteur de centaines de dessins ayant circulé comme des Corot, Rubens, Rembrandt, Tiepolo, Guardi, Gainsborough... *Le Christ à la couronne d'épines* de Van Dyck au British Museum, c'était lui. *Le Temple de Vénus* et *Diane au bain* de Bruegel le vieux au Metropolitan Museum de New York, encore lui. De même pour cette étude de Piranèse au musée national de Copenhague. Il aurait sûrement fait sienne la proposition de l'historien d'art anglais Ernst Gombrich : « Il n'y a pas d'œuvre fausse, il n'y a que des fausses attributions. » Quand on lui a demandé le pourquoi de ses révélations, Eric Hebborn a évoqué un désir de revanche : « J'ai voulu démontrer à la face du monde l'incompétence des experts, la malhonnêteté des marchands et le caractère obtus des critiques. » Propos que pourrait reprendre à son compte l'auteur de *Vanity Art*... Le scandale redoubla avec la publication d'un deuxième volume de ses carnets, en 1995. Le syndicat national des antiquaires italiens s'indigna du « tort commercial énorme porté à la profession ». Des amis d'Hebborn le mirent en garde :

— Tu es fou ! Tu ne te rends pas compte des intérêts financiers en jeu.

— Tu vas voir, un de ces jours, on va me retrouver la tête fracassée dans une rue de Rome, confia l'intéressé à un ami proche.

Funeste prémonition. Dans la nuit du 9 au 10 janvier 1996, son corps inanimé fut retrouvé dans une ruelle sombre du Trastevere. L'enquête conclut à une mort accidentelle, une rupture d'anévrisme après une soirée bien arrosée. La victime avait le crâne enfoncé, mais le traumatisme crânien aurait été entraîné par sa chute...

Pour élaborer sa fiction, l'auteur de *Vanity Art* s'est aussi servi d'un autre personnage réel : lui-même. Il évoque ainsi une série de douze faux lustres en cristal de roche dans le style néo-classique russe de la fin du XVIIIe siècle. Dans son roman, il ne confesse pas toute la vérité : ces imitations ont en réalité été fabriquées par lui-même. Il ne dit pas non plus que trois d'entre eux ont été vendus comme authentiques le 18 juin 1999 à Drouot, par une des associations de commissaires-priseurs les plus sérieuses, PIASA. Reproduits en couverture de catalogue, ils constituaient le clou de la vente. Ils se sont vendus plus de 3 millions de francs[1], le triple de l'estimation. Le commissaire-priseur, Me Lucien Solanet, a agi apparemment en toute bonne foi. Il a été sidéré d'apprendre qu'il pouvait s'agir d'une fabrication contemporaine : « Je sais qu'il existe des faux lustres en circulation. Mais, je serais très surpris si c'était le cas. Notre client nous avait dit les tenir de longue date de son père. Peut-être votre faussaire se trompe-t-il ? S'il est si sûr de lui, pourquoi a-t-il attendu un an et demi pour le dire ? » Avant d'ajouter, sans ironie : « Si tant est qu'il s'agit de faux, ce serait à l'honneur de celui qui les a fabriqués. » Quant à l'expert, Jean-Paul Fabre, il est tout aussi étonné. Il tient l'auteur de *Vanity Art* pour un « délateur ». Autrement dit, il lui en veut de ces révélations portées au grand jour, sans avoir averti les organisateurs de la vente.

Quelles preuves notre copiste peut-il avancer ? Il décrit de manière détaillée les lustres, dont il nous montre le modèle, dans sa cave à Milan. Longtemps, il restaura des lustres, jusqu'au jour où sa connaissance fut suffisamment complète pour en fabriquer des factices. En 1958, il a commencé à monter ces lustres dans le style néoclassique, composés de dix-huit lumières. Les bronzes, les boules, les disques en verre bleu de Murano, les amandes, les poirettes et les plaquettes en cristal de roche, tout est contemporain. Chaque lustre diffère des autres par d'in-

---

1. 457 000 euros.

fimes détails de lui seul connus. La surprise du commissaire-priseur et de l'expert parisien est à la mesure de leur scepticisme. Il est pourtant une méthode sûre pour déceler les faux « lustres XVIIIᵉ ». Les pendeloques en cristal de roche se distinguent non seulement par leur aspect mais aussi par le trou permettant de les accrocher. Aujourd'hui percé à la machine, il est régulier. La méthode ancienne ne permettait pas de faire un trou aussi parfait. L'ouvrier creusait méticuleusement un passage à l'aide d'un trépan. Parvenu à peu près au milieu des perles, il faisait éclater la pierre de l'autre côté. Si bien que son passage a la forme d'un double cône, dont l'un est lisse et l'autre présente des aspérités. Il est toujours horizontal, alors que la machine peut tailler des trous en biais. Est-il utile de préciser que c'est bien entendu le cas des pendeloques des lustres passés en fanfare à Drouot ?

Les lustres en cristal de roche étaient particulièrement appréciés au XVIIIᵉ siècle. Dans l'hôtel particulier d'un aristocrate, ils représentaient, de très loin, les pièces les plus chères : un inventaire datant de 1736 cite un grand lustre à six branches en cristal de roche valant 8 875 livres, quand une bibliothèque Boulle en valait 43 et une paire d'encoignures en laque de Chine 150. Comme les bijoux, les lustres étaient démontés et remontés au fil des époques, si bien qu'il est en fait quasiment impossible de trouver aujourd'hui un lustre français en cristal de roche remontant à la monarchie. Ce qui aurait dû éveiller la méfiance des experts... De nos jours encore, le coût de fabrication est élevé, car le cristal de roche reste un matériau précieux. D'après Giacomo Wannenes, selon la taille, un tel lustre peut coûter de 20 000 à 40 000 euros rien qu'en matière première. Chacune des copies « russes » fabriquées par le restaurateur milanais compte près d'un millier de perles, environ quatre cent cinquante poirettes, une soixantaine de pendeloques et deux boules. Son travail de copiste est très beau, tout le monde l'admet. Si beau que ses œuvres vivent leur propre vie. Et leur auteur a ainsi la surprise d'apprendre, après coup, que certaines ont été recédées comme de magnifiques lustres du XVIIIᵉ siècle. Lui les a pourtant toujours vendues comme copies, les témoignages en attestent. Et même, comble de l'honnêteté, il en a publié une reproduction dès 1984 au chapitre des « faux » dans un ouvrage qu'il a publié aux éditions Leonardo. De plus, il a volontairement glissé un contresens historique. Contrairement aux artisans français ou italiens, leurs homologues russes n'avaient pas recours au cristal de roche. Ils utilisaient du cristal de Bohême, éventuellement de Baccarat. Le mot cristal a beau se retrouver dans les deux cas, ce n'est pas du tout la même matière : le cristal de roche est un minéral, apporté de contrées lointaines comme Madagascar, avant d'être taillé par un lapidaire ; le cristal de Bohême ou de Baccarat est un verre dans lequel a été introduit une dose de plomb.

Il est fort probable qu'à l'origine de la fraude se trouvent certains antiquaires parisiens, qui se fournissaient auprès du fabricant milanais. Il existe ainsi un copiste bordelais qui vend de belles répliques de lanternes Louis XV. Et un Parisien qui fait son commerce en les revendant comme vraies aux galeries et particuliers de New York... En une quarantaine d'années, les lustres de Giacomo Wannenes ont pu changer plusieurs fois de mains, si bien qu'il est difficile de savoir qui, dans cette chaîne, a pu se tromper... ou tromper autrui. Le commissaire-priseur et l'expert de Drouot se trouvaient, eux, en bout de chaîne. Ils furent aussi stupéfaits qu'irrités de se retrouver victimes de cette mésaventure. Elle ne leur en fut pas moins profitable : dans la *Gazette de l'Hôtel Drouot* du 3 novembre 2000 l'étude Delorme & Fraysse a publié un encart publicitaire annonçant une vente de prestige le 15 décembre de « tableaux, souvenirs historiques et objets divers », accompagnée de cinq photographies des plus beaux lots. La plus grande montre un superbe « lustre en bronze et cristal de roche Louis XV ». Expert : M. Jean-Paul Fabre. Le même qui opérait lors de la vente des trois lustres pseudo-russes. Mais, le jour de la vente, rectification a été opérée. En-dessous de la même photo, le catalogue annonçait tout bonnement : « Un lustre cage en bronze doré et cristal de roche. » L'époque Louis XV a disparu. Et l'estimation est modeste, inimaginable pour un lustre du xviiie : 70 000 francs[1]. Ce correctif démontre en l'occurrence que l'expert, échaudé, a fait honnêtement son travail. Il a bien fait : c'est le même copiste milanais qui avait aussi réalisé ce lustre, dans un tout autre style.

Les spécialistes de Drouot n'ont pas été les seuls à avoir été égarés par ces pastiches. Deux autres lustres de cette série des néo-classiques russes ont été vendus à l'industriel Henry Ford II par une galerie new-yorkaise réputée, après être passés dans les mains d'un grand antiquaire parisien. Quand la succession Ford a été confiée à Sotheby's en 1978, elle les a revendus, elle aussi, comme d'authentiques lustres du xviiie siècle, pour environ 1 million de francs[2]. Plus tard, la maison de ventes devait rectifier son erreur : elle a vendu une autre paire de ces lustres, en les décrivant cette fois comme des copies. Et pour cause : c'est Giacomo Wannenes lui-même qui l'avait mise en vente, en prenant soin de dire la vérité à Sotheby's. Celle-ci a été adjugée plus de 600 000 francs[3], le 14 juin 1996 à Londres. Dans sa notice, l'expert souligne l'identité de ces lustres avec ceux de la vente Ford. Avec toute la discrétion qui sied aux bonnes maisons, il admet donc implicitement qu'à l'époque, le catalogue était erroné. Une autre paire est passée en vente à Monaco le 11 décembre 1999, cette fois encore cataloguée par Sotheby's comme « de style néo-classique ». Rappelons que « de style » veut dire imitation.

Pour alléger la peine des professionnels qui s'y sont laissé prendre, il faut bien préciser combien il peut être malaisé de déterminer si un lustre est d'époque. En témoi-

---

1. 10 700 euros.
2. 418 000 euros (2,7 millions de francs valeur 2000).
3. 95 000 euros.

gne l'affaire particulièrement embrouillée du lustre Cartier-Givenchy. Appelons-le ainsi, puisque aujourd'hui on ne sait trop d'où il provient. En 1979, Sotheby's a dispersé à Monaco la succession du bijoutier Claude Cartier, dans laquelle figurait un lustre en bronze ciselé et doré de neuf lumières provenant de son hôtel particulier parisien. Catalogué comme « de style Louis XVI », estimé 35 000 francs, il a été adjugé 72 000 francs [1] à l'antiquaire Michel Meyer. Après en avoir sans doute un peu embelli les bronzes, ce dernier l'a revendu trois ans plus tard au couturier Hubert de Givenchy pour 450 000 francs [2]. Quand Hubert de Givenchy a dispersé une partie de son mobilier par l'intermédiaire de Christie's, toujours à Monaco, cette maison de ventes a expertisé le fameux lustre comme d'époque Louis XVI. De manière alambiquée, la notice du catalogue évoquait une similarité avec un lustre livré par le marchand mercier Dominique Daguerre et fabriqué par le bronzier renommé François Rémond pour le marquis de Laborde, qui l'accrocha dans son salon du château de Méréville. Réputé pour l'élégance de son travail, ce bronzier compta la reine Marie-Antoinette parmi ses clients. Il faut bien avouer que, faute d'élément probant, le texte du catalogue tournait autour d'une hypothèse. Mais elle avait l'avantage d'être brillante, ce qui est toujours favorable à une bonne vente. Dopé par le succès de la vente Givenchy, en décembre 1993, le lustre a été acheté près de 2,7 millions de francs [3] par une riche Américaine de la côte est, Jane Cunniffe. De voir leur lustre « de style » de quelques dizaines de milliers de francs s'envoler à 2,7 millions, comme pièce Louis XVI, a vivement déplu aux deux enfants Cartier, qui, six mois plus tard, ont réclamé 1 million de francs [4] en réparation à Sotheby's. Comme il lui arrive parfois, la Justice a pris son temps, d'autant que l'affaire était compliquée par des problèmes de compé-

---

1. 27 000 euros.
2. 118 000 euros.
3. 450 000 euros.
4. 164 000 euros.

tence juridique. Mais enfin, en novembre 1999 le tribunal a requis une expertise. Coup de théâtre : l'expert, Bernard Tisserant, conclut que le fameux lustre serait en réalité un faux moderne, de fabrication rudimentaire, « conçu avec un éclairage électrique ». Le lustre a été, selon lui, doré « au nitrate de mercure à l'électrolyse », procédé bien sûr mis au point après l'apparition de l'électricité, avant de recevoir une fausse patine, dite « patine antiquaire ». La visserie serait postérieure à 1960. Par-dessus tout, il aurait été « fabriqué dès le départ » pour laisser passer des fils d'alimentation électrique. Le rapport finit d'achever l'objet, en dénonçant un travail grossier incomparable avec le style délicat et raffiné d'un bronzier comme François Rémond. L'expert de Christie's, Patrick Leperlier, n'a pas été du tout convaincu par ce rapport. Un restaurateur parisien de bronzes réputé, Claude Toulouse, a émis à son tour un avis contestant en plusieurs points l'expertise judiciaire, soulignant que « les bras n'étaient pas creux » et qu'il n'avait donc pu être conçu pour fonctionner à l'électricité. Evidemment, aux yeux des magistrats, cet avis ne pèse pas du même poids qu'un rapport commandé sous leur haute autorité, et, du reste, plus fouillé. Le tribunal de Paris renvoya sèchement les Cartier dans les cordes, donnant raison à Sotheby's. La collectionneuse américaine pourrait, elle, se retourner contre Christie's en estimant avoir surpayé un lustre présenté d'abord comme de style, puis comme authentique, avant de subir ce honteux déclassement. D'après le rapport d'expertise, il vaudrait moins de 200 000 francs [1].

---

1. 30 000 euros.

23.

La multiplication des faux bronzes

Guy Hain passait difficilement inaperçu dans les salles de ventes. Grande gueule, incapable de rester en place, ne dédaignant pas un petit détour par le bistrot du coin, ce brocanteur autodidacte avait commencé sa carrière comme représentant en produits vétérinaires. Cette activité lui fit faire la connaissance d'amis des bêtes, amateurs de la sculpture animalière du XIXe siècle, dont Antoine-Louis Barye et Pierre Jules Mène sont les grands noms. Il se mit lui-même à collectionner les bronzes. Guy Hain, semblait-il, n'avait qu'un défaut : toute sa vie, il a été en délicatesse avec les autorités. Il fut, lourdement, condamné pour conduite sous l'emprise de la boisson. Il dut mettre un terme à son activité de représentant à la suite d'un redressement fiscal. En 1979, il se reconvertit en ouvrant un magasin au Louvre des Antiquaires[1] qu'il baptisa « Les ducs de Bourgogne », en référence à son origine dijonnaise. Evoquant quelque hôtel cossu de province, l'enseigne avait de quoi rassurer les clients venus des quartiers chics de l'Ouest parisien. Ils n'auraient pas dû être rassurés.

_____

1. Galerie marchande, proche du Louvre.

Le brocanteur s'orienta vers un métier bien plus lucratif que de tenir boutique : la fonderie d'art. Il se tourna vers la Franche-Comté, réputée pour sa tradition de la fonte au sable. A partir de 1984, il s'est adressé à la maison Galmiche, à Froideconche, pour lui demander d'éditer des sculptures à partir de moules qu'il présentait comme les siens. En 1990, il reprit une usine fermée à Luxeuil-les-Bains, la fonderie Balland. Un an plus tard, il ouvrit son propre atelier de ciselure, à Nogent-sur-Marne. Dans l'intervalle, « le duc de Bourgogne », tel qu'il avait été surnommé par les antiquaires, avait croisé la route d'un certain Georges Rudier.

Georges était le neveu d'Alexis Rudier, nom illustre dans le petit monde de la sculpture. Depuis le XIXe siècle, les Rudier forment une dynastie de fondeurs, dont la renommée a été attachée à l'œuvre d'Auguste Rodin. Disparu en 1897, Alexis Rudier, le fondateur, a laissé son nom à l'entreprise. Contrairement à une légende tenace, il n'aurait pas œuvré pour Rodin. En revanche, dans les quinze dernières années de sa vie, le sculpteur, mort en 1917, faisait appel à son fils, Eugène. Celui-ci a gardé le nom de son père comme marque de fabrique. Jusqu'à sa disparition, en 1952, Eugène continua de produire des fontes marquées « Alexis Rudier ». Il bénéficiait notamment de l'exclusivité des tirages d'œuvres de Rodin. Son cousin, Georges, a pris la suite. Pendant trente ans, il fut à son tour le fondeur du musée Rodin, éditant pour lui des œuvres aussi célèbres que *Le Baiser* ou *Le Penseur*. Longtemps il le fit sous la marque d'origine, « Alexis Rudier », avant de lui substituer son propre nom. Guy Hain avait bien conscience du prestige attaché à ce patronyme. En 1982, de plus, l'œuvre de Rodin était tombé dans le domaine public, ce qui autorisait n'importe quel artisan à reproduire ses sculptures. Six ans plus tard, le brocanteur signa un contrat de collaboration avec Georges Rudier, dont la fabrique était installée à Châtillon-sous-Bagneux. En 1989, âgé de quatre-vingt-quatre ans, accumulant les difficultés financières après avoir perdu les commandes émanant du musée Rodin, le fondeur signa un contrat d'exclusivité sur quinze ans avec Guy Hain. Ce dernier put ainsi mettre la main sur des moules originaux de Rodin, dont il pouvait tirer autant de fac-similés qu'il voulait. Il est allé encore plus loin en s'emparant du nom même de Georges Rudier, et de celui, prestigieux, de son oncle Alexis, qu'il fit enregistrer comme marques déposées à l'Institut national de la propriété industrielle. Il fit de même avec la marque d'une des fonderies les plus actives du XIXᵉ siècle, Barbedienne. Il n'y avait pourtant aucun droit.

Dès le début de sa collaboration avec Georges Rudier, un premier accrochage opposa Guy Hain au musée Rodin. Au nom du droit moral de l'artiste[1], le musée a fait saisir en 1989 dans sa boutique une *Eve au rocher*, tout en portant plainte pour contrefaçon et escroquerie. La procédure rebondit quand Guy Hain reprit la fonderie Balland. En s'installant en France-Comté, l'artisan avait, sans le savoir, signé sa perte, car un inspecteur de la police judiciaire de Dijon, Denis Vincenot, dont la petite taille était inversement proportionnelle à la ténacité, commença à s'attacher à ses pas. Ce policier avait déjà à son actif le démantèlement d'un réseau de contrefaçons d'œuvres de Giacometti. Une dénonciation avait attiré l'attention des autorités locales sur les activités de Guy Hain. Son affaire marchait bien. Trop bien même. La demi-douzaine d'ouvriers n'était pas enregistrée à l'URSSAF. Aucun n'avait jamais croisé le patron. Guy Hain passait apparemment sa vie caché derrière des prête-noms, à commencer par son ex-femme, Solange Jonckheere. Guy Hain lui-même ne s'embar-

---

1. « Perpétuel, imprescriptible et inaliénable », il répond à la définition suivante : « l'auteur a droit au respect de son nom et de son œuvre ». Son titulaire est censé protéger l'œuvre de toute dénaturation, même quand il est tombé dans le domaine public. La contrefaçon est un cas flagrant, mais il peut y en avoir d'autres. S'il prenait ainsi fantaisie à la municipalité de Calais de séparer le groupe des *Bourgeois* qu'elle avait commandé à Rodin, pour installer chaque personnage, peint en couleur fluo, sur différentes places de la ville... le défenseur du droit moral (en l'occurence, le musée Rodin) pourrait s'opposer à ce qu'il considérerait comme une défiguration, contraire à l'intention de l'artiste.

rassait pas de chéquier, mais Solange faisait valser les millions sur une dizaine de comptes bancaires. Curieusement, il avait dispersé ses centres de production, tout en prenant un luxe de précautions pour écouler ses bronzes par des filières détournées. Simplement pour échapper au fisc, toujours à ses trousses ? Surveillances, filatures, écoutes téléphoniques. En janvier 1992, les policiers en surent assez pour débarquer à Luxeuil. Sur place, à la fonderie Galmiche avec laquelle il traitait toujours, dans ses autres ateliers de la région parisienne, mais aussi au siège de deux commissaires-priseurs de Rambouillet, ils saisirent pas moins de deux mille cinq cents pièces. Plus de vingt tonnes de bronzes furent placées sous scellés à Lure. Cette masse comptait des centaines de sculptures finies, ainsi que de pièces détachées : tête d'homme, main gauche, pied droit ou queue de cheval. Les experts judiciaires, Claude France, désigné par la cour d'appel de Versailles, et Gilles Perrault, nommé par la Cour de cassation, eurent le plus grand mal à reconstituer le puzzle. Il leur fallut un an pour les séparer en six catégories, comptant différentes variétés de faux, auxquelles il leur fallut ajouter les « moules et modèles d'atelier », les « fragments non identifiés », les « œuvres inachevées », ou encore celles « réalisées en conformité avec la législation ». Il y en avait.

Deux mois après son interpellation, Guy Hain fut remis en liberté provisoire. Il reprit son travail, ouvrant un nouvel atelier à Saint-Maur. Il fut de nouveau arrêté, en novembre 1993. D'autres pièces furent saisies. Cette fois, il se retrouva à la prison de la Santé pour six mois. Récidiviste[1], il fut condamné, en 1997, par le tribunal correctionnel de Lure à quatre ans de prison pour escroquerie et contrefaçon. Le 28 juin 2001, la cour d'appel de Besançon confirma la peine, en l'alourdissant d'une amende de 2 millions de francs[2]. Guy Hain fut reconduit à la Santé,

---

1. En 1994, il avait déjà été condamné par la cour d'appel de Paris à dix-huit mois de prison avec sursis, pour avoir vendu une série de faux, en 1984 et 1985, à un amateur américain ; sans compter les peines prononcées pour ses frasques au volant.
2. 300 000 euros.

plaçant son dernier espoir dans un recours devant la Cour de cassation.

C'est la plus grosse affaire de faux jamais révélée. Guy Hain avait fait fabriquer un total de six mille sculptures, œuvres d'une centaine d'artistes, dont Rodin, Barye, Mène, Carpeaux, Maillol, Bourdelle, Claudel, Bugatti, Despiau ou Pompon. Il en aurait vendu pour 130 millions de francs [1]. La trace d'un tiers seulement de sa production a pu être retrouvée. Encore aujourd'hui, il reste des stocks saisis, par le Trésor public ou chez des transporteurs, qui n'ont toujours pas fait l'objet d'un examen. Les compagnons d'aventure de Guy Hain connurent des fortunes diverses. Mis en examen pour complicité, Georges Rudier, dont le comportement fut sérieusement mis en cause, est décédé durant l'instruction, en 1994. Un non-lieu a été accordé à son fils, Bernard, qui avait poursuivi la collaboration entamée avec Guy Hain. Son ciseleur, ainsi que son ex-épouse, eux aussi, purent bénéficier d'un non-lieu. En revanche, les soupçons pesant sur les deux commissaires-priseurs de Rambouillet, Mes Francis Faure et Bernard Rey, apparaissaient suffisamment lourds pour qu'ils fussent déférés devant le tribunal correctionnel, accusés de complicité d'escroquerie.

Guy Hain s'était toujours servi des salles de ventes à travers la France pour écouler sa production. Il avait commencé par Dijon, où Me Philippe Sadde tenait le marteau. A Rambouillet, Mes Faure et Rey ont passé, de 1987 à 1991, cent quatre-vingt-huit bronzes en vente, qui leur ont rapporté une douzaine de millions de francs [2]. Me Faure nuance cependant : « presque tous étaient des sujets animaliers, il n'y eut qu'une quinzaine d'œuvres importantes, de Rodin », dont l'une fut adjugée 2,1 millions de francs. Il souligne que les réalisations de Guy Hain représentaient « une toute petite part des trois ou

---

1. 25 millions d'euros, en prenant l'année 1989 comme référence. Ceci dit, dans cette activité, les frais de production sont importants. Même pour un fraudeur.
2. 2,2 millions d'euros.

quatre ventes de bronzes organisées par an ». Dès la première année, l'attention de l'étude avait été attirée par
Dina Vierny, représentant la Fondation Maillol, sur la présence d'un bronze suspect de cet artiste, qu'ils durent retirer in extremis de la vente. Comme nous le verrons, ce ne
fut pas la seule fois de leur carrière que les deux commissaires-priseurs eurent maille à partir avec la Justice. Ils
furent relaxés. Le tribunal ne voulut admettre à leur
encontre qu'une « certaine légèreté », qui n'était pas péna-
lement répréhensible. Les deux accusés firent en effet
valoir à leur décharge que les statues fournies par Guy
Hain étaient accompagnées de certificats d'authenticité de
Georges Rudier, que ce dernier signait sans même voir les
œuvres. Les statues de Rodin étaient présentées au musée
Rodin, qui ne s'émouvait pas outre mesure de voir défiler
ces copies. Mes Faure et Rey avaient aussi pris la peine de
s'adjoindre les services d'experts particulièrement éclairés,
qui n'y voyaient que du feu. Au besoin, ceux-ci à leur tour
demandaient conseil au musée Rodin. Experts ou avocats
des différentes parties n'ont pas manqué dans cette affaire
d'ironiser sur la compétence du musée... Le même qui
avait, trente ans durant, fait confiance à Georges Rudier.
Mécontent de la relaxe des deux commissaires-priseurs, le
parquet a fait appel. La cour a de nouveau relaxé
Mes Faure et Rey, estimant qu'ils avaient pu être trompés
par des contrefaçons « difficilement décelables ». Elle a
également pointé les défaillances de l'enquête : « A défaut
d'investigations sur les autres ventes, notamment par la
recherche des acheteurs, ce qui aurait permis de retrouver
et d'expertiser les bronzes, il n'est pas possible de vérifier
que les prévenus ont sciemment vendu des bronzes contre-
faisants. »

Sans doute animés d'un compréhensible souci de discrétion, les magistrats n'ont pas évoqué l'incohérence
d'une instruction qui s'était abstenue de poursuivre
d'autres commissaires-priseurs. Plusieurs productions de
Guy Hain avaient ainsi été vendues à Calais par l'entremise de Me Eric Pillon. Mais ses plus grands succès, il les

avait obtenus à Drouot, où il confiait ses œuvres à une vedette, Me Hervé Poulain. Les prix obtenus étaient impressionnants. Le 27 novembre 1989, ce commissaire-priseur a ainsi adjugé *L'Age d'airain*, la première grande sculpture de Rodin, 3,5 millions de francs[1], au promoteur immobilier Christian Pellerin. Cette statue avait fait scandale en 1877, quand elle fut exposée au Cercle artistique de Bruxelles puis au Salon de Paris, sous le titre *Le Vaincu* : l'anatomie de la figure était tellement réussie que l'artiste fut accusé d'avoir triché en réalisant son moule sur nature. Les enchérisseurs de Drouot connaissaient cette histoire. Mais ce qu'ils ignoraient, c'est que le bronze avait été fabriqué tout récemment, et non pas du temps de l'artiste comme le laissait supposer l'inscription, maquillée, « Alexis Rudier ». Faisant référence à la monographie éditée en 1931 par le musée Rodin, le catalogue de Drouot n'était pas avare en descriptions aussi flatteuses que « fonte ancienne », « très rare épreuve », œuvre « unique », dont la patine verte attestait d'un long séjour au grand air. En réalité, il s'agissait d'une patine artificiellement vieillie à l'aide de tampons abrasifs. La supercherie pouvait se déceler par l'absence de coulures, que la pluie ne manque pas d'imprimer sur le bronze. De plus, la couleur était identique à l'extérieur de la sculpture et à l'intérieur.

Le dispendieux Christian Pellerin avait déjà sacrifié une fortune, 4 250 000 francs[2], pour un *Baiser* fabriqué par Guy Hain, à la vente de Me Poulain du 31 mars 1989. Des professionnels ont aussi été escroqués. Le 29 juin 1989, Me Poulain adjugea pour 500 000 francs[3] une *Tête monumentale de Jean d'Aire*, extraite du groupe des *Bourgeois de Calais*, à un vieil ami, le commissaire-priseur Guy Loudmer. Le catalogue prétendait qu'il s'agissait d'une « rare épreuve d'Alexis Rudier », avec cette précision chronologique dont l'impropriété grammaticale laisse songeur : « Sujet réalisé par Rodin entre 1894 et 1895 »...

---

1. 650 000 euros.
2. 800 000 euros.
3. 94 000 euros.

Quand, trois ans plus tard, les policiers rendirent une visite de courtoisie à Mᵉ Loudmer pour lui apprendre que sa tête était un faux, il ne trouva pas l'incident amusant. Cette vente fut source de fâcherie entre les deux confrères, qui avaient été associés dans le temps. En mars 1989, pour un total de 500 000 francs [1], le galeriste parisien Robert Vallois avait acheté, cette fois à Saint-Dié auprès de Mᵉ Michel Guérin, un *Baiser* et un *Eternel printemps*, dont le cachet du fondeur, « F. Barbedienne », avait été maladroitement imité, lettre par lettre. Trois mois plus tard, Robert Vallois a payé, à l'étude parisienne Gros-Delettrez, 2 millions de francs [2] un autre Rodin, un *Balzac nu*, dont la fausse patine pouvait s'enlever au white spirit. Pour la petite histoire, il avait acheté cette figure grandeur nature à moitié avec... un expert de Rodin, Albert Benamou. Ce dernier avoua plus tard aux policiers : « Guy Hain avait mauvaise réputation dans les salles de ventes. » Pourtant s'il eut des soupçons, il n'avait pas dû les exprimer trop fort, puisqu'il avait lui-même expertisé plusieurs pièces mises en vente par Mᵉ Poulain, sans s'apercevoir de rien. Il s'était, en particulier, montré emballé par *Le Baiser* que Christian Pellerin a payé si cher à Drouot : « C'est une fonte d'Alexis Rudier, exécutée du vivant de Rodin. La perfection de l'épreuve est caractéristique de cette époque. Sa finesse de fonte, sa ciselure et les tonalités de la patine en font une exceptionnelle réussite de la fonderie Alexis Rudier. » L'inspecteur Denis Vincenot a stipulé plus tard, dans un de ses nombreux procès-verbaux : « Ce bronze portait une mention "Georges Rudier, fondeur Paris 1/12" qui a été effacée et remplacée par : "Alexis Rudier, fondeur Paris." »

C'est la première contrefaçon dont usa Guy Hain : maquiller des fontes signées de son ami Georges Rudier. Il meulait la mention « reproduction » ainsi que le prénom, qu'il remplaçait par celui d'Alexis, afin de faire croire

---

1. *Idem.*
2. 373 000 euros.

à une fonte ancienne. Ce subterfuge peut se révéler quand le ponçage a été effectué sur un métal déjà patiné. A l'œil nu, il est possible de distinguer une auréole suspecte autour du nom qui a été regravé. Sur *L'Age d'airain*, Guy Hain s'était contenté de repasser du cirage, qui s'effaçait à l'essence de thérébentine. Un examen minutieux permettait, parfois, de déceler quelques lettres ou numéros de série poncés.

Guy Hain s'est enhardi à produire des bronzes sur une grande échelle. Il s'est mis à apposer lui-même des cachets de fonderie. Pour ses reproductions, il avait recours à toute la panoplie des techniques. Dans le meilleur des cas, il se servait de moules originaux de Rodin, qu'il avait récupérés de Georges Rudier. La police a notamment saisi des moules de *L'Age d'airain*, du *Baiser*, du *Balzac* et du *Penseur*, ainsi que soixante-seize plâtres d'atelier d'œuvres de cet artiste, dont toute une série tirée des *Bourgeois de Calais*. Une centaine de statues de Rodin attendaient d'être vendues. Et un bon demi-millier des figures animalières de Barye ou de Mène, particulièrement appréciées par la clientèle des salles de ventes.

Guy Hain réalisait aussi des surmoulages, en plâtre ou en polymère, à partir d'une sculpture existante. Pratiqué depuis le XVIIᵉ siècle, le surmoulage est le procédé habituel des faussaires. Il s'agit littéralement de copies de copies. Les dimensions de l'œuvre s'en trouvent légèrement modifiées. La différence se calcule cependant en millimètres par mètre. Ces bronzes se trahissent le plus souvent par une finition médiocre. Cette technique a été utilisée à une échelle industrielle à la fin du XIXᵉ siècle dans des pays comme les Etats-Unis. *L'Amour victorieux*, statuette de Jean-Louis Grégoire, aurait été ainsi éditée à cent mille exemplaires dans le monde[1]. Un amateur peut fort bien s'en contenter, à la condition de la payer à sa vraie valeur, qui est sans comparaison avec une belle édition. Pour ses surmoulages, Guy Hain est allé, afin de reproduire une

---

1. Pierre Kjellberg, *Les Bronzes du XIXᵉ siècle*, éditions de l'Amateur, 1989.

biche couchée de Barye, jusqu'à utiliser un de ces souvenirs en résine qui se vendent au musée du Louvre, bien que ceux-ci soient réalisés, à dessein, dans des dimensions qui n'ont rien à voir avec l'original.

Pour sa défense, Guy Hain joua sur l'ambivalence fondamentale d'une œuvre qui se décline en multiples. Dans quelle mesure, s'il est bien fait, un tirage est-il moins « authentique » qu'un autre ? Après tout, le musée Rodin a édité tout au long du xxᵉ siècle des versions en bronze des sculptures signées de cet artiste. Cette production est parfaitement légale, dans la mesure où elle est réalisée dans les règles. Or, de règles, jusqu'à une époque relativement récente, il n'y en avait pas. Défenseur de l'accusé, Mᵉ Emmanuel Marsigny ne s'est pas privé de pointer les défaillances d'une législation qui, longtemps, ne distinguait pas « originaux » et « reproductions » : « Curieusement, c'est dans le code des impôt que des éléments de réponse peuvent être trouvés. » En 1966, en effet, dans un de ses accès de générosité qui sont d'autant mieux appréciés à leur juste valeur qu'ils sont rares, le ministère du Budget a décidé d'exonérer de la TVA les ventes aux enchères « d'œuvres d'art originales ». Lesquelles, dans la mesure où le code de la propriété intellectuelle et artistique ne disait mot sur le sujet ? Réponse du ministère, dont il n'aura pas été dit qu'il pouvait être pris au dépourvu : celles « répondant aux conditions qui seront fixées par décret ». Il aura fallu dix-huit mois pour que le décret sorte. Daté du 10 juin 1967, il stipule : concernant la sculpture, sont considérées comme « œuvres d'art originales les fontes à tirage limité à huit exemplaires et contrôlées par l'artiste et ses ayants droit ». Pour tout simplifier, en 1992, s'étant sans doute rendu compte qu'il avait commis une petite folie, le Budget a supprimé cette exonération de la TVA. Il a donc rendu sans objet l'article de loi dans lequel ces premières règles étaient inscrites. On peut néanmoins considérer qu'elles entrent dans la jurisprudence. Rien n'était prévu pour réglementer les tirages supplémentaires. Ce n'est que le 3 mars 1981 qu'un autre décret, toujours du Budget, « sur la répression des fraudes en matière de transactions d'œuvres d'art et d'objets de collection », a édicté l'obligation pour « toute reproduction d'une œuvre d'art originale » de porter « de manière visible et indélébile la mention : reproduction ». Il est bien précisé que cet impératif n'entre en vigueur qu'à dater du jour de publication du décret. Il existe un code de déontologie des fondeurs, qui prévoit notamment d'apposer le millésime de fonte sur les statues afin de dissiper toute équivoque, mais celui-ci n'a pas force de loi.

Quelles sont désormais les règles ? Le créateur, ou le titulaire de ses droits, peut produire une série originale de huit tirages, numérotés de 1/8 à 8/8. Ils valent, bien sûr, plus cher. Il a le droit d'y ajouter quatre « épreuves d'artiste » (en principe, non destinées à la vente, mais qui peuvent fort bien aboutir dans le commerce). Elles sont reconnaissables à leurs chiffres romains : de I/IV à IV/IV. Cette édition de douze doit être effectuée sous l'autorité de l'artiste, ou de son ayant droit. Quand il décède, les droits de reproduction reviennent au légataire, qui peut être sa veuve ou ses enfants, mais aussi, s'il en fait le choix, une fondation, ou encore l'Etat. C'est tout le paradoxe de la chose : l'artiste a beau ne plus être de ce monde, l'œuvre nouvellement fondue n'en est pas moins « originale ». A propos d'une vente aux enchères de bronzes de Rodin, des magistrats ont cru obéir au bon sens en disant qu'un original émane forcément directement de l'artiste. Dans un arrêt du 5 novembre 1991, la Cour de cassation leur a donné tort, en ayant recours à des formules que seuls de doctes juristes sont à même d'élaborer : « S'il est vrai que le modèle en plâtre ou en terre cuite est seul réalisé par le sculpteur personnellement, les épreuves en bronze à tirage limité coulées à partir de ce modèle, dont elles tiennent entièrement leur originalité, n'en doivent pas moins être considérées comme l'œuvre elle-même émanant de l'artiste. » Le musée Rodin a ainsi fait tirer en 2000 des épreuves originales de *L'homme qui marche, sur colonne*, que Rodin avait sculpté en 1900. Les réserves de ce musée regorgent ainsi d'« originaux » posthumes. Sans compter les milliers dont il a alimenté le marché. Dans le demi-siècle précédant l'entrée en vigueur de cette réglementation, rien ne s'opposait à la vente de sculptures « originales » à des centaines d'exemplaires.

Aujourd'hui encore, aucune limite n'est fixée à l'édition supplémentaire d'exemplaires considérés comme des « reproductions ». Il peut aussi bien y en avoir vingt que deux mille. Là encore, le code des fondeurs préconise de marquer la série (par exemple de 1/20 à 20/20). Mais ce n'est pas obligatoire. Il y a eu dans le passé des combinaisons de chiffres et de lettres, ce qui ouvre la voie à des multiplications miraculeuses. Au final, on ne sait plus très bien à combien s'est monté le total de l'édition. L'emplacement et la taille des caractères de la mention obligatoire « reproduction » ne sont pas normalisés, si bien qu'elle peut figurer en miniature. Il faut cependant qu'elle soit « visible ».

Les amateurs ont du mal à se retrouver dans ce labyrinthe. Le 7 novembre 2001, chez Sotheby's à New York, un particulier a payé l'équivalent de 17,6 millions de francs[1] pour un *Baiser* signé de Rodin. Il n'y avait rien à redire de l'honnêteté de la notice du catalogue, qui précisait la date de fonte (1923), la marque du fondeur (Alexis Rudier), et la provenance (musée Rodin). Cet exemplaire a beau porter les deux signatures illustres, il a été édité six ans après la mort de l'artiste, et vingt-trois après la disparition d'Alexis Rudier. Rodin avait légué son fonds d'atelier et tous ses droits à l'Etat, qui a ouvert le musée portant son nom en 1909. Celui-ci s'est mis à fabriquer des sculptures en série. Compte tenu de la somme mirobolante qu'il a déboursée, le collectionneur américain a-t-il vraiment conscience qu'il s'est offert une simple épreuve posthume qui existe à des centaines d'exemplaires ?

---

1. 2,7 millions d'euros.

Le sculpteur lui-même n'agissait guère différemment. Comme le souligne Pierre Kjellberg[1] : « La notion de tirage limité n'était pas entrée dans les mœurs. Rodin faisait tirer des bronzes en grand nombre, répondant à la demande d'une clientèle toujours plus étendue. Il n'hésitait pas à faire des agrandissements ou des réductions mécaniques des sujets les plus demandés, à reprendre isolément des personnages extraits de certains groupes (*La Porte de l'enfer*, *Les Bourgeois de Calais* en particulier), enfin à en regrouper d'autres provenant d'œuvres antérieures pour en créer de nouvelles, selon la méthode dite du marcottage. De nombreux fondeurs travaillent pour lui. En outre, il signe pour quelques œuvres des contrats d'édition à plusieurs centaines d'exemplaires. Aussi s'agit-il de nuancer une légende tenace selon laquelle il aurait exercé un contrôle minutieux sur l'exécution de tous ses bronzes. On peut même affirmer avec certitude qu'il n'a pu matériellement surveiller en personne la fonte de la majorité d'entre eux. » C'est d'autant plus vrai que Rodin aimait voir la matière en mouvement. En ceci, il se montrait un artiste exceptionnellement moderne. Il faisait confiance à ses fondeurs, se montrant plus curieux qu'inquiet du résultat de leur ouvrage. Quand l'un d'eux lui réclamait des consignes, il lui rétorquait : « Vous ferez comme vous sentez, et les autres feront différemment. » Poussé par la nécessité, Jean-Baptiste Carpeaux lui avait ouvert la voie. En 1865, il a passé avec Barbedienne un contrat pour l'édition de réductions du *Prince impérial*, représentant le fils de Napoléon III avec son chien. En 1872, dans les toutes dernières années de sa vie, assailli de difficultés financières, l'artiste a ouvert lui-même à Auteuil un atelier éditant des figurines en bronze ou en marbre extraites de ses monuments, *La Danse* et *La Fontaine de l'Observatoire*. Ainsi que le note le professeur Jacques de Caso, « l'atelier Carpeaux, comme on l'appelle aujourd'hui, était une véritable organisation. Il s'agissait d'un exemple unique d'en-

---

1. *Op. cit.*

treprise commerciale, avec un directeur de production, un directeur des ventes, des catalogues de prix, des promotions, des expositions et des ventes aux enchères à Paris, en province, et même à l'étranger [1] ».

Carpeaux et Rodin rompaient ainsi avec un certain modèle classique, qui voulait que l'artiste accordât un grand soin à son œuvre finie. C'était encore le cas d'un Barye. Ce perfectionniste a même tenu à éditer lui-même ses œuvres à partir de 1838, ce qui faillit le conduire à la ruine. Il n'apposait son cachet que sur les bronzes qui lui donnaient entièrement satisfaction. Inutile de dire que ces exemplaires d'époque, à la ciselure rugueuse, évoquant une peau d'orange, sont particulièrement recherchés par les collectionneurs.

Jusqu'au XIXᵉ siècle, en général, les grands tirages restaient uniques. Depuis la Renaissance, les artistes faisaient fondre leurs œuvres à partir d'une épreuve dite « à cire-perdue », car elle ne survivait pas à l'opération. La fonte présentait des accidents que l'artiste réparait lui-même. Il surveillait de près la ciselure et la patine. Les commanditaires les plus fortunés pouvaient réclamer la destruction des moules, afin de garder une œuvre limitée à un ou deux exemplaires. Rapidement, cependant, apparurent dans le nord de l'Italie des ateliers capables d'éditer des médailles ou des statuettes. Ceux de Pisanello, au XVᵉ siècle, et de Giambologna, au siècle suivant, étaient réputés. Quand il ne répondait pas aux commandes des papes et souverains qui se disputaient leur faveur, leur atelier se livrait à l'édition de sujets plus modestes destinés aux nobles. De faux bronzes romains furent aussi produits pour répondre à la folie de l'Antique. Les numismates connaissent ainsi les « padouans » : l'expression vient de Giovanni Cavino, habile copiste de Padoue, en Vénétie, qui s'illustra au XVIᵉ siècle dans l'imitation des médaillons et sesterces de l'Empire romain.

---

1. « Serial Sculpture in XIXth Century, France ». In *Metamorphoses in XIXth Century Sculpture*, Harvard University Press.

A Paris, Barthélemy Prieur éditait ses bustes d'Henri IV ou de Marie de Médicis en réductions. Ne pouvant rivaliser avec celle d'Italie, la production française de cette époque est beaucoup moins bien connue. Pour tirer des œuvres d'art, il fallait parfois faire appel à des fondeurs de canon. Il fallut attendre les années 1690 pour que les ateliers de bronziers prennent de l'ampleur à la faveur du goût promu par Louis XIV, grand collectionneur de bronzes dans la foulée de Richelieu et Mazarin. Princes et monarques commandèrent l'érection de statues à leur gloire dans les cours de palais et places publiques. A leur tour, aristocrates et municipalités en demandaient copies, quand ils ne passaient pas leurs propres commandes. François Girardon a ainsi diffusé en reproductions de 1 m ou de 70 cm de hauteur son *Enlèvement de Proserpine*, sculpté en marbre pour le parc de Versailles, et sa statue équestre de Louis XIV, inspirée de celle de Marc Aurèle. Elles en restent le seul témoignage : élevée à Paris, place Louis-le-Grand, la statue de Louis XIV fut détruite en grande cérémonie à la Révolution. Pour ses moules, l'artiste pouvait faire appel à un « cirier », avant de confier ses œuvres à un « fondeur-fondant », et enfin à un « ciseleur », qui en assurait la finition. Chaque artisan gardait jalousement ses recettes de patine, très importante puisqu'elle donnait l'apparence finale à l'œuvre. Dans sa chronique publiée à Florence en 1550, *Vies des plus excellents peintres, sculpteurs et architectes*, Giorgo Vasari décrit cet ultime traitement : « Quelques artistes le font devenir noir en l'enduisant d'huile, d'autres le rendent vert à l'acide, d'autres encore lui donnent la couleur noire avec le vernis ; chacun enfin le traite comme il lui plaît. » Les Florentins donnaient au bronze une teinte brun rouge par des mélanges d'acide acétique et de sanguine. Pour obtenir le vert antique, il fallait introduire dans la potion magique du sel marin et de la crème de tartre. L'acide sulfurique donnait une couleur allant du café au lait au chocolat sombre. A la fin du xixe siècle, les artisans utilisèrent des huiles à base de « noir de fumée » (poudre tirée de branches de saule carbonisées). On appelle « bronzage » l'apposition de certains vernis, d'où l'expression aujourd'hui davantage utilisée sur les plages. Le goût change selon les époques : au marron brillant, qui fait penser à un morceau de plastique, nos contemporains préfèrent nettement le vert tirant sur le bleu, qui leur semble plus « naturel ».

Au XVIIIe siècle, les corporations durent réagir à l'activité redoublée des trafiquants. En mars 1730, l'Académie Saint-Luc des artistes de l'agglomération parisienne interdit aux artisans toute copie sans autorisation. Trente-six ans plus tard, la communauté des fondeurs installa un bureau de protection des modèles, ancêtre du dépôt légal, auprès duquel sculpteurs et orfèvres déposaient leurs projets. Sa déclaration prit forme légale avec une sentence de police, suivie d'un arrêt du Parlement du 30 juillet 1766 : « Les maistres-fondeurs sont tenus de faire un dessin de la pièce très juste et très conforme. » Numéroté, il servira « au bureau en cas de difficulté ». Les Français ayant toujours montré quelque réticence à appliquer la loi avec enthousiasme, le 15 mars 1777, le roi revint à la charge pour faire « très expresses défenses » de copier des œuvres « sans la permission de l'auteur ou de l'académie ». Ces textes sont des fondements du droit d'auteur, universalisé après la Seconde Guerre mondiale par l'UNESCO.

Cependant, dans la deuxième moitié du XIXe siècle, l'édition de bronzes prit une ampleur sans précédent. Ferdinand Barbedienne et les frères Jean et Victor Susse eurent recours à la technique, plus économique, de la fonte au sable[1] pour produire en séries industrielles des figurines qui allaient se retrouver dans tous les foyers.

---

1. Les techniques de fonte sont bien expliquées dans le volumineux ouvrage de 1978 de l'Imprimerie nationale, *La Sculpture. Principes d'analyse scientifique*. Le tirage se fait à partir d'une succession de modèles et de moules, en relief et en creux, qui peuvent être en toutes sortes de matériaux, de la cire antique à la mousse de polystyrène. Jusqu'au XIXe siècle, les moules en sable siliceux aggloméré étaient surtout utilisés pour de petits objets de culte ou des vases en cuivre.

L'invention d'instruments « de réduction mathématique », comme ceux de Frédéric Sauvage ou d'Achille Collas (qui s'associa avec Barbedienne), favorisa l'édition de modèles réduits. Aujourd'hui, dans les ventes aux enchères, à période et qualité égales, les bronzes les plus grands sont d'ordinaire les plus chers. La popularité acquise par la sculpture allait de pair avec un profond renouvellement des styles, sous l'influence des courants comme le romantisme, l'orientalisme ou l'impressionnisme. Les bourgeois voulaient décorer leurs salons de sujets antiques, de personnages historiques ou contemporains, de combats de fauves ou de cavaliers arabes, de figures pittoresques ou de caricatures. Diffusées par Barbedienne, les œuvres de Jean-Baptiste Clesinger, comme plus tard le *Balzac* de Rodin, faisaient scandale.

Reprise au siècle suivant, cette production de masse aboutit à des résultats parfois déconcertants. Comme dans les cas où les légataires ont édité des sculptures qui n'étaient pas destinées à être en bronze. Pour la plus grande gloire de l'artiste, bien sûr. Et, accessoirement sans doute, de leur propre portefeuille. Honoré Daumier avait ainsi façonné son célèbre *Ratapoil* en terre crue. La figurine n'a pas survécu à son créateur. Mais, en 1960 encore, le fondeur Valsuani en éditait des répliques. La quasi-totalité des bronzes de Jules Dalou, l'auteur du *Triomphe de la République* installé à Paris place de la Nation, datent du XXe siècle. Le sort accordé à son œuvre est d'autant plus injuste que ce sculpteur accordait une attention particulière aux rares bronzes qu'il tirait, manifestant une préférence pour la technique ancienne de la cire-perdue. Il n'aurait pas imaginé que ses études en terre cuite ou en plâtre puissent être reproduites comme elles l'ont été après sa mort. Il estimait au contraire : « Un ouvrage est fait pour une matière ou une dimension. En changer, c'est le dénaturer. » Il légua cependant son fonds d'atelier à l'orphelinat auquel il avait confié sa fille handicapée, qui, lui-même, le revendit à la ville de Paris en 1905. Qui se mit à produire des Dalou en bronze sans s'inquiéter outre mesure de l'intention du créateur.

Et que penser du grotesque de la décision prise par les héritiers de Paul Gauguin de diffuser en bronze ses bois sculptés polynésiens ? Il faut le reconnaître, l'affaire est rentable : cinq ans après la mort d'Edgar Degas, ses héritiers firent reproduire soixante-douze danseuses et chevaux en cire trouvés dans son atelier. Total de cette série : mille cinq cent quatre-vingt-quatre statuettes. Aujourd'hui, à Londres ou New York, une seule de ces petites danseuses peut se vendre le prix d'un bel appartement parisien. En 1956, la galerie Knoedler de New York fit tirer vingt exemplaires de son *Ecolière*, dont elle avait acheté la statuette en cire.

Drouot joua un rôle important dans cette mirifique activité, en servant de plaque tournante à la vente de moules originaux et de plâtres d'atelier. En février 1876, un an après la disparition de Barye, il fallut cinq jours pour disperser son fonds d'atelier aux enchères. Barbedienne rafla 80 % des modèles, assortis des droits de reproduction. La fonderie put ainsi inscrire à son catalogue, à côté des copies de statues antiques, cent vingt sujets allant du *Lapin* de 4 cm de haut, à 2 francs pièce, au *Grand Lion assis*, de même dimension que celui des Tuileries, à 10 000 francs. Leur qualité était cependant loin d'égaler celle qu'avait cultivée le sculpteur de son vivant, d'autant que plusieurs moules d'atelier étaient abîmés. En 1894, la veuve de Carpeaux a mis aux enchères une soixantaine de modèles d'atelier, avec leurs droits de reproduction. La dissémination de ses personnages napolitains prit une ampleur anarchique au XXᵉ siècle.

On considérait qu'une fonte au sable permettait la sortie d'une dizaine d'exemplaires de qualité. Ce qui, techniquement, pouvait donner un sens à une édition limitée de huit à douze. Mais aujourd'hui, avec les avancées de la technique, et notamment l'usage de coquilles en métal, il est possible de produire des séries à l'identique en grande quantité dans de bonnes conditions, ce qui souligne encore le caractère arbitraire de ces élaborations juridiques. L'avocat de Guy Hain n'a pas tort quand il relève :

« Ces règles relatives au tirage limité n'ont qu'un seul objet : établir un marché. »

La falsification renvoie une image inversée de cette complexité. L'expert agréé par la Cour de cassation, Gilles Perrault, qui a installé rue de la Paix à Paris un laboratoire de détection des faux, précise les différents degrés dans la contrefaçon : « Il existe des faux complets : attribué à un sculpteur, comme Giacometti ou Rodin, ce pastiche est une invention, que l'artiste n'a jamais sculptée. C'est le cas le plus clair, et le moins courant. Viennent les épreuves réalisées par surmoulage, à partir de bronzes originaux ou de reproductions. C'est la contrefaçon la plus courante, qui requiert déjà beaucoup d'attention pour être décelée. Il existe aussi des épreuves fondues dans les moules dupliqués par les fondeurs : leur identification, très difficile, nécessite des moyens scientifiques sophistiqués. Enfin, il y a les bronzes "illicites", qui sortent des moules originaux. » La version la plus vénielle est la tradition de la « perruque » qui avait cours dans les fabriques. A l'insu de l'artiste, son artisan éditait un ou deux exemplaires en plus. Il était d'autant plus inspiré à le faire qu'il pouvait être mal payé pour sa peine. Les ouvriers aussi recouraient en douce à ce procédé, ce qui leur permettait d'offrir des cadeaux à leur entourage. On retrouve ainsi sur le marché des mains des *Bourgeois de Calais* qui n'ont jamais été sculptées à part. C'est le fruit d'un petit tirage clandestin. Dans les bronzes saisis chez Guy Hain, Gilles Perrault a trouvé toute la palette allant des bronzes illicites aux faux complets, en passant par un subtil dégradé de falsifications.

Les avocats contestent néanmoins le substrat juridique de ces distinguos. Prenant la défense des commissaires-priseurs, Me Jean-Claude Martin, de Versailles, cite l'exemple de la statue « antique » du *Rémouleur* installée dans sa ville : « Cette sculpture grecque a été copiée par les Romains, avant d'être reproduite à la Renaissance. Elle a encore été remoulée à l'époque de Louis XIV. Est-elle fausse pour autant ? » « Les anciens n'hésitaient pas à éditer des bronzes en série. Lorsqu'un empereur était élu à Rome, tous les municipes, c'est-à-dire quatre mille cités, devaient s'équiper aussitôt d'un buste du nouvel empereur. » Pour lui, la cause est entendue : « Le bronze est comparable à un disque de Johnny Hallyday. Il n'y a pas d'authentique. Il n'y a pas de faux. » L'avocat de Guy Hain renchérit : « La notion d'original n'a aucun sens pour un artiste comme Rodin, dont les œuvres ont été éditées par milliers. De plus, l'accusation de contrefaçon ne tient pas, alors que son œuvre est tombé dans le domaine public : la reproduction est libre. » Avant 1981, souligne Me Marsigny, rien n'obligeait un fondeur à inscrire « reproduction » sur ses tirages. S'il est admis que, par la suite, Guy Hain a omis de le faire, ce n'est pas un crime, ni même un délit, mais une simple infraction, tout au plus « passible d'une contravention de cinquième classe ». Les juges n'ont pas suivi ce raisonnement, estimant caractérisées la fraude et la tromperie. Me Marsigny a cependant su pointer certaines contradictions de l'instruction. Sans doute effrayé de l'énormité du stock saisi, dans un premier temps, la Justice fit expertiser seulement quelques pièces. Comment juger équitablement un homme accusé de contrefaçon sans avoir dûment expertisé sa production ? s'étonnait en substance l'avocat. Une expertise complète fut ordonnée. Ces examens ont permis de découvrir une soixantaine d'artistes dont l'œuvre avait été reproduite par Guy Hain, en plus de ceux déjà recensés. Mais l'instruction omit de délivrer les actes supplétifs nécessaires. Le défenseur de Guy Hain profita de cette lacune pour obtenir la relaxe de son client, concernant les œuvres d'artistes comme Géricault, Falconnet, Bartholdi ou Dalou. Il restait quand même une quarantaine de sculpteurs, pour lesquels Guy Hain n'a pas échappé à sa condamnation à quatre années d'emprisonnement.

24.

Le faux devenu vrai

Comment changer en or un vil matériau comme le plomb ? Les alchimistes se sont penchés sur la question des siècles durant, sans vraiment parvenir à la résoudre, sinon cela se saurait. Mais les brocanteurs, antiquaires et commissaires-priseurs s'y sont parfois essayés avec plus de succès, et cela ne se sait pas forcément. Prenons le cas d'une boulangère de Montpellier, Marie Torres. Elle détenait une statue en bronze de Camille Claudel, *L'Implorante*. Mais elle ne le savait pas, ou pas trop. D'où la tenait-elle ? Apparemment, elle aurait acquis un lot de meubles d'une dame disparue lors d'un voyage au Liban, alors plongé dans la guerre civile. Toujours est-il que Mme Torres, voulant ouvrir une petite boulangerie, fut contrainte par l'assurance d'installer un rideau de fer. Pour payer cette installation, elle se résolut à vendre la statue. Un brocanteur, Gérard Géronimi, assisté d'un « expert en bronze », l'a convaincue qu'il s'agissait d'une copie. Pourtant, la statue portait la signature de l'artiste. L'affaire fut conclue à 40 000 francs[1], le prix du rideau métallique, le 26 novembre 1988. Dès le lendemain, la statue fut déménagée chez deux commissaires-priseurs de Rambouillet,

---

1. 77 400 euros.

Mes Francis Faure et Bernard Rey. Le jour suivant, ils passèrent un encart dans la *Gazette de l'hôtel Drouot*, annonçant la mise aux enchères à leur office d'une véritable sculpture de Camille Claudel. Il avait suffi de quarante-huit heures pour que la statue change miraculeusement de statut. En réalité, non seulement il ne s'agissait pas d'une vile copie, mais d'un tirage unique. C'était du moins l'avis formulé par Reine-Marie Paris, la petite nièce de Claudel. La période était favorable. Le marché de l'art vivait une période d'euphorie. Le film dans lequel Isabelle Adjani incarnait Camille Claudel avait suscité un surcroît d'intérêt pour l'artiste, ses démêlés sentimentaux avec Rodin, son long internement à la fin de sa vie.

Les enchères furent très élevées. Le 11 décembre 1988, les commissaires-priseurs ont décroché le gros lot : *L'Implorante* a été adjugée à un particulier, Jean-Jacques Cadéac, pour la coquette somme de 1 450 000 francs[1]. Belle culbute.

Quand elle apprit la vente miraculeuse, Marie Torres n'a pas eu la foi. Elle a porté plainte pour escroquerie. L'essence d'un miracle, c'est d'être fulgurant. Mais la rapidité avec laquelle celui-ci a été commis a laissé les policiers pantois. Le brocanteur leur a confessé avoir confié la sculpture à un certain Dominique Braconnier. C'est sous ce nom que la sculpture a été mise aux enchères à Rambouillet. Les enquêteurs eurent la surprise de constater que ledit Braconnier n'était autre que le beau-frère de Me Rey, un des deux commissaires-priseurs associés de Rambouillet. Ils ont vite été persuadés qu'il ne jouait dans cette affaire qu'un « rôle d'écran ». Cette cession ne visait qu'à brouiller les pistes. Autrement dit, tout ce petit monde aurait été de mèche, impression renforcée par le fait que les commissaires-priseurs avaient gardé pour eux l'essentiel du revenu de la vente (alors que leurs émoluments étaient strictement encadrés par la loi). Si son beau-frère servait d'écran, le véritable auteur de la mise en scène

---

1. 280 000 euros.

aurait-il été Me Rey ? Celui-ci nie énergiquement avoir été dans l'ombre celui qui tirait les ficelles, le véritable acheteur et vendeur de l'œuvre, rappelant que le code civil interdit formellement ce genre de pratique aux commissaires-priseurs.

Ses protestations d'innocence n'ont pas emporté la conviction de la police. Ni du parquet, puisque les deux commissaires-priseurs ont été renvoyés devant le tribunal correctionnel pour y répondre de l'accusation d'abus de confiance, en compagnie de leurs intermédiaires. Mais l'accusation a été déjugée par le tribunal de Montpellier : le quatuor a été relaxé, l'escroquerie n'étant, en fait, pas constituée. Même s'ils s'étaient rendus coupables de « manœuvres frauduleuses », pour reprendre l'expression des juges, dans la mesure où elles étaient postérieures à la cession de la statue par la brave boulangère, elles n'ont pu vicier cette transaction en elle-même. Le distinguo est subtil, mais il a été repris par la cour d'appel.

Les quatre hommes ont donc été rétablis dans leur honneur. Dans leurs attendus, les magistrats ont même asséné que, si le brocanteur avait effrontément menti à la boulangère, en lui assurant que son bronze était faux, il ne faisait après tout que son métier, qui est d'acheter et de revendre des objets avec bénéfice. C'est rassurant...

La cour d'appel a donc validé la vente aux enchères de Rambouillet, quatre ans plus tard. Le séquestre levé, la statue a été restituée à son acquéreur, Jean-Jacques Cadéac, collectionneur et marchand à l'occasion. L'histoire ne prit pas fin pour autant.

Quand Jean-Jacques Cadéac s'était porté acquéreur de la statue à Rambouillet, il avait l'espoir de la revendre rapidement aux Etats-Unis. Son projet contrarié par la procédure judiciaire, il lui avait fallu assumer les remboursements de l'emprunt qu'il avait contracté. Le 2 décembre 1994, il remit donc *L'Implorante* aux enchères à Drouot, en pleine dépression du marché de l'art cette fois, où elle fut adjugée, par Me Joël Millon, 880 000 francs[1]. Il avait perdu la moitié de sa mise.

Manœuvres frauduleuses ou pas, ni la chambre de discipline des commissaires-priseurs ni le parquet des Yvelines, chargé de surveiller les commissaires-priseurs du coin, n'ont apparemment songé tout au long de ces années à entamer quelque procédure que ce soit. Commissaires-priseurs, brocanteur et beau-frère ne s'en sont pas tirés pour autant sans frais puisque, de manière assez surprenante après cette relaxe générale, en 1995, le tribunal de grande instance de Montpellier, saisi cette fois d'une demande au civil de réparation de la boulangère, lui a donné raison : il entendait prononcer, lui, la dissolution du miracle. Il a ainsi annulé la vente, et ordonné le remboursement à Mme Torres de près de 2 millions de francs[2] correspondant à la valeur de la statue augmentée des intérêts. Ce jour-là, Jean-Jacques Cadéac a vu le ciel lui tomber sur la tête. Il a en effet été condamné à payer les dommages et intérêts, solidairement avec les autres protagonistes. Les juges lui ont tenu grief de s'être débarrassé de la statue un peu précipitamment, alors que Marie Torres en avait demandé la mise sous séquestre pour préserver ses droits. Il eut beau souligner qu'il n'était vraiment pour rien dans cette sombre affaire, qu'il n'était plus en mesure de faire face à ses emprunts, que la statue lui avait été rendue de plein droit par un arrêt de la cour d'appel, l'opération avait fait très mauvais effet. Il ne lui restait plus qu'à se retourner à son tour contre les commissaires-priseurs de Rambouillet. Au terme d'une multiplicité de procédures, il obtint une réparation symbolique de la cour, qui lui a généreusement accordé 380 000 francs[3] de réparation pour le préjudice dont ils étaient responsables. C'était peu en regard de ses pertes, qui se montaient alors à 1,5 million de francs. Dès qu'il obtint son indemnité, elle fut saisie à la demande de Mme Torres.

---

1. 145 000 euros.
2. 300 000 euros.
3. 58 000 euros.

L'ironie de cette affaire est que les spécialistes s'opposent sur l'authenticité de la statue. Nous avons vu combien cette notion d'authenticité peut être difficile à cerner, concernant des œuvres reproductibles[1]. De cette taille (71,5 × 72 cm), il s'agit du seul exemplaire connu de *L'Implorante*. Il ne correspond à aucune des éditions dont fait état le fondeur Eugène Blot, qui sont toutes de moindre dimension (de 29 à 69 cm de haut). Cette anomalie fait penser à certains que la statue pourrait, en fait, être un faux tardif.

Que déduire de cette histoire ? Il ne faut jamais se tenir à un seul avis si l'on veut vendre un objet susceptible d'avoir de la valeur. Si votre arrière-grand-mère arlésienne, déjà atteinte de sénilité avancée, se vantait d'avoir eu une aventure avec un certain Vincent, qui lui aurait confié dans la fièvre d'une nuit un carnet de croquis, il est bon de garder un scepticisme de bon aloi. Mais si, par miracle, vous retrouvez un carnet de gribouillis dans sa malle, vérifiez deux fois plutôt qu'une, auprès d'experts différents, et même éventuellement de conservateurs de musée (dont l'avis est confidentiel, mais qu'ils peuvent vous donner au besoin). Tenez compte aussi de votre œil : dans la mesure où vous trouvez une œuvre très belle, très émouvante, même si vous n'avez aucune idée de l'auteur, cela vaut la peine de vérifier, de demander autour de vous, de faire quelques recherches dans les ouvrages d'art. Si vous l'aimez tant, il n'y a aucune raison de la brader. Ne vous fiez pas au premier venu, mais à un spécialiste avec lequel vous entretenez des relations de confiance. Enfin, toujours à condition de s'adresser à des professionnels fiables, la vente publique aux enchères peut présenter plus de garanties que la transaction privée, qui est par nature plus occulte. Elle présente une garantie juridique plus grande. Au cas où une erreur a été commise, voire une tromperie, elle est davantage susceptible d'apparaître au grand jour.

---

1. Voir chapitre 23.

25.

Les déconvenues d'une découverte

Découvrir une œuvre magistrale perdue dans une vente aux enchères peut-il tourner à la catastrophe ? Hélas ! doivent se dire les frères Richard et Robert Pardo. Coup de génie, ou coup de folie ? Quinze ans ans plus tard, ils en sont toujours à se poser la question. Et à se demander s'ils ont bien fait de découvrir un tableau qu'ils ont tout de suite pris pour un Poussin, perdu au beau milieu d'une vente aux enchères plutôt banale.

Le 1er mars 1986, alerté par un ami banquier, Richard Pardo, qui tient avec son frère Robert une galerie boulevard Haussmann à Paris, se rend à la salle des ventes de Versailles. Leur attention a été attirée sur le lot numéro 61 d'une vente d'un jeune commissaire-priseur, Me Olivier Perrin. Richard est tombé en arrêt devant le tableau : une peinture de 97 × 133 cm représentant *La Fuite en Egypte*, attribuée à « l'atelier de Nicolas Poussin ». Cette composition a disparu depuis trois siècles. Comme c'est souvent le cas avec les œuvres perdues de grands maîtres, on en connaît l'existence par une reproduction d'époque, en l'occurence une gravure probablement de la main de Pietro del Po. Chroniqueur de l'art de cette époque, et biographe relativement fiable de Poussin, André Félibien mentionne également la scène en précisant qu'elle avait été réalisée en 1658 pour le marchand Jacques Serisier, le grand ami du peintre. Comme à l'accoutumée chez Poussin, cette composition est intensément structurée, dans une intrication très forte de construction formelle et de références spirituelles. Rien n'est laissé au hasard : chaque nuance de coloris, chaque geste renvoient à des chapitres d'une fable, une « allégorie contenant en soi un sens spirituel connu aux gens spirituels, et caché aux grossiers » pour reprendre une expression d'un chroniqueur du XVIIᵉ siècle, Louis de Richeome. L'ange, dans une bizarre position horizontale, en organise le centre, faisant ressortir la verticalité de la Vierge, la scène se déployant autour de la croix du petit Jésus.

La parenté avec Poussin n'a pas échappé à l'expert de la vente, Jacques Kantor, dont l'honnêteté est connue. Dans la notice du catalogue, il rappelait les notes de Félibien et rapprochait la peinture de la gravure de Pietro del Po. Il s'est même demandé s'il n'avait pas en main *La Fuite en Egypte* que tous croyaient perdue. Mais, dans l'édition d'avril 1982 du *Burlington Magazine*, l'historien d'art anglais Anthony Blunt avait annoncé avoir redécouvert cette œuvre dans une collection suisse. Anthony Blunt n'est pas un historien de l'art mineur. Il a connu la célébrité pour avoir fait partie de ce petit groupe d'anciens élèves des grandes écoles d'Oxford ou Cambridge qui se sont dévoyés dans l'espionnage pour l'Union soviétique. Cela ne l'a pas empêché d'être une autorité en matière de peinture, même si ses avis ont été souvent discutés. Il a été conservateur en chef des collections de la reine d'Angleterre, un des plus beaux ensembles du monde. Jacques Kantor a également pris soin d'interroger par écrit le professeur Jacques Thuillier, éminent spécialiste de Poussin, qui n'a pas réagi. Jacques Kantor en a logiquement déduit que la version qui lui était proposée était une belle copie d'époque. Mais cet avis motivé n'a pas arrêté les Pardo. « La toile était recouverte d'un vernis noirci, mais c'était une merveille », raconte aujourd'hui Richard Pardo, qui a été frappé par la lumière et la fraîcheur des couleurs émanant des deux « témoins de dégagement », deux petits rectangles qui avaient été nettoyés sur la toile. Le lendemain, il est retourné à Versailles avec son frère Robert et leurs derniers doutes se sont levés : voilà bien le Poussin disparu, et cette découverte sera leur coup de maître. « Le matin, explique Richard, j'étais allé au Louvre. Et dans ce tableau, j'ai vu *Les Quatre saisons* ! Dans le saint Joseph grimaçant, j'ai vu le génie portant la grappe de *L'Automne*. J'ai vu le coup de pinceau de la fin de la vie de Poussin, qui part de travers, qui est rattrapé... » Bien des années plus tard, alors que des avalanches d'ennuis sont tombés sur la tête des deux frères, il tire toujours la même morale de leur trouvaille : « ce qui compte n'est pas ce que disent les livres, c'est ce qu'on voit ».

La peinture était estimée de 150 000 à 200 000 francs[1]. Vers 15 heures est passé le lot 61. Les enchères ont démarré à 80 000 francs. Les frères Pardo se sont vite aperçus qu'ils n'étaient pas seuls à avoir repéré la toile. Ils ont dû affronter un marchand de New York, qui enchérissait par téléphone. Les enchères montaient, montaient, bien au-delà des 200 000 espérés. Les frères Pardo ne voulaient à aucun prix céder. « Nous voulions aller jusqu'au bout. » Le bout, ce fut 1,6 million de francs[2], bien plus qu'ils n'avaient en caisse. C'est typiquement ce qu'on appelle dans le jargon des salles de ventes un « faux prix ». S'il s'agit d'une copie, c'est très cher payé. S'il s'agit d'un Poussin, qui peut valoir dix, vingt fois cette somme, ce n'est rien. Mais, à cet instant, les frères Pardo avaient le cœur battant. Quelques secondes d'appréhension : le Louvre allait-il préempter, et leur voler la victoire ? Après tout, Richard avait croisé lors de l'exposition Pierre Rosenberg, conservateur en chef du département des peintures, qui plus est spécialiste de Poussin. Mais le Louvre n'a pas

1. 30-40 000 euros.
2. 328 000 euros.

bougé. Au moment de l'exposition précédant la vente aux enchères, Pierre Rosenberg, écharpe rouge au vent comme à son habitude, s'était déplacé. Mais, penché sur la toile, il se serait exclamé : « Je n'y crois pas. »

« La peinture était vraiment très sale, explique aujourd'hui celui qui entre-temps a présidé aux destinées du Grand Louvre. La voyant ainsi, je n'étais vraiment pas sûr de moi. » De toute manière, Pierre Rosenberg n'avait guère le choix. Il est le premier à reconnaître avoir alors été tenu à la plus grande prudence après le précédent d'une autre découverte d'un tableau de Poussin, qui lui fut reprochée en Justice[1]. Que n'aurait-on dit s'il avait été le père d'une nouvelle invention, juste après celle ayant causé un tel scandale ?

Retour à la galerie du boulevard Haussmann pour les frères Pardo, et rendez-vous avec le banquier. Il fallait organiser le financement de leur coup de chance. Mais ils comprirent rapidement que la toile était un paquet explosif. S'ils voulaient la vendre aux Etats-Unis, le marché naturel pour un grand Poussin, il leur fallait obtenir une licence d'exportation. Ils redoutaient un refus. A l'époque les conservateurs du Louvre avaient un droit de regard sur toute sortie d'œuvre d'art, qu'ils pouvaient refuser sans autre forme de procès. Ils avaient alors le droit d'achat à première vue. Les Pardo auraient pu tenter de faire sortir

---

1. C'est le cas le plus célèbre de nullité d'une vente aux enchères : en 1987, le Louvre a été condamné par la cour d'appel de Versailles à restituer à Mme Saint-Arroman *Olympos et Marsias*. Cette dame, et son époux, entre temps décédé, avaient confié la toile en 1968 à Me Maurice Rheims, en lui spécifiant qu'ils la tenaient comme un Poussin. Le commissaire-priseur mit néanmoins le toile en vente, avec l'assistance de l'expert Robert Lebel, comme une *Bacchanale* de l'école de Carrache, ce qui était passablement étonnant au regard de son style. Mise à prix 300 francs, elle fut adjugée 2 200 francs au Louvre. Qui fut très fier ensuite d'annoncer, via *Le Monde*, qu'il s'agissait bien d'un Poussin, provenant de la collection du cardinal Fesch. Le musée eut beau soutenir que l'authenticité du tableau était discutée par certains, la Justice a conclu que les époux Saint-Arroman avaient été indûment privés de leur bien. Quant au célèbre commissaire-priseur et son expert, ils passèrent au travers des mailles du filet. Ce procès dura dix-neuf ans. Présenté comme un authentique Poussin, le tableau fut revendu en décembre 1988 à Drouot-Montaigne 7,4 millions de francs (équivalant à 1,4 million d'euros).

la toile comme « atelier de Poussin » : n'est-ce pas ainsi décrite qu'ils l'ont achetée ? Mais, outre qu'on aurait pu leur reprocher une fausse déclaration en douane, ils étaient pris par une autre ambition : faire reconnaître leur découverte. Ils présentèrent leur précieuse acquisition à une cohorte de conservateurs, français et étrangers. Recevant une photo dans les semaines suivant la vente, Sydney Friedberg, de la National Gallery de Washington, prit une option sur la peinture. Les deux frères en demandaient 30 millions de francs[1]. En juillet, le conservateur américain vint à Paris voir le tableau. Premier échec. Dans un courrier elliptique envoyé à son retour aux Etats-Unis, il se dédit « en raison du prix et pour bien d'autres motifs ». De ces « autres motifs » les deux marchands n'ont jamais rien su, mais ils commencèrent à regarder d'un œil soupçonneux vers le tout-puissant musée du Louvre. Sydney Friedberg s'est-il dit : attention, je m'avance en chasse gardée ? C'est une réaction courante chez les conservateurs, pour lesquels il est toujours indispensable de conserver de bonnes relations avec les grands musées du monde : aucune exposition d'importance ne peut s'organiser sans leur concours dans le prêt d'œuvres. Les Pardo reportèrent alors tous leurs espoirs dans une négociation avec le Louvre, qui à son tour manifesta de l'intérêt pour la peinture, comme en témoignent des courriers échangés dès 1990. Se sont-ils montrés trop gourmands ? Le doute persistait-il sur l'auteur ? Reste que les discussions n'ont jamais abouti. Dans le même temps, les deux galeristes ont eu le sentiment de se retrouver ostracisés. Ils n'étaient pas loin de voir une « main invisible » contrecarrer non seulement la vente de leur *Fuite en Egypte* mais l'ensemble de leur activité commerciale. « C'est un raisonnement insoutenable, s'exclame Pierre Rosenberg, j'ai toujours été rav qu'il y ait des marchands importants sur la place de Paris Je n'ai jamais lutté contre eux. » En attendant, les intérêts de la dette couraient. En 1989, les deux frères exposèrent

---

1. 5,4 millions d'euros.

fièrement leur *Fuite en Egypte*, nettoyée et présentée comme un Poussin, dans leur galerie. Ce fut leur dernier coup d'éclat. L'année suivante, ils durent mettre leur société en liquidation, reprenant la peinture à leur compte personnel pour un prix équivalant à celui déboursé à Versailles.

Ils avaient raison de garder espoir puisque Jacques Thuillier a commencé à croire en l'œuvre. Il leur fallut encore attendre août 1994 pour lire un écrit du professeur au Collège de France dans la *Revue de l'Art*, dans laquelle il disait avoir vu la version de *La Fuite en Egypte* reconnue par Blunt (devenue la propriété d'une richissime Américaine, Barbara Piazecka-Johnson), et celle retrouvée « dans une vente aux enchères à Versailles, fort discrètement, mais non sans attirer le regard des vrais "connaisseurs" (Rosenberg a dû apprécier) ». Sans paraître gêné par son mutisme ces huit années durant, alors qu'il aurait soupçonné un Poussin du premier coup d'œil, Jacques Thuillier concluait : « A notre sens, il est clair que la dernière est l'original. » Dans ses imperfections mêmes, il voyait la « signature inimitable » d'un maître souffrant cruellement de maladie à la fin de sa vie, « trace de cet effort tragique du vieil homme qui se veut encore peintre, qui lutte avec la matière et trouve dans son impuissance même les accents les plus émouvants ».

Pour les Pardo, ce fut une joie immense. Huit ans après leur audacieux pari, un historien aussi important de la peinture française reconnaissait enfin la validité de leur découverte. Dans la foulée, même si l'œuvre ne figurait pas à l'ambitieuse exposition Poussin organisée au Grand Palais fin 1994, à l'occasion du quatrième centenaire de la naissance du peintre, elle fut néanmoins reproduite au catalogue, donc admise comme œuvre du maître. Cette reconnaissance ne s'accompagnait d'aucun mot d'explication. Dans son introduction, Pierre Rosenberg mentionnait cependant « deux Poussin importants » encore en mains privées en France, dont il souhaitait « l'entrée prochaine dans les collections nationales ». L'allusion à *La*

Fuite en Egypte des frères Pardo était d'autant plus transparente qu'elle était reproduite en marge. Du reste, Pierre Rosenberg n'a fait aucune difficulté pour nous préciser qu'il tenait bien l'œuvre des Pardo pour authentique.

L'autre Poussin auquel il faisait alors référence, était celui découvert par le marchand parisien Charles Bailly. Il avait trouvé *L'Agonie du Christ au jardin des oliviers*, peinte sur cuivre, il y a une douzaine d'années dans une vente anonyme à Drouot. Le Louvre n'a malheureusement pu acheter cette peinture rarissime. Il a dû se résoudre à la laisser quitter la France. Elle a été adjugée chez Sotheby's à New York à un prix record en vente publique de 38 millions de francs[1]. Elle est désormais visible à la National Gallery de Londres.

Revenant sur *La Fuite en Egypte* dans son catalogue raisonné consacré à Poussin, publié par Flammarion au moment de l'exposition du Grand Palais, Jacques Thuillier se montra encore plus catégorique que lors de son premier article : « Sa facture correspond entièrement à celle des dernières années de Poussin, et une comparaison directe n'a laissé subsister aucun doute sur son authenticité[2]. » Pour les Pardo, l'intégration de leur version dans le catalogue raisonné représentait la consécration. Ils avaient donc de bonnes raisons d'espérer conclure enfin la vente au Louvre.

Celle-ci ne s'est jamais faite. Coup de théâtre : les Pardo ont alors reçu une assignation en Justice de la dame qui avait mis la peinture aux enchères, en 1986. Jeanne Barbier de la Serre en a demandé la restitution. Ou, à défaut le paiement de 40 millions de francs de dommages et intérêts[3] à l'expert et au commissaire-priseur de Ver-

---

1. 5,8 millions d'euros.
2. Allusion à une discrète rencontre, qui s'est tenue le 13 mars 1990 dans les salons de l'hôtel Ritz à Paris, au cours de laquelle Mme Johnson et les frères Pardo avaient accepté de montrer leur tableau respectif à une poignée de spécialistes.
3. 6,1 millions d'euros.

sailles. Elle a bondi en apprenant que son tableau « d'atelier » était désormais reconnu comme un Poussin par les deux grands spécialistes français. Pour son avocat, Mᵉ William Bourdon, il y a eu « erreur sur la qualité substantielle de la chose vendue ». Donc la vente est frappée de nullité. L'avocat et celui des frères Pardo, Mᵉ Olivier Lautman, s'accordent pour faire retomber la faute sur le commissaire-priseur. Et même plus qu'une faute : « La vérité c'est qu'il a honteusement trompé sa cliente. » Les avocats se fondent sur le mandat de vente, par lequel Mᵉ Perrin s'était engagé à procéder à « toutes les recherches et investigations pour déterminer si le tableau était de Nicolas Poussin ou de son atelier ». « Qu'a-t-il fait ? Rien, absolument rien », s'emportent les deux défenseurs. Récupérée dans un box de garage au milieu de vieux meubles, la toile n'a même pas été nettoyée. Pis, il a écrit à sa cliente : « Je vous confirme que votre tableau attribué à Nicolas Poussin a été montré à l'un des meilleurs spécialistes de la peinture française du xviiᵉ siècle. Malheureusement, celui-ci n'a pas reconnu le tableau comme une œuvre du maître. Nous pourrions donc, au mieux, présenter cette *Fuite en Egypte* comme une œuvre d'atelier. » Quel est ce spécialiste ? Pierre Rosenberg, tenu à la réserve de par sa position de conservateur ? L'intéressé dément. « Un fantôme sans doute ! », ironise Mᵉ Lautman, prompt à dénoncer un « mensonge ».

L'avocat fait remarquer que Mᵉ Perrin en profite pour passer dans sa lettre d'une peinture « attribuée à Poussin » à une « œuvre d'atelier ». Le distinguo est d'importance. Il a été ainsi discuté de savoir si « atelier de » pouvait laisser entendre que la peinture, après tout, pût être de la main de Poussin. Dans ce cas, la mention signifierait : « Peut-être est-elle de Poussin. Mais, comme nous sommes loin d'en être sûrs, elle pourrait aussi être d'un élève, ou même d'un suiveur. Débrouillez-vous avec cela. » La « faute » du commissaire-priseur, si tant est qu'il y en eût, serait alors estompée. La querelle est allée jusqu'en Cour de cassation. La jurisprudence (comme la tradition des salles de ventes) dit clairement que non : la mention « atelier de » exclut l'hypothèse d'une œuvre du maître. En revanche, la mention « attribuée à » laisse cette hypothèse ouverte, sans pourtant la fixer comme certaine. Elle correspond donc à l'exégèse déjà explicitée du « peut-être-peut-être-pas-et-débrouillez-vous ».

La lettre du commissaire-priseur est ainsi d'une formulation bien malheureuse puisqu'il passe d'« attribué à » (donc : possible) à « atelier de » (donc : impossible), en justifiant ce glissement par l'autorité d'un « spécialiste » dont il n'a jamais voulu livrer le nom. Il finit par admettre qu'il n'avait montré la peinture à personne d'autre que son expert habituel. « Il y a eu tromperie. D'une banalité sordide, cette affaire aurait dû conduire Mᵉ Perrin en correctionnelle », a lancé l'avocat des Pardo en audience. Pour Mᵉ Hervé Kerourédan, défenseur du commissaire-priseur, cette thèse n'a aucun sens : « On parle de crime, mais à qui profite le crime ? Quel pourrait être l'intérêt de Mᵉ Perrin à présenter un tableau comme d'atelier, en sachant qu'il s'agit d'un original ? Il avait, au contraire, tout intérêt à mettre aux enchères un véritable Poussin, s'il avait été en mesure de le faire, aussi bien pour le montant de ses honoraires que pour sa renommée. La redécouverte d'une œuvre perdue ! Quel coup d'éclat pour un commissaire-priseur qui venait de prêter serment ! » Le commissaire-priseur tout comme son expert se défendent en soulignant avoir recueilli les renseignements disponibles en 1986 sur une peinture méconnue avant de présenter honnêtement leur travail. La prudence s'imposait : « Aucun des grands historiens de l'art n'était alors prêt à reconnaître le tableau comme étant de Poussin, soulignent les deux hommes. En tant que professionnels, nous sommes tenus à une obligation de moyens, pas une obligation de résultat. » De même qu'un médecin, à qui son patient est en droit d'exiger de tout mettre en œuvre pour le soigner, sans que ceci signifie le guérir à tout coup. L'avocate de l'expert, Mᵉ Catherine Sarcia-Roche, s'est même aventurée dans un argumentaire audacieux : « Mme Barbier de la Serre n'a subi aucun préjudice : en 1986 elle ne possédait pas un Poussin. Elle possédait un tableau qui n'avait pas le statut d'un Poussin. » Les juristes ont parfois de ces raisonnements qui laissent pantois...

En octobre 1996, le tribunal de grande instance de Versailles a entièrement donné raison au commissaire-priseur et à l'expert, déboutant Mme Barbier de la Serre de son action. Elle a fait appel.

Pour en avoir le cœur net, la cour a fait droit à une demande d'expertise. La conclusion du rapport rendu en 2000 est, elle, sans appel : les Pardo ont bien découvert la peinture perdue de Poussin, dont la valeur peut s'estimer de 45 à 60 millions de francs [1]. Mme Barbier de la Serre a aussitôt relevé sa demande de réparation à 60 millions de francs.

A cette occasion a été révélé le résultat d'analyses conduites en 1995 par le laboratoire de recherche des Musées de France, et resté jusqu'alors confidentiel. Ce rapport va dans le sens de l'authenticité. Il conclut qu'il s'agit bien d'une peinture du XVIIe siècle, ne montrant pas de « caractéristique contraire à un original » de l'artiste. Les deux experts désignés par la cour d'appel, Jean-Louis Clément, du laboratoire de la police scientifique, et Jean-Pierre Dumont n'ont pas ces prudences. Ils soulignent certes la difficulté d'appréhender une œuvre qui se « livre lentement » et dont les maladresses sont susceptibles d'intriguer. Ils s'enthousiasment quand même devant un « tableau très élaboré », d'une « exécution magistrale », dans lequel ils retrouvent « le métier complexe » et la « technique bien personnelle » de Poussin. Conclusion : « Le tableau présente un ensemble de caractéristiques communes avec des œuvres de Nicolas Poussin, de la fin de sa vie. Le style n'est pas celui d'une copie. » Ils citent ainsi plusieurs repentirs : or, a priori, les copistes copient, leur composition ne fluctue pas. Les deux experts appor-

---

1. De 7 à 9 millions d'euros.

tent même une précision : les touches tremblées ne sont pas, comme on a pu le penser, imputables à la maladie de Nicolas Poussin, mais sont très soigneusement maîtrisées.

Ce n'est pas la fin de la controverse sur l'authenticité de l'œuvre. Il existe toujours deux versions de la composition, ce qui, à moins de miracle, en fait une de trop. On ne connaît en effet pas de cas où Poussin a répété deux fois la même œuvre. Il existe même une troisième version de la *Fuite en Egypte*. Mais elle ne retient pas l'attention des « poussinistes » qui sont tous d'accord pour l'écarter comme une copie, de la main d'un autre artiste. Les deux experts ont certes confronté le tableau des Pardo à d'autres Poussin, mais il manque toujours le rapprochement avec la version de Mme Johnson, reconnue en son temps par Anthony Blunt.

A Londres, le grand spécialiste anglais du XVIIe siècle, sir Denis Mahon, trouve le résultat de cette expertise judiciaire « ridicule ». Pour lui, l'original est bien le tableau de Mme Johnson, qui réside désormais à Monaco. Lui aussi a fait l'objet d'analyses de laboratoire et d'une comparaison avec d'autres Poussin, en 1995, à la National Gallery de Londres, quand l'exposition Poussin s'est déplacée dans la capitale britannique. Pour ne rien faciliter, il comporte également des repentirs. Ancien directeur du département des peintures anciennes de Sotheby's à Londres, Hugh Brigstocke a participé à ces examens : « J'ai vu des parallèles saisissants entre la version de Mme Johnson et les autres Poussin. » Le directeur scientifique de la National Gallery, Ashok Roy, précise : « Nous avons trouvé deux sous-couches dans les tons bruns et gris, exactement de même type que celles de *L'Annonciation* peinte à la même période par Poussin. » Denis Mahon est encore plus net : « Pour moi, l'œuvre originale est la version de Mme Johnson et celle de Paris un pastiche postérieur, dont le style est nettement plus faible. » Sir Denis souligne les différences de nuance dans la lumière portée sur les drapés, ou sur la pointe de la lance de saint Joseph. Chaque fois, il voit, dans la peinture des Pardo, la preuve de l'ignorance des références symboliques qui guidaient Poussin. La périphérie lui paraît également exécutée avec nettement moins de soin.

Dans la peinture de Mme Johnson, le visage de la Vierge est plus sombre, presque « mauresque » : c'est pour lui la preuve de la liberté de l'artiste, qui a peut-être voulu souligner que la scène se passait en Orient, et qui ne cherchait pas à plaire. La dimension des toiles plaide plutôt en faveur des Pardo : le tableau monégasque est plus petit. Or il est rare de voir une copie plus grande que l'original. Mais sir Denis renverse l'argument : en agrandissant la scène, le copiste aurait voulu obtenir une résonance plus dramatique, loin du « mystère » qui nimbe l'œuvre tardive de Poussin, et qui, même de son temps, n'a guère été compris. Le magazine *Connaissance des Arts* a pris le relais en comparant les deux versions peintes avec la reproduction d'époque sur gravure. Certains détails visibles dans la gravure se trouvent dans la *Fuite en Egypte* des Pardo, et manquent dans celle de Mme Johnson, rapprochement qui accrédite plutôt la thèse de l'authenticité de la première. Mme Johnson aurait bien voulu organiser une confrontation devant un cénacle scientifique, dans des conditions meilleures que celles de 1990. Ce serait le seul moyen de trancher. Mais les frères Pardo n'ont pas voulu s'y prêter, ce qui est dommage. Ils ont gardé un mauvais souvenir de la rencontre du Ritz, qui n'a rien donné, tout le monde campant sur ses positions. Robert Pardo ne peut s'empêcher de citer le malheureux exemple d'un autre Poussin, objet d'une histoire rocambolesque, *La Sainte Famille*, dont l'authenticité mit très longtemps à s'imposer contre l'avis des autorités académiques[1]. Mais, justement,

---

1. Cette autre peinture de Poussin se trouve aujourd'hui au musée de Cleveland. Elle a été reconnue sans contestation comme l'original par un cénacle d'historiens de l'art réuni à Washington, après avoir été pourtant ravalée au rang de copie pendant des décennies par les plus grands experts, Blunt en tête (mais Thuillier faisant exception). Une autre version, qui se trouve au musée de Washington, était tenue pour l'œuvre originale. La controverse a pris

la confrontation de cette œuvre avec une belle copie d'époque fut le seul moyen de trancher entre les deux.

Sur ce, nouvelle catastrophe pour les Pardo : le 28 juin 2000, la cour d'appel de Paris a rendu un arrêt les accablant. Renversant le jugement de première instance, la chambre civile a fait droit à la demande de Mme Barbier de la Serre, en annulant purement et simplement la vente. Peu importe que l'erreur sur la « substance même de la chose » eût été révélée huit ans plus tard, elle n'en est pas moins avérée. Le commissaire-priseur a adjugé un tableau d'atelier qui était l'œuvre d'un maître. Il a vendu ce qui n'était pas. La nullité est prononcée.

Pour autant, aux yeux des magistrats, l'expert ou le commissaire-priseur ne sont en rien coupables : « Ils n'ont pas manqué à leurs obligations professionnelles. Leur opinion, au moment où elle a été exprimée, en 1986, reposait sur des éléments objectivement sérieux. »

Blunt, décédé en 1985, après avoir été mis de toute manière hors course par la révélation de ses activités d'espionnage, Thuillier silencieux, Rosenberg tenu à la réserve, Mahon croyant mordicus que la bonne version était ailleurs... Que faire devant un tel barrage ?

La cour a spécialement exonéré le commissaire-priseur des fautes qui lui avaient été reprochées à l'audience. Elle a estimé qu'il n'avait pas « à procéder à des investigations scientifiques », ni même au nettoyage du tableau, dès

---

fin quand les deux versions ont été confrontées à Washington. Cette affaire a aussi donné lieu à divers rebondissements judiciaires. Philippe Bertin-Mourot, le collectionneur qui a vendu l'original au musée de Cleveland en 1981, était sorti de France, littéralement la toile sous le bras. C'était le seul moyen qu'il avait trouvé pour échapper au discrédit jeté sur sa peinture. Il a toujours soupçonné le Louvre de chercher ainsi à faire main basse sur l'œuvre, à bas prix (ce que le musée, bien sûr, dément vigoureusement). Au terme de procès en cascade, Philippe Bertin-Mourot a été condamné par la cour d'appel de Versailles à une amende symbolique « de troisième classe », pour simple défaut de déclaration en douane d'un objet non taxable. La cour avait tenu compte du contexte très particulier dont il s'était retrouvé victime. Dans son arrêt, elle tient grief à Pierre Rosenberg de ses « intentions masquées de faire rester le tableau sur le territoire français ». Mettant fin à leur brouille, le Louvre et Cleveland ont conclu un accord permettant à l'œuvre de voyager entre les deux musées.

lors que ces opérations n'étaient pas spécifiées. Le mandat aurait donc été trop général. Cette décision doit inciter les propriétaires d'un bien à redoubler de prudence. Dans le cas où ils estiment nécessaires des recherches, il leur faut les détailler et, bien entendu, s'apprêter à en assumer les frais. Faute de quoi, finalement, le commissaire-priseur ou l'expert mandaté n'est tenu à rien. De toute manière, sous-entend la cour, ces recherches n'auraient pas changé grand-chose en l'occurrence, du moment que « les avis unanimes exprimés tendaient à exclure l'attribution du tableau à Nicolas Poussin ».

Richard Pardo avait les larmes aux yeux quand l'arrêt a été délivré. Vis-à-vis des deux frères, les conseillers de la chambre se sont montrés sans pitié. En tant que marchands, « ils ont pris un risque ». Ils ont joué. Tant pis s'ils ont perdu. Il leur faut maintenant rendre leur possession à l'ancienne propriétaire. Par-dessus le marché, ils se sont retrouvés condamnés aux dépens des frais judiciaires. Leur avocat a en vain demandé au moins de faire jouer en leur faveur un « droit d'invention », ce mot étant pris dans son acception ancienne de découverte. « Le droit intellectuel » ne peut s'appliquer qu'à l'auteur d'une invention à portée « industrielle », assurent les magistrats (affirmation qui ne manquera pas d'inquiéter journalistes et écrivains). En prononçant la simple « remise à l'état » à la date de la vente, la cour n'a même pas voulu faire jouer la clause d'« enrichissement sans cause » qui aurait pu à tout le moins faire justice au combat mené par les Pardo.

Sous cet intitulé jargonnant se dissimule le raisonnement suivant : Mme Barbier avait un bien dont elle espérait au mieux obtenir quelques centaines de milliers de francs, quelques dizaines de milliers d'euros si l'on veut. Les Pardo, après des années de bataille envers et contre tous pour faire reconnaître la validité de leur découverte, lui restituent une peinture valant 7 ou 8 millions d'euros. Elle-même n'a rien fait pour cette valorisation. Cet enrichissement, elle le doit en grande part aux Pardo. La cour aurait donc pu leur allouer une sorte de prime, reversée par Mme Barbier. Ainsi avait-il été décidé dans l'épilogue d'une autre controverse célèbre, celle du *Verrou* de Fragonard, qui par bien des côtés s'apparente à celle-ci. Le 21 mars 1969, au palais Galliera, Mᵉ Rheims et son expert, toujours Robert Lebel, avaient présenté cette composition libertine comme « école de Fragonard ». Elle avait été adjugée à 55 000 francs[1] au galeriste François Heim. Après l'avoir fait nettoyer, il eut la conviction qu'il s'agissait d'une œuvre de Jean-Honoré Fragonard (1732-1806), qu'il réussit à revendre pour 5 150 000 francs au Louvre cinq ans plus tard[2]. De même que dans le cas de *La Fuite en Egypte*, aucun reproche ne fut adressé au commissaire-priseur, car aucun spécialiste n'avait, en 1969, voulu reconnaître la peinture comme un original du maître. La vente n'en fut pas moins annulée. Ce tableau très populaire est resté au Louvre. Mais le galeriste fut obligé de rembourser les 5 millions de bénéfice qu'il avait réalisé, subissant, lui, ce qu'on pourrait appeler un appauvrissement sans cause. Au terme d'une longue procédure, qui le conduisit deux fois jusqu'en Cour de cassation, il obtint rémunération de sa découverte : en 1990, la cour d'Amiens lui attribua 1,5 million de francs[3]. Ce qui répondait au bon sens et à l'équité.

Dans le cas de la *Fuite en Egypte*, les magistrats rejettent cette hypothèse en assénant cette remontrance surprenante : « La reconnaissance de l'authenticité de l'œuvre ne peut pas être attribuée à l'action des Pardo. » Partis d'un si bon pas, ils avancent hardiment : « L'authentification provient de l'expertise judiciaire du 27 décembre 1998. » C'est donc l'Académie des juges qui revendique la paternité de cette découverte artistique. Une assertion qui aura au moins la vertu de méduser nombre d'historiens d'art, qui se montrent si fiers de la science qu'ils ont pu réunir au fil d'une vie.

Les Pardo sont donc conduits à reporter leurs derniers

---

1. Ce qui correspond, réactualisés, à 50 000 euros (328 000 francs).
2. 3,2 millions d'euros (21 millions de francs).
3. 90 000 euros (600 000 francs).

espoirs dans une éventuelle cassation. Procès, querelles d'experts, manœuvres devinées en coulisses, accusations plus ou moins fondées, difficultés d'authentification... Ce feuilleton a désormais quelque chance de battre le record de longévité du litige du Poussin des Saint-Arroman. Avec en pointillé cette question : peut-on reprocher à un connaisseur d'avoir par son flair et son expérience fait une découverte importante dans une vente ?

26.

Vrai ? Faux ?
Et pourquoi pas Van Gogh ?

— Je conteste ! Maître, je conteste ! Pourquoi n'avez-vous pas indiqué l'origine Schuffenecker ? Elle est mentionnée par La Faille !

Le ton est agressif, et l'imprécation confuse. Pour la majeure partie de l'audience qui s'est pressée à cette vente de Me Jacques Tajan, ce 10 décembre 1996, c'est du galimatias. Mais, pour les connaisseurs, le sous-entendu est clair : il existe un doute sérieux sur ce paysage que le commissaire-priseur vient d'exposer comme étant de Van Gogh. Me Tajan est accusé de cacher la vérité, tout à son souci de protéger les intérêts de ses riches clients. En l'occurrence, ce sont les héritiers du banquier Jean-Marc Vernes qui ont mis en vente cette vue de jardin, présentée comme peinte par Vincent Van Gogh dans les derniers jours de sa vie, avant qu'il ne se tue d'un coup de pistolet dans sa chambre d'auberge, à Auvers-sur-Oise. L'estimation de *Jardin à Auvers* est d'une quarantaine de millions de francs. Les héritiers Vernes ont en fait fixé une « réserve » (un prix plancher) de 32 millions[1]. En théorie, pour un Van Gogh, les enchères peuvent s'envoler bien plus

_____

1. Respectivement, 6 et 5 millions d'euros.

haut. Le tableau a cependant le désavantage d'être classé monument historique, donc interdit de sortie du territoire national.

Jacques Tajan a de la superbe. A la force du poignet il s'est élevé du rang de simple clerc d'Etienne Ader à celui de « premier commissaire-priseur de France ». Dédaignant Drouot pour ses ventes de prestige, trop commun, il loue un grand salon particulier à l'hôtel George V. Le luxe feutré du lieu n'empêche pas le scandale d'éclater, comme il est rarissime d'en voir un dans une vente. Le commissaire-priseur ne se laisse pas démonter, intimant à l'importun de quitter les lieux. Il aurait pu en faire davantage, puisqu'un commissaire-priseur a pouvoir de police dans sa propre salle, mais il ne le souhaite pas. De toute manière, assez rapidement, le trouble-fête sort du salon. Les cameramen, en nombre ce jour-là, se ruent sur lui. Il réitère et développe ses accusations dans les couloirs de l'hôtel. Sans paraître se soucier du brouhaha qui persiste en fond, Mᵉ Tajan poursuit sa vente. Il est tendu. Il a abattu le marteau, mais il n'a pas pu prononcer la formule magique : « Adjugé ! » Il n'a pas réussi à vendre *Jardin à Auvers*. Personne n'a enchéri, et, en son for intérieur, le commissaire-priseur sait pourquoi : la rumeur a tué le tableau.

L'imprécateur s'appelle Richard Rodriguez. Il n'est pas expert de Van Gogh, il l'admet bien volontiers. Il était alors employé de banque. Il aime l'art. Il a une passion pour l'œuvre de Robert Basquiat, le peintre haïtien ami d'Andy Warhol à la trajectoire fulgurante. A Paris, Richard Rodriguez a organisé une petite exposition Basquiat. Mais son haut fait remonte à octobre 1994, quand il fut le premier à s'apercevoir de la présence de faux Basquiat sur le stand de Daniel Templon lors de la Foire internationale d'art contemporain (FIAC). Furieux, le galeriste l'a expulsé de son stand. Richard Rodriguez avait beau n'être qu'un amateur, face à un professionnel, c'est lui qui avait raison : il avait mis le doigt sur un gros scandale. La police américaine a pu, par la suite, démanteler une filière de contrefaçon, partant d'un ancien marchand de Basquiat à New York, et utilisant les services d'un artiste qui avait un temps travaillé dans l'atelier du peintre. A cette vente du Van Gogh, Richard Rodriguez a voulu user du même effet de mise en scène que celui auquel il avait eu recours deux ans plus tôt à la FIAC. Hélas, entre-temps, la spontanéité s'était perdue. Et lui-même aussi d'ailleurs. Il s'était englouti dans son sujet, et même ses sujets. Car ayant connu son « quart d'heure de gloire », pour paraphraser Warhol, il a voulu intervenir sur tout et sur rien, donnant avec autant d'aplomb son avis sur l'authenticité de peintures de Van Gogh, ou de Poussin, sur la restauration de la Joconde, sur le comportement des musées, et que sais-je encore, inondant les journaux de fax et d'exigences de publication, sans être particulièrement connaisseur des sujets sur lesquels il se jetait avec avidité. Seulement, on ne s'érige pas spécialiste d'un peintre aussi aisément, et encore moins d'un artiste aussi riche, complexe et déroutant que Van Gogh.

Jardin à Auvers, il est vrai, n'est pas une œuvre qui se livre facilement. Elle est même un peu fermée, complexe, d'un avant-gardisme surprenant. Elle ne parvient pas à égaler les compositions les plus brillantes d'Arles. Pourtant, elle est peut-être la toile la plus intéressante de la brève, mais prolifique, période d'Auvers. Le paysage est clos, difficile à pénétrer. Il est vu de haut, perspective rare chez Van Gogh. On y retrouve cependant les lignes sinueuses et les volutes qu'il affectionne, ainsi que ses touches rapides sur une matière épaisse. Le bas du tableau, où s'ouvre un chemin n'aboutissant nulle part, se détache par son « japonisme ». La technique devient presque pointilliste. La composition de l'ensemble en plans nettement coupés, organisés sur une diagonale, a même fait dire que cette peinture préfigurait l'abstraction (formule un peu rapide, mais il est vrai que les journalistes ont un penchant coupable pour la facilité des raccourcis). C'est, à n'en pas douter, une œuvre d'une grande intelligence, et d'une liberté déconcertante.

La peinture a déjà connu un destin singulier. Elle a été achetée en 1955 à la galerie Knoedler de New York par l'héritier d'une fortune minière du Maroc, Jacques Walter. Pas trop cher : 15 millions de francs (anciens). Mais les peintures de Van Gogh étaient loin d'approcher les prix qu'elles atteindraient une trentaine d'années plus tard. En 1989, une fois en France, *Jardin à Auvers* fut classé monument historique, ce qui, de la part des autorités, n'était guère se montrer délicat envers un collectionneur qui avait ramené l'œuvre de New York à Paris. Au passage, la famille dit avoir subi des pressions de quelques fripouilles, se faisant fort d'« arranger l'affaire », et d'obtenir une levée de l'interdiction de sortie du ministre de la Culture. A condition, bien sûr, d'une commission conséquente... Le nom de deux ministres, l'un de gauche, l'autre de droite, a été cité. Une instruction a été conduite par le juge Renaud Van Ruymbecke, qui a tourné court. Au final, la famille Walter se sera bien vengée puisque, au terme d'un procès à rebondissements retentissant, elle obtint de l'Etat 145 millions de francs[1] d'indemnisation pour compenser « la servitude » de l'interdiction de sortie : il va de soi qu'une telle œuvre, pour laquelle Japonais et Américains auraient été disposés à se battre, vaut bien plus cher sur le marché mondial qu'en France seule. Un expert judiciaire, André Schoeller, était même allé jusqu'à estimer sa valeur à plus de 400 millions de francs[2], ce qui paraît quand même énorme. Dans l'intervalle, la famille Walter n'avait pas tout perdu puisque, le 6 décembre 1992, elle avait revendu la peinture aux enchères 55 millions de francs[3] de par les soins de Mᵉ Binoche. Et c'est Jean-Marc Vernes qui l'avait achetée. Le « banquier du RPR », comme il était surnommé, s'était lui-même rendu à la vente pour lever le doigt : comportement très inhabituel chez les possédants qui préfèrent généralement se cacher derrière des prête-noms. Mais Jean-Marc Vernes ne pouvait s'en empêcher :

---

1. 22 millions d'euros.
2. 60 millions d'euros.
3. 9,4 millions d'euros.

il aimait aller dans les salles de vente. Il avait agi de même en achetant le coffret à bijoux de Marie-Antoinette à la vente de la collection du *golden boy* déchu Roberto Polo, orchestrée par Mᵉ Tajan. C'est à cette occasion, grâce à un chercheur alors obscur, Patrick Leperlier, que l'origine royale de ce meuble avait été découverte.

Dans les deux cas, en sortant de la salle, tout fier de son acquisition, Jean-Marc Vernes a expliqué à quelques journalistes présents qu'il espérait bien voir ces objets finir dans les collections publiques. Il préparait sa « dation » : ses héritiers pourraient payer les droits de succession avec ces deux chefs-d'œuvre.

Ce scénario a fait long feu. Les affaires de Jean-Marc Vernes ont pris très mauvaise tournure, si bien que de fabuleux héritage il n'y avait point. La dation était devenue hors de question. Au décès de Jean-Marc Vernes, en avril 1996, la famille a confié le coffret de Marie-Antoinette et le tableau de Van Gogh à Mᵉ Tajan. Le coffret, un ravissant ouvrage de Carlin aux plaques de porcelaine de Sèvres, a été cédé pour 14,4 millions de francs [1] à la dernière minute au château de Versailles, où il a fort heureusement retrouvé la chambre de la reine. Jean-Marc Vernes l'avait surpayé près de 25 millions de francs [2] à la vente de la collection Polo, orchestrée par Mᵉ Tajan deux ans plus tôt.

Mais le Van Gogh, lui, était devenu invendable. Depuis le décès de Jean-Marc Vernes en effet, une méchante rumeur n'avait cessé d'enfler : le banquier s'était fait berner, ce serait un faux. A l'arrière de ce brouhaha se trouvait un journaliste blanchi sous le harnais du *Figaro*, Jean-Marie Tasset. Le quotidien, dont Jean-Marc Vernes était un des principaux financiers, avait mis sous le boisseau son enquête. Le 10 juillet 1992, *Le Canard enchaîné* avait révélé cette non-publication, dans laquelle certains étaient prompts à voir une censure, la marque d'un complot. *Beaux-Arts Magazine* pouvait ainsi écrire : « Les

---

1. 2,3 millions d'euros.
2. 4,1 millions d'euros.

conclusions de l'enquête menée par *Le Figaro* à propos de ce Van Gogh ont été jugées suffisamment accablantes pour que le quotidien en suspende la publication. » A la direction de la rédaction du *Figaro*, on expliquait tout bonnement que l'enquête était « inconsistante ». Son auteur n'était pourtant pas le premier venu : Jean-Marie Tasset, critique d'art et responsable de la rubrique du marché de l'art au journal. En privé, il se montrait passionné par son sujet, multipliant les « détails troublants », concluant :

— Je ne dis pas que le tableau est faux.

Tout en ayant énuméré une série impressionnante de raisons pour le penser.

— On nous dit que cette composition est atypique, reprenait-il. Atypique ? C'est ce qui m'a fait sursauter. En réalité, rien ne va dans ce tableau. Il est trop construit. Et Van Gogh n'a jamais réalisé de peinture en pointillé.

Jean-Marie Tasset ne concevait pas non plus que l'artiste eût pu peindre soixante-huit tableaux les soixante-dix jours qu'il avait passés à Auvers.

— C'est impensable. Il y en a beaucoup trop. Et, curieusement, il n'a pas fait mention de cette vue de jardin dans sa correspondance avec son frère Théo. Or, il lui disait tout. Si elle est atypique, elle est importante. Si elle est importante, comment aurait-il pu ne pas en parler à son frère ?... Ou alors, il faudrait imaginer qu'il l'ait peint après sa dernière lettre. Mais celle-ci date de quatre jours avant sa mort. En si peu de jours, il n'aurait pas eu le temps de peindre un tableau dont les couches de peinture superposées sont aussi épaisses : elles n'auraient pas eu le temps de sécher.

Le journaliste du *Figaro* était à ce point pris par son sujet qu'il est allé vérifier auprès de la station météorologique les mesures du temps qu'il pouvait faire à Auvers, en cette funeste semaine de juillet 1890 précédant le suicide de « Vincent », afin de supputer le temps de séchage de la peinture en fonction de l'humidité atmosphérique... « Vincent », car Jean-Marie Tasset et ses quelques amis comme Richard Rodriguez appelaient l'artiste par son prénom. Ils avaient le sentiment de nourrir une réelle proximité avec l'artiste, cet homme si fascinant. Peut-être pensaient-ils aussi partager avec lui le mépris dont il avait été victime de son vivant. Van Gogh était devenu leur « Vincent ».

Car le critique d'art n'était pas seul à douter de l'authenticité de cette peinture. Il était en grande part inspiré par un jeune Français établi aux Pays-Bas, écrivain à l'occasion, Benoît Landais. Celui-ci nourrit une passion dévorante pour Van Gogh, dont il est capable de parler longuement en évoquant de mémoire ses œuvres par numéros, les numéros que lui attribue le catalogue établi au XXᵉ siècle par La Faille. Ce qui peut donner des tirades assez fascinantes du genre :

— Ah oui, il y a bien un croquis de jardin. Mais, vous savez, le F 777 y correspond mieux que le F 776. De manière assez convaincante, Ueberwasser dit que l'auteur du F 776 n'était pas sur place. Or, Van Gogh ne peignait jamais de mémoire. Pour moi, le F 776 n'est pas un faux. En tout cas, douter de l'authenticité du F 777, c'est monstrueux...

Et ainsi de suite. Ce monologue pouvait durer des heures sans que l'interlocuteur (ce fut en tout cas mon cas) n'ait la grossièreté (ou le courage ?) d'avouer qu'il était perdu depuis longtemps dans la valse des numéros. Un journaliste doté d'un peu de mémoire devait néanmoins prendre ces savants emboîtements avec des pincettes : en 1990, Benoît Landais avait été impliqué dans une affaire malheureuse de dessins « de Van Gogh », censément retrouvés dans une brocante d'Arles. Le miracle était un peu trop beau pour être vrai. Ces croquis s'étaient rapidement avérés être des faux grossiers, qualifiés d'« enfantins » par la directrice du musée d'Orsay, Françoise Cachin. Cette mésaventure n'avait pas détourné Benoît Landais de sa flamme pour Van Gogh. Quelques années plus tard, il s'est ainsi retrouvé avec Rodriguez et Tasset, ainsi qu'un garagiste italien agissant en parallèle, pour dénoncer l'imposture des « faux Van Gogh » éparpillés un peu partout dans le monde. Opiniâtrement, « le quarte-ron » (comme l'aurait, improprement, appelé le général de Gaulle) a fait le siège de la presse, essayant de passer par la fenêtre quand les rédactions lui fermaient la porte. Finalement, elle s'est entrouverte : après tout, pourquoi refuser de rendre compte de la réflexion de cette petite bande d'originaux, qui a le front de s'attaquer au monde établi de l'art. Et la découverte d'un faux Van Gogh est toujours une grande nouvelle, susceptible d'attirer des lecteurs... Peu à peu, le quatuor réussit à publier ci et là des lettres de lecteurs, de petits interviews, puis des tribunes libres, jusqu'à se retrouver admis dans la plus grande presse, et la plus sérieuse (*Le Monde, Beaux-Arts Magazine, le Journal des Arts, Connaissance des Arts*...). Pour finir, ils parvinrent à se faire inviter à un colloque à Londres, où ils arrivèrent bardés de l'étiquette flatteuse d'« experts indépendants ». D'amateurs, ils étaient insensiblement passés au statut envié d'« experts ». Au lieu d'inciter le lecteur à la prudence en raison de leur inexpérience, l'épithète glorieusement portée d'« indépendant » ne faisait, à l'inverse, qu'accroître leur réputation, souligner leur courage, impliquer par sous-entendu que leurs adversaires formaient une coalition d'intérêts établis. David contre Goliath.

La célébrité croissante des « experts indépendants de Van Gogh » n'eut pas le don de convaincre les spécialistes du peintre, qui persistaient à ignorer des argumentaires d'une grande fragilité : les conservateurs du musée Van Gogh d'Amsterdam, ceux d'Orsay, les historiens de l'art qui avaient travaillé toute leur vie sur Van Gogh, des marchands aussi importants que Daniel Wildenstein ou Marc Blondeau, qui avaient eu le *Jardin à Auvers* entre les mains...

— Vous comprenez, Vincent était alors très déprimé par la trahison de son frère, Théo. Des fleurs ! Il n'aurait jamais été dans l'état d'esprit de peindre un tel tableau...

Jean-Marie Tasset poursuivait la pérénigration de sa pensée. L'argument massue restait à venir :

— Dans son catalogue, Binoche écrit que la peinture viendrai de Jo, la veuve de Théo. Or cela ne correspond pas à l'origine qu'en donne La Faille, dans son catalogue Van Gogh qui fait autorité : lui dit que le tableau provient d'Amédée Schuffenecker. Et j'ai fait des recherches : qui est Amédée Schuffenecker ? Un marchand peu scrupuleux qui a été impliqué dans un scandale de faux Van Gogh à Berlin en 1928, dans lequel apparaît justement *Jardin à Auvers*. Son frère, Claude-Emile, était peintre. Et il copiait Gauguin, Cézanne, Van Gogh, tous ces grands artistes avec lesquels il était ami, et qu'il admirait. Avouez que c'est quand même très troublant...

La réalité est cependant un peu différente, dès qu'on veut bien prêter attention au détail. Il est bien arrivé à Schuffenecker de copier une composition de Cézanne, sans d'ailleurs jamais prétendre qu'elle pût être de la main de Cézanne. La reproduction est, du reste, suffisamment appliquée et maladroite pour ne pas faire illusion un seul instant. Aucun cas de copie d'un Van Gogh par Schuffe-necker n'est connu. Une série de faux a bien été découverte en 1928 à l'occasion d'une exposition à la galerie Cassirer de Berlin. Mais ce scandale n'avait rien à voir avec *Jardin à Auvers*. Ni avec Schuffenecker. Ces faux provenaient d'un autre marchand, nommé Otto Wacker, qui fut d'ailleurs condamné. La Faille s'en est expliqué dans une publica-tion en 1930, en se plaignant incidemment du rôle néfaste de la presse sur la recherche des historiens de l'art (prémo-nition ?). La Faille a d'ailleurs continué à publier *Jardin à Auvers* comme une peinture de Van Gogh lorsqu'il a réé-dité son catalogue raisonné, sans jamais mettre en doute son authenticité. « Il n'y a aucune preuve formelle que Schuffenecker se fût livré à une activité de faussaire », souligne pour sa part Anne Distel, conservateur à Orsay. Dans un texte venant de New York d'une extrême confu-sion, incompréhensible dans plusieurs de ses passages peut-être à cause de problèmes de traduction, Jill-Elyse

Grossvogel, qui est devenue la spécialiste de ce peintre relativement obscur, met cependant cette assertion en doute. Elle ne livre aucun exemple précis. Mais elle mentionne quelques articles parus dans les années 20 en Hollande et en Allemagne, dont l'un paru en 1929 dans une feuille berlinoise, *Das Kunstblatt*. Pour qui veut bien remonter à la source, il s'agit plutôt d'un entrefilet qui associe en effet les Schuffenecker à une vague rumeur de faux, mais sans y apporter de fondement. Peut-être cette maigre publication est-elle à l'origine de cette réputation diabolique qui connut un regain inattendu soixante-cinq ans plus tard...

Il n'empêche, Jean-Marie Tasset et ses amis ont raison sur un point : dans l'édition de 1939 du catalogue de La Faille, Amédée Schuffenecker, marchand et frère de Claude-Emile, est inscrit comme ayant été au début du XXᵉ siècle propriétaire du *Jardin à Auvers*. Mais la vérité oblige à ajouter que la même notice historique comptait des erreurs et omissions. Elle ne peut être tenue comme parole d'Evangile. Comme le souligne un des spécialistes de Van Gogh, Walter Feilchenfeldt, qui a exploité le fonds d'archives de la galerie Cassirer : « Les catalogues La Faille sont truffés d'erreurs, surtout en matière de provenances, qui n'étaient pas forcément son premier souci. » D'après Feilchenfeldt, *Jardin à Auvers* se trouvait dans la collection du frère du peintre, Théo Van Gogh. Il figurait sur un inventaire supplémentaire dressé à sa mort. Il est désormais admis, archives à l'appui, que sa veuve Johanna l'a vendu à la galerie Cassirer, très exactement le 31 mars 1908, avec trois autres toiles. Le musée Van Gogh, qui poursuit aussi ses propres recherches documentaires, a certifié que Johanna Van Gogh avait elle-même prêté ce paysage à la rétrospective qui s'est tenue au musée Stedelijk d'Amsterdam en été 1905, sous le titre *Jardin avec parterre de fleurs*. Il est vrai que Van Gogh a peint plusieurs jardins, si bien qu'une confusion serait possible. Néanmoins, c'est le seul *Jardin* figurant alors dans les livres de compte de Johanna. Il existe de toute manière une preuve irréfutable, le tableau ayant été photographié dès 1908 à l'occasion d'une exposition à la galerie Bernheim-Jeune de Paris, où il fut prêté par Cassirer. La galerie berlinoise l'a finalement cédé, le 2 avril 1909, à Bernheim-Jeune, où il prit cette fois le titre de *Jardin à Auvers*, qu'il a gardé depuis. Spécialisée dans l'avant-garde, cette galerie des frères Gaston et Josse Bernheim fut une des plus prestigieuses de Paris. Elle dispose d'archives remarquablement bien tenues, dont cette prise de vue : c'est bien le même jardin que celui adjugé par Mᵉ Binoche.

Un incident éclaire de manière significative la démarche aussi passionnée que confuse des amateurs consacrés « experts » par les médias. La quête de Jean-Marie Tasset l'a conduit à aller chercher dans les archives de la galerie, aujourd'hui dirigée par les petits-fils de Josse Bernheim. Le compte rendu qui en a été fait, encore une fois repris par des titres de presse fort réputés, leur est apparu tellement déformé que les responsables de Bernheim-Jeune ont dû communiquer un démenti auprès des journaux concernés. Furieux, ils ont depuis interdit au journaliste de remettre les pieds dans leur galerie.

La Faille s'était attaché à un grand recensement de l'œuvre de Van Gogh, et il a fait un travail remarquable. Mais il fut aussi le premier à reconnaître que ce travail ne pouvait jamais être considéré comme achevé. Mᵉ Binoche a ainsi été accusé d'avoir « effacé » l'origine sulfureuse de Schuffenecker dans le curriculum du tableau. En réalité, la seule chose qui peut lui être reprochée c'est d'avoir pris soin de corriger cet historique, en se fiant au jugement d'historiens, dont l'avis était publié au catalogue.

Là-dessus, la presse en a rajouté dans les bêtises. Il a été dit que Van Gogh n'avait jamais peint de paysages sans ciel. C'était oublier rien moins que *Les Iris*, et encore toute une série de vues de sous-bois réalisées en région parisienne (visibles au musée Van Gogh d'Amsterdam). Les épaisses couches superposées n'auraient pas eu la possibilité de sécher les derniers jours de la vie de Vincent ? Dans *Le Figaro*, un brave professeur à la retraite des arts appliqués s'est laborieusement efforcé de le démontrer. On a simplement oublié de lui dire que Van Gogh ne travaillait pas comme aux arts appliqués. Il peignait dans la fièvre, couche sur couche, parfois deux tableaux par jour. Les marbrures et irisations qui en résultent se voient à l'œil nu. Un micro-prélèvement sur une de ses peintures d'Arles, effectué dans les années 60, a montré des sous-couches encore humides. Il fut aussi écrit, à propos du portrait du docteur Gachet : pourquoi Van Gogh aurait-il peint deux fois le même sujet ? Alors qu'il n'a fait que cela toute sa vie. Admirateur sans borne du peintre, qui était son ami, le brave docteur fut lui-même taxé de faussaire. Tant qu'à faire...

Une nuit, Richard Rodriguez s'est réveillé, frappé par une révélation à propos des taches vertes visibles au bas du *Jardin à Auvers* : des feuilles mortes ! En juillet ? Impossible ! Voilà bien la preuve du faux. Un hebdomadaire a repris cette hypothèse sans l'ombre d'un scrupule. Pour ne pas être en reste, *Le Parisien* a écrit : « Comment expliquer les couleurs automnales de ce tableau prétendument exécuté en juillet ? »

La presse ne s'est pas arrêtée en si bon chemin. *Les Tournesols*, le *Portrait du docteur Gachet*, et d'autres chefs-d'œuvre de Van Gogh furent mis sur la sellette. *Le Journal des Arts*, magazine pourtant par ailleurs d'un très bon niveau, a titré « en une » qu'une bonne centaine de Van Gogh figurant dans les plus grandes collections de par le monde étaient en fait douteux. *Le Figaro Magazine* a reproduit plusieurs de ces tableaux célèbres affublés d'un tampon « faux », accompagnés d'un article de Véronique Prat qui était un monument de sottise et d'inculture. L'exercice tournait au ridicule, et la presse se déchaînait, par cet effet de séisme qui la prend parfois. La presse américaine a consacré plus de trois cents articles à « l'affaire » du *Jardin à Auvers*. Le *New York Times* a lui-même accrédité la thèse du complot des clercs, en écrivant : « Jamais les conservateurs ne pourraient admettre d'avoir été dupés. » Alors que, régulièrement, des musées admettent des changements d'attribution, dont certains peuvent être tout aussi douloureux (il existe plusieurs cas concernant Rembrandt, qui n'est quand même pas le moindre des artistes).

La plupart du temps, les réattributions opérées par les historiens de l'art ne sont pas aussi spectaculaires. Mais le nom des artistes concernés n'émeut pas toujours les foules. Ce n'est pas un hasard si une telle dispute éclate à propos de Van Gogh. Cet artiste d'une liberté exceptionnelle était aussi un homme malade, torturé, frappé par le sort dès sa naissance, mort dans la misère sans avoir été reconnu en tant qu'artiste, le prototype du créateur maudit cher au mythe romantique. Son succès, d'ailleurs, en procède : la reconnaissance de Van Gogh a été littéraire avant d'être esthétique. Le grand public a commencé à s'intéresser à son œuvre après avoir été ému par les premières publications de sa correspondance avec Théo. Une imposante littérature a été écrite sur ses douleurs physiques, ou les circonstances de son suicide, qui a même été mis en doute. Rien de tel pour servir de décor torturé à la mise en scène d'une conspiration : la vérité révolutionnaire se heurte à la coalition des intérêts établis. C'est Van Gogh qu'on assassine, une seconde fois ! Et c'est Vincent qu'il faut sauver.

« Coup de théâtre : le *Jardin à Auvers*, l'un des plus célèbres Van Gogh, serait un faux » : de manière inattendue, *Le Figaro* a fini par publier, le 14 janvier 1997, sur deux pages l'enquête de Jean-Marie Tasset, sous ce titre révélateur. Claude-Emile Schuffenecker était présenté comme « le peintre présumé » du tableau. Une semaine plus tard, Me Binoche recevait un petit papier bleu : ayant constaté que leur tableau était devenu invendable, les deux enfants de Jean-Marc Vernes demandaient l'annulation de la vente du 6 décembre 1992. Motif : la peinture a perdu toute valeur en raison de la polémique qui a éclaté depuis dans la presse. L'action en Justice avait du reste été annoncée dans l'article du *Figaro*. Le commissaire-priseur eut le sentiment que

Jean-Marie Tasset et la famille Vernes étaient de mèche, et qu'ils s'utilisaient l'un l'autre pour leur cause. Quoi qu'il en soit, lorsque la thèse du faux gênait Jean-Marc Vernes (qui était très fier de son tableau), le quotidien conservateur l'avait mise sous le coude. Et lorsque cette même thèse servait les intérêts de sa famille, il l'a publiée sans aucun scrupule. Quant à Jean-Marie Tasset, du moins avait-il la constance de ses convictions pour lui. Dès 1995, en effet, il avait écrit à Jean-Marc Vernes pour lui faire part de ses doutes sur le tableau.

Ainsi le débat s'est-il transporté au tribunal de Paris. Une deuxième procédure fut immédiatement ouverte, car, à son tour, Me Binoche ouvrit un contre-feu, attaquant Jean-Marie Tasset et le quotidien pour diffamation, demandant 10 millions de francs[1] de dommages et intérêts pour la « faute » commise à son encontre.

Le chef de la rubrique Art du *Figaro* a donc été conduit à s'expliquer devant les juges. Emu, bousculé par la présidente, il s'est un peu emmêlé les pédales, parlant de l'action de La Faille en 1970, alors qu'il est mort en 1959, et le prénommant systématiquement Jean-Baptiste[2]. Jean-Marie Tasset a aussi assuré : « *Jardin à Auvers* n'a jamais été exposé. » Féroce et railleur, l'avocat du commissaire-priseur, Me Roland Rappaport, bondit pour lui rappeler qu'il avait lui-même publié, en 1995, un article dans son journal sur une exposition où le tableau figurait en première place...

L'avocat chercha à faire passer son adversaire pour un inculte en faisant observer que, dans sa lettre si importante à Jean-Marc Vernes, Jean-Marie Tasset évoquait par deux fois « *Le Jardin d'Aubigny* » peint par Van Gogh, alors qu'il s'agit du jardin d'un peintre nommé Daubigny. Le journaliste s'en est expliqué en parlant d'une malencontreuse faute de frappe.

---

1. 1,5 million d'euros.
2. Cet auteur hollandais, qui signe systématiquement J.B. La Faille, se prénomme en fait Jacob Baart.

Plus grave, Jean-Marie Tasset s'est vu accuser d'avoir été tellement pris par son sujet qu'il aurait « fabriqué » des interviews, afin de donner un semblant de crédit à une thèse qu'il savait chancelante. Le journaliste a vivement contesté. Mais il s'est lui-même mis dans un mauvais cas, en se coupant à propos d'une citation qu'il avait attribuée dans son article à Mᵉ Binoche. Il a assuré devant le tribunal avoir parlé au commissaire-priseur au téléphone. Ce dernier a démenti, niant avoir jamais émis un tel propos. Le journaliste a fini par admettre qu'il avait, en fait, repris cette citation du *Monde*. Un historien spécialiste de Van Gogh, Roland Dorn, a lui aussi affirmé avoir été la victime d'un procédé analogue : « Jean-Marie Tasset a publié dans son journal des phrases qu'il m'a attribuées, dont pas un mot n'est vrai. Je n'ai même aucune idée d'où il a pu tirer cette pseudo-citation. » Par-dessus tout, Mᵉ Rappaport a assuré que le journaliste avait inventé l'interview d'un spécialiste de Van Gogh, Jan Hulsker, parue dans *Le Figaro*. Il n'a cependant pas apporté de preuve d'un tel bidonnage (et le journaliste, de son côté, n'a jamais pu fournir de preuve contraire). Néanmoins, une chose est sûre : l'interview publiée n'avait aucun sens.

Néerlandais de quatre-vingt-dix ans, venu à Van Gogh par l'étude de sa correspondance, Jan Hulsker avait fait partie du comité de réédition du catalogue de La Faille. En 1996, il a édité sa propre monographie de Van Gogh, dans laquelle il avait inscrit *Jardin à Auvers*. Mais il enchaînait : « Juin-juillet 1890 (?). » La formule est classique : il signifie que l'auteur n'est pas absolument sûr de la date de l'œuvre. Mais, d'après le compte rendu du *Figaro*, Jan Hulsker aurait nourri des doutes beaucoup plus lourds. Invité à s'expliquer sur ce point d'interrogation, il aurait répondu : « Il me faut bien envisager que l'œuvre soit posthume. » Si le commentaire a été bien compris, et fidèlement retranscrit, l'historien se ridiculise. Il explique en somme qu'il aurait pu écrire dans son catalogue : « Ceci est bien une œuvre de Van Gogh (mais peut-être réalisée après sa mort). »

Me Rappaport ne s'est pas arrêté en si bon chemin, se moquant des revirements de Jean-Marie Tasset. Le 3 septembre 1992, annonçant la vente aux enchères de *Jardin à Auvers* par Me Binoche, le journaliste le présente comme un « chef-d'œuvre ». Il décrit ainsi une scène poignante survenue selon lui à l'agonie de Van Gogh : « Emile Bernard, l'un des rares artistes qui l'ont compris, se précipite à son chevet et dispose autour de son lit quelques-uns des derniers tableaux que Van Gogh a peints. Parmi ceux-là, *Jardin à Auvers*. » Cette anecdote est purement inventée. Il est vrai qu'un peu de romanesque ne nuit pas à un bon article. A cette époque, le journaliste n'avait pas forcément de doutes sur l'authenticité. Le 23 février 1995, dans une lettre à en-tête du « Figaro-La rédaction », il écrit à Jean-Marc Vernes que son tableau est un « pot pourri » fabriqué « selon une méthode typique des faussaires », à partir de deux autres paysages de Van Gogh, dont le fameux « *Jardin d'Aubigny* ». Le 20 décembre suivant, pourtant, Jean-Marie Tasset commente dans son journal l'exposition « Passions privées », dont *Jardin à Auvers* est le numéro un : il mentionne alors ce « Van Gogh » comme une des « valeurs historiques » de la manifestation.

Le 14 janvier 1997, enfin, il publie sa double page attribuant le tableau à Schuffenecker.

Devant le tribunal Jean-Marie Tasset ne s'est pas attardé sur ces contradictions, mais il a livré le fond de sa pensée quand il a dit : « A travers *Le Figaro*, j'ai transmis des démarches occultées car elles heurtaient les intérêts puissants de l'argent et des institutionnels. » Pour sa défense, il a relevé avoir été loin d'être seul à évoquer publiquement les doutes sur le tableau, d'autres journaux, comme *Le Monde*, l'ayant même précédé. Sans doute, mais la lettre de 1995 à Jean-Marc Vernes jouait alors contre lui, dans la mesure où il apparaissait, en coulisses, comme celui ayant donné le signal de cette campagne de presse à travers un raisonnement qui fut, avec de légères variantes, repris par les journaux du monde entier. Dans son jugement, daté du 4 mai 2000, le tribunal a suivi le commissaire-priseur, mais pas jusqu'au bout. Il a effectivemen t estimé que l'article paru dans *Le Figaro* était non seulement émaillé d'erreurs, mais que plusieurs de ses passages étaient gravement diffamatoires à l'encontre de Mᵉ Binoche. Cependant Jean-Marie Tasset a échappé de justesse à la condamnation, pour une question de forme. Etant commissaire-priseur, et donc officier public, Jean-Claude Binoche aurait dû le poursuivre au pénal, et non au civil[1]. Il n'est pas dit que cet avis, s'il est confirmé en appel comme c'est probable, mette fin à ce bras de fer, car le commissaire-priseur a l'air franchement décidé à faire payer sa « faute » au *Figaro* et à son journaliste.

De leur côté, Edith et Pierre Vernes, les deux enfants du financier, n'eurent guère plus de succès dans la procédure qu'ils avaient entamée pour obtenir l'annulation de l'achat du tableau. C'est peu de dire que Mᵉ Binoche avait été surpris de leur attaque : il était mis en cause parce qu'un tableau qu'il avait adjugé s'est retrouvé, des années plus tard, contesté par la presse. A la limite, il lui était demandé une « *probatio diabolicum* », une démonstration diabolique, impossible à tenir : pour chaque objet lui passant entre les mains, fournir l'absolue certitude que jamais personne n'en dirait du mal.

Apparemment, le comportement des Vernes manquait de logique : à qui la faute si des journalistes avaient discrédité leur bien ? Au commissaire-priseur ?

Ce fut au tour des héritiers du banquier de se retrouver en posture difficile devant les juges. Ils se plaignaient que leur tableau avait perdu toute valeur. Mᵉ Rappaport, une fois de plus vif à la tâche, leur demanda la déclaration de succession toute récente de leur père. Ils s'exécutèrent de mauvaise grâce, remettant une copie où la valeur déclarée du tableau avait été soigneusement gommée. Incident.

---

1. Cette jurisprudence avait été ouverte par Mᵉ Jean-Paul Lévy, défenseur de *Libération* et de l'auteur de ces lignes, dans un procès intenté par Mᵉ Tajan.

Finalement, il s'avéra que le tableau avait été déclaré au fisc pour une valeur de 25 millions de francs[1]. Pour un faux Van Gogh sans valeur ? Les héritiers se dépétrèrent plus ou moins bien de ce mauvais pas : « Quand nous avons fait cette déclaration, il était encore difficile d'apprécier les conséquences de la polémique. » On pouvait aussi se demander pourquoi, si le tableau était aussi douteux, ils avaient eux-mêmes essayé de le revendre pour plus de 30 millions de francs, comme un vrai Van Gogh. L'avocat des Vernes, Me Bernard Bigault du Granrut, trouva la parade. Pour obtenir l'annulation de la vente, il ne fallait pas forcément que le tableau fût un faux : « La fausseté n'est pas forcément à démontrer. Il suffit qu'il y ait doute sur son authenticité. »

Il avait la jurisprudence pour lui. Le 26 février 1980, la Cour de cassation avait donné raison à la cour d'appel, annulant la vente d'une statuette chinoise présentée comme étant de l'époque Tang. Son authenticité avait été contestée. La pièce avait été soumise à un laboratoire : « Il lui était impossible, pour diverses raisons techniques, de conclure à son authenticité, dans un sens ou dans un autre. » La haute cour a souligné : « La vente implique la garantie non seulement de l'authenticité de l'objet mais aussi de la possibilité de l'établir avec certitude. » Ainsi, peut-être la figurine est-elle authentique, mais la vente n'en est pas moins annulée. Le doute suffit.

Un arrêt du 13 janvier 1998 allait dans le même sens. Il concernait un pastel sur contre-épreuve de Mary Cassatt intitulé, en toute simplicité, *Simone en buste, portant chapeau à plume, regardant vers la gauche*. L'œuvre avait été adjugée à Drouot, le 21 novembre 1989, à une société, Drina Investment. Mais le comité Mary Cassatt, qui veille sur son œuvre, a ensuite émis un doute sur son authenticité. Requis par le tribunal de Paris, l'expert a conclu que l'authenticité ne pouvait être établie de manière formelle.

---

1. 4 millions d'euros.

Nageant dans cette ambiguïté, la cour d'appel décida de valider la vente du pastel le 17 octobre 1995 : la preuve n'avait pas été apportée que l'œuvre était fausse. Plus de deux ans plus tard, la Cour de cassation lui a donné tort : ce n'est pas seulement l'authenticité de l'œuvre qui en est une caractéristique fondamentale, c'est aussi « la certitude de cette authenticité ». En substance le commissaire-priseur et son expert doivent garantir les deux. Peut-être ce pastel est bien de la main de Mary Cassatt. Mais ce « peut-être » ne suffit pas...

Revenant sur le *Jardin à Auvers* de Van Gogh, le 3 mars 2000, le tribunal de Paris a voulu affiner cette jurisprudence. Il est certes possible de prononcer la nullité d'une cession en raison d'un doute sur l'authenticité de l'objet. Mais, à tout le moins, ce doute doit être sérieux. Or, il n'y a rien « de convaincant » dans « la démonstration » du prétendu « faux Van Gogh ». Le doute ne tient pas. De cette campagne de presse, le commissaire-priseur n'était par surcroît en rien responsable (tout à l'inverse, il en a été la première victime). Aussi les Vernes ont-ils perdu leur procès. Le 7 mai 2001, la cour d'appel de Paris a intégralement confirmé ce jugement, soulignant que les critiques reprises dans la presse à l'encontre du *Jardin à Auvers* étaient « subjectives » et « approximatives », quand elles n'étaient pas « fantaisistes ». Au cours de l'audience, le procureur a franchement dit son fait aux enfants Vernes : « Vous vous êtes trompés de cible. »

Dans l'intervalle, les médias avaient été réduits au silence. En marge des procédures judiciaires, ce qui mit un coup d'arrêt à ce tohu-bohu autour des « faux Van Gogh » fut l'analyse conduite en avril 1999 par le laboratoire de recherche des Musées de France sur ce qui était devenu le tableau emblématique d'une controverse mondiale. Dans ce chaos, il revint finalement aux scientifiques de mettre un peu d'ordre. Les conclusions du laboratoire sont claires et nettes : tous les éléments d'analyse militent en faveur de l'attribution à Van Gogh. Les pigments sont ceux qu'il utilisait à Auvers ; le châssis aussi ; le tissu de la toile de même. Elle était accrochée d'une manière très particulière, avec des clous que le peintre déplaçait au fur et à mesure de sa composition. Comme sur d'autres œuvres de cette période, la trame d'une autre toile est « imprimée » sur la couche picturale. Une fois ses toiles peintes, Van Gogh les glissait en effet encore humides empilées sous son lit.

Le laboratoire a aussi examiné au microscope la composition, y trouvant la patte du peintre, ses touches vives circulaires, brisées, ou en bâtonnets qu'il a même millimétrées (à la fin de sa vie, elles se feraient un peu plus longues). Cette technique du pointillé, contrairement à ce qu'assurait Tasset, se retrouve dans d'autres compositions de l'été auversois, comme son portrait de la fille du docteur Gachet au piano, ou encore dans des vues de l'asile où le peintre avait séjourné à Saint-Rémy-de-Provence. « Cette œuvre, par son sujet, sa composition, sa structure formelle, se rapproche de plusieurs toiles connues de Van Gogh et d'un processus de création qui lui est familier, notamment dans les compositions de Saint-Rémy en 1889 et d'Auvers en 1890 », telle fut la conclusion formelle du laboratoire après analyse des couleurs par microfluorescence X, examen aux ultra-violets, radiographies, macrophotographies, etc. En tout, il a retenu neuf caractéristiques fondamentales des peintures de la période auversoise, et, sans retenue, il a pu, concernant *Jardin à Auvers*, cocher les neuf cases[1].

Il faut rendre hommage à la famille Vernes d'avoir accepté de confier son œuvre au laboratoire, sachant que le résultat risquait d'affaiblir sa position juridique. Dans la mesure où celui-ci établit de manière flagrante que la peinture est de Van Gogh, il leur devenait encore plus dif-

---

1. Les détracteurs du tableau n'ont pas désarmé pour autant. Neuf autres tableaux de la période d'Auvers, récemment examinés par le laboratoire, avaient servi de points de référence. Evidemment, ont-ils dit, il y a plein de faux là-dedans !...

ficile d'obtenir réparation d'un préjudice né des doutes entretenus sur son authenticité. Les Vernes ont cependant raison sur un point : leur tableau est devenu quasiment invendable. Daniel Wildenstein, vieux renard du marché de l'art, nous a ainsi confié un jour : « Le tableau est authentique. Cela ne fait aucun doute. C'est même le plus intéressant de la période d'Auvers. Mais cela ne change rien : il n'a plus maintenant de valeur marchande. »

La presse a donc, sans fondement sérieux, la faculté de ruiner la réputation d'une œuvre d'art, pour longtemps. Si cette affaire est sans doute la plus spectaculaire, d'autres incidents peuvent passer inaperçus. Le 20 novembre 1998, *Le Figaro*, décidément pas toujours inspiré, mettait en cause, sous la signature d'une envoyée spéciale à New York, un Basquiat passé en vente chez Sotheby's trois jours plus tôt. Vendue plus de 4,5 millions de francs[1], la peinture, « *Sans titre* », eut droit à ce commentaire : « Il s'agissait pourtant d'un collage sur papier marouflé sur un support en fibre de verre exécuté semble-t-il non par l'artiste lui-même *(sic)*. » Malheureusement, aucune source d'information ou aucun élément matériel n'étaient rapportés à cette hypothèse biscornue. Furieux, l'acheteur voulut rendre l'œuvre à Sotheby's. Il existait cependant une preuve : une photo de Basquiat travaillant à cette peinture dans son atelier. L'expert de Sotheby's dut longuement s'expliquer, la journaliste reconnut s'être mal exprimée, et les choses rentrèrent dans l'ordre. Tout s'arrangea entre gens de bonne compagnie. Heureusement, car la maison de ventes avait déjà préparé son assignation contre le quotidien, prête à lui réclamer réparation du préjudice commercial... Un siècle plus tôt, Degas s'exclamait : « L'art est un mystère, que les journalistes nous laissent tranquilles[2] ! » A son époque, il ne faut

---

1. 700 000 euros.
2. A sa manière, un demi-siècle plus tard, Louis-Léon Martin se lamentait de la dégradation irrémédiable de cette noble profession : « Le critique

pas l'oublier, il existait des journaleux indélicats, qui se plaisaient à monnayer leurs services auprès des puissants, en proposant de les servir ou, le cas échéant, en menaçant de les dénigrer. Il n'en est pas question ici. La corruption ne prend plus, aujourd'hui, un tour si vulgaire. Mais on peut se demander si la presse, collectivement coupable, ne s'est pas laissé entraîner dans une autre forme de corruption, plus subtile. On peut en effet voir dans ce feu de paille des « faux Van Gogh » l'effet d'une rivalité commerciale incitant à sortir le plus grand nombre d'informations chocs, sans laisser le champ libre à ses rivaux. Et aussi un effet grégaire propre aux médias.

Par sa soudaineté, par son ampleur qui contraste avec son irréalité, cette campagne restera comme un des premiers signes maladifs du « syndrome Internet ». Sur le Net, n'importe qui a le droit de dire n'importe quoi sur n'importe quel sujet. C'est ce qui en fait la beauté – et le risque. Mais si la presse cède à ce penchant, elle est morte. Dans l'énorme masse d'informations qui lui parvient en continu, elle a une obligation, un devoir de sélection. Elle doit s'attacher à publier des informations qualifiées, non pas émanant des seules autorités établies, mais émises par des locuteurs qui ont qualité pour parler. Sinon le risque est grand de faire jouer des marionnettes dans un théâtre d'ombres. Et, accessoirement, de raconter n'importe quoi.

---

d'art était jadis un poivrot intégral, il n'est plus qu'un poivrot occasionnel. »
Op. cit.

27.

L'âge du pharaon

Le 16 novembre 1998, François et Maryvonne Pinault ont dû avaler leur petit déjeuner de travers. Ils apprenaient en effet, à la lecture de *Libération*, qu'une statue du pharaon Sésostris III, réputée vieille de 3 800 ans, qu'ils avait acquise une semaine plus tôt à Drouot pour 5,1 millions de francs [1], un record pour une pièce archéologique en France, pouvait être un faux, fabriqué au xixe ou même au xxe siècle. Telle était en tout cas la conviction de Dietrich Wildung, directeur du musée de l'Antiquité égyptienne de Berlin, qui précisait avoir en vain alerté les responsables de Drouot avant la vente.

Charmante, cultivée, et généreuse, Maryvonne Pinault fait partie des personnalités que les Musées nationaux ont associées à la sélection des œuvres dignes d'entrer dans les collections publiques. Il a d'ailleurs été dit qu'elle avait dans l'idée de remettre un jour la statue du pharaon au musée du Louvre. L'expert de la vente n'avouait-il pas, en privé, avoir reçu un avis très favorable d'un conservateur qui avait vu, et admiré, cette puissante sculpture, taillée dans un granit noir moucheté, de 57 cm de haut ? C'était dit sur le ton de la confidence, car les conservateurs, s'esti-

---

1. 795 000 euros.

mant tenus à un devoir de réserve, refusent en principe de porter publiquement une opinion sur un objet présent sur le marché.

François Pinault fréquente plutôt les galeries d'art contemporain, et son épouse les salons d'antiquaires. Pour leur première sortie sur le marché de l'antique, ils ont dû se sentir penauds, puisque, par le biais de son agence de relations publiques, François Pinault démentait formellement être, lui ou son épouse, l'acheteur de la statue. Cela n'empêchait pas l'homme d'affaires de suspendre aussitôt le paiement auprès du commissaire-priseur, auquel il réclamait « des éclaircissements ». Ceux-ci n'ont pas dû le convaincre puisque, dans un deuxième temps, il a requis l'annulation de la vente. Il avait d'autant plus de raisons d'être vexé que, le soir même, Jacques Chirac était invité à dîner dans leur hôtel particulier du VIe arrondissement. Le couple avait insisté pour obtenir la livraison immédiate de la statue. Et l'auguste invité a été accueilli en présence de l'auguste statue... Fausse ? Pas si sûr, et en tout cas pas du tout évident à démontrer. Car s'il existe des moyens de datation de la terre cuite fiables et précis, il n'y a guère de technique qui permette d'établir scientifiquement la date d'une sculpture dans la pierre, autre que l'analyse stylistique.

C'est donc sur ce fondement que s'est posée la vigoureuse contestation de l'égyptologue allemand. A ses yeux, cette statue était « un ensemble de maladresses » qu'aucun artisan d'atelier royal n'aurait commis : des jambes trop longues, une coiffure disymétrique... Encore plus troublant, la statue présente des anachromismes : des analogies avec un style postérieur au règne du souverain. Le conservateur allemand connaît bien cette statue : elle a été proposée à la vente à son musée en 1980. Il l'a repoussée, avant de la publier dans un catalogue éloquemment intitulé *Faux pharaons*. En 1983, un antiquaire zurichois l'avait reproposée au musée des Arts et Traditions de Genève, qui a lui aussi décliné l'offre. Dix ans plus tard, elle a été refusée par le comité des experts de la foire des

antiquaires de Bâle, où voulait la présenter *la* galerie Voll-
moeller. Aucun de ces élements n'était rapporté dans la
notice du catalogue. En revanche, elle précisait bien que
la statue portait des hiéroglyphes maladroits, qui avaient
été rudimentairement poncés, laissant encore une trace
visible. Dietrich Wildung y voit une démonstration irréfutable de la supercherie : « Il est souvent difficile de déceler
les faux, qui peuvent être remarquablement imités des
sculptures d'époque. Mais, souvent, ces copistes n'ont pas
la maîtrise de la langue, dont la connaissance est restée
longtemps imparfaite. Ainsi des hiéroglyphes malhabile-
ment tracés, voire incohérents, trahissent-ils à coup sûr
les contrefaçons. Dans le cas du Sésostris, le propriétaire
enlève ces hiéroglyphes contrefaits, et on vient nous
annoncer qu'il n'y a plus de problème ! » Le directeur du
musée de Berlin précise avoir écrit avant la vente au
commissaire-priseur, Me Olivier Coutau-Bégarie, et au
président de Drouot pour les alerter, en vain. Le catalogue
de la vente ne donnait de plus aucune indication sur l'historique de cette statue, dont on ne sait pas où, quand et
par qui elle aurait été découverte. La seule certitude est
qu'elle avait été mise en vente au nom d'un notaire allemand, Heinz Eckert, peut-être pour le compte de la succession de l'antiquaire qui cherchait à la vendre depuis si
longtemps.

L'expert de la vente de Drouot, Chakib Slitine, dont la
Justice devait plus tard souligner le sérieux, n'en démor-
dait pas : « La statue est authentique. Wildung n'est pas
crédible. Il n'y avait aucune raison de publier son avis
dans le catalogue. Les inscriptions poncées avaient dû être
ajoutées, sans doute au XIXe siècle, dans l'intention naïve
d'embellir la statue. » Leur effacement ne faisait donc que
restituer l'œuvre dans son originalité. L'expert a fait en
outre procéder à une analyse de la pierre, qui présente
toutes les caractéristiques du granit de la région d'As-
souan, dans le Sud égyptien.

Le 17 août suivant la vente, l'avocat des Pinault,
Me Jean-Luc Gaüzère, obtenait néanmoins en référé (pro-

cédure d'urgence) du tribunal de Paris la nomination à titre d'experts de deux conservateurs du Louvre, Elisabeth Delange, spécialiste de cette période du Moyen Empire au Louvre, et Christiane Desroches-Noblecourt, en retraite après avoir dirigé le département des antiquités égyptiennes de 1973 à 1981. Le juge a demandé aux deux historiennes de lui « dire si la statue de Sésostris III a bien été exécutée sous la XIIe dynastie, à savoir 1878-1843 avant Jésus-Christ, sinon dire l'époque à laquelle elle a pu être exécutée ». Elles étaient appelées à « fournir au tribunal tous les éléments techniques » lui permettant « de déterminer les responsabilités éventuellement encourues », phrase qui ouvrait la possibilité d'une annulation de la vente. Les deux « experts sachants », comme on les appelle en langage juridique, étaient tenus de se faire assister de tout spécialiste, et notamment de consulter leurs homologues américains, ainsi que le conservateur allemand par lequel le scandale était arrivé.

Sans doute est-ce demander l'impossible à des historiens de l'art, dont la science est incertaine, que de se mettre au service de la Justice, dont les décisions sont tranchantes. Mais en l'occurrence, requis par le tribunal, les deux conservateurs se sont sentis délivrés de leur devoir de réserve. Pourtant, ne risquaient-elles pas d'être juges et parties, dans la mesure où les informations publiées par la presse pouvaient laisser au Louvre l'espoir de recueillir un jour la statue ? Elisabeth Delange était-elle ce conservateur qui avait déjà donné, en petit comité, une appréciation favorable à la statue, avant la vente ? En tout cas, les Pinault ne s'opposèrent pas à cette nomination.

Les deux égyptologues ont entrepris un gros travail, qui a duré six mois, au terme duquel elles ont rendu un document de quarante-six pages, hors annexes, récusant point par point l'argumentaire de Dietrich Wildung. Le rapport admet néanmoins les doutes inévitablement suscités par une œuvre qui laisse une « impression d'étrangeté » : un style ne correspondant pas à l'époque du pharaon ; un « visage déroutant », jamais vu dans la statuaire représentant ce personnage ; les proportions « légèrement inexactes » des jambes ou autres « imperfections » de détail. Il relève aussi l'effacement des hiéroglyphes malhabiles, et l'absence de toute provenance. Mais les hiéroglyphes n'étaient pas toujours parfaitement tracés, même par les artisans de l'Antiquité. Faute de les avoir vus, les deux spécialistes n'ont pu se prononcer davantage, regrettant même leur disparition. Le rapport admet que le visage apaisé ne correspond pas à la représentation dramatique habituelle de ce souverain, grand chef de guerre et conquérant de la Nubie. Le nom de Sésostris III est pourtant inscrit à son cartouche : il y a donc une contradiction apparente, d'autant que la description réaliste des visages est une « loi appliquée sans faille » dans l'Egypte pharaonique.

Les auteurs du rapport avancent alors une thèse hardie : il s'agirait d'une exception à cette règle, peut-être la seule. Contester l'authenticité de la statue, c'est donc rester prisonnier de « références trop restreintes et trop classiques ». Même ses défauts sont retenus en sa faveur, car un copiste aurait suffisamment soigné son exécution pour les éviter. Le rapport souligne en même temps la beauté de cette sculpture, la finesse du détail et du modelé de la musculature. Aucun des arguments avancés par Dietrich Wildung ne semble donc « sérieux ». Seule concession qui lui est faite : « En aucun cas, cette statue ne remonte au règne de Sésostris III (1872-1854 avant notre ère). » La « rudesse atténuée » de ses traits correspondrait bien plutôt à la fin du Moyen Empire, donc à une époque postérieure. Cette anomalie n'arrête pas les deux spécialistes qui pensent trouver la réponse dans la « divinisation, unique en son genre » dont a été l'objet ce pharaon. Il s'agirait du seul cas connu de portrait posthume de pharaon : la statue serait « une image commémorative en ronde bosse, exécutée dans un atelier royal, probablement à la fin du Moyen Empire (vers 1850-1720 avant Jésus-Christ) ». Ce qui expliquerait la non-concordance du visage avec les traits connus du souverain. Ce « très beau morceau de sculpture » est donc, en outre, un « témoignage historique de grande valeur ».

La méthode de raisonnement peut toujours être discutée. Une controverse de ce type reste un grand classique dans un débat sur l'authenticité d'une œuvre :

— C'est ridicule, elle a trop de défauts, c'est un faux évident ! clament les détracteurs.

A quoi, ceux qui en tiennent pour l'authenticité rétorquent :

— Mais non, justement, un faussaire aurait pris garde d'éviter ces travers trop visibles. C'est bien la preuve que l'œuvre est vraie !

Les arguments peuvent donc se retourner comme un gant, avec toujours autant de bonne foi, et de passion...

Un peu désarçonné par ces conclusions, qui rendait sa défense très difficile, l'avocat des Pinault a, dans un premier temps, demandé des analyses complémentaires. Il a souhaité un examen de l'œuvre par un laboratoire spécialisé franco-allemand susceptible d'analyser jusqu'à la moindre micro-trace de poussière dans les replis de la sculpture. Il aurait aussi voulu voir verser aux débats l'avis d'une marchande suisse, Frédérique Nussberger. Cette requête n'était pas innocente, puisqu'elle avait fait partie du comité d'experts qui avait refusé, en 1993, l'entrée de la statue à la foire de Bâle. Me Gaüzère mentionnait aussi un égyptologue américain, Patrick Cardon, qui avait pu étudier la statue à New York, à un moment où elle était, là encore, proposée à la vente. De son côté, Dietrich Wildung a proposé de comparer la statue à une vingtaine de portraits royaux de la XIIe dynastie, réunis à une exposition qui se tenait à Würzburg puis à Berlin, et de tenir à cette occasion un colloque de spécialistes. François Pinault avait accepté cette offre, proposant d'en assumer les frais, ce qui était tout à son honneur : c'était une manière de redonner la parole aux historiens de l'art, en s'appuyant sur une confrontation *de visu*, qui est le plus souvent très éloquente dans ce genre de débat.

Mais rien de tel ne s'est passé. Les deux expertes n'ont

vu aucune raison de reprendre leur travail. Forts d'un rapport très fouillé aux conclusions sans appel, ni le commissaire-priseur ni l'expert de Drouot n'avaient intérêt à se laisser embarquer dans des querelles techniques sans fin. En désespoir de cause, Me Gaüzère s'est raccroché à une phrase-clé du rapport : « En aucun cas cette statue ne remonte au règne du pharaon » dont le règne, de 1872 à 1854 avant notre ère, a marqué la XIIe dynastie. Or, au catalogue, la datation avancée de la scuplture est celle de cette dynastie (1878-1843). Malicieux, Chakib Slitine a rétorqué que la statue pouvait fort bien avoir été sculptée après la mort du pharaon (1854), mais avant la fin de la dynastie (1843) : dans ce bref intervalle, la notice du catalogue serait exacte...

Me Gaüzère ne l'entendait pas de cette oreille. Son client avait acheté une représentation du vivant du pharaon, donc même en considérant que celle-ci date de cinq ou dix ans après sa mort, ce serait comme admettre qu'un meuble Louis XV équivaut à une copie du Second Empire : « Le catalogue fait foi. C'est une règle d'airain. » Le tribunal a très mal reçu ce qu'il a pris pour du pinaillage. Le 30 janvier 2001, il a déclaré la vente parfaite : « Les caractéristiques de la statue ne sont pas véritablement éloignées de celles du catalogue de vente », étant entendu qu'« il doit être admis une relative imprécision » dans les datations d'une époque aussi lointaine. A son avis, le catalogue n'avait pas à mentionner les doutes du professeur Wildung : « Il n'existe pas de véritable controverse artistique lorsque seule une personne émet des doutes sur une œuvre. » L'affirmation est osée car, pour bien des artistes, il n'y a qu'un seul spécialiste dans le monde qui fasse autorité. Les magistrats s'en prennent également à l'égyptologue allemand, laissant entendre qu'il se serait laissé emporter par une vindicte personnelle : « Son excessif acharnement lui fait perdre toute crédibilité. » Sous-entendu : il aurait voulu se venger de son prédécesseur, qui, lui, s'était montré intéressé par la sculpture, et avec lequel il nourrissait un contentieux d'ordre personnel.

Le tribunal a rendu hommage au travail « positif » de l'expert de Drouot. Non content de rendre hommage à sa compétence, il a reconnu qu'il était dans sa mission de valoriser au mieux l'objet à vendre. Il aurait été en effet possible d'indiquer au catalogue que l'œuvre était contestée. Les juges en ont jugé autrement : dans ce cas, les deux professionnels auraient pris un risque inutile en signalant des éléments dépréciateurs, jugés par eux infondés. Les magistrats ont sans doute mal pris l'introduction par François Pinault d'une requête en nullité de la vente, alors même que l'expertise judiciaire avait déjà conclu que la statue, « parfaitement authentique », était un « chef-d'œuvre ». Ils ont ainsi condamné les époux Pinault à régler les 5 millions de francs de la vente, augmentés des intérêts (230 000 francs), à assumer les frais d'expertise et à verser un total de 120 000 francs [1] de dommages et intérêts à l'expert, au commissaire-priseur et au notaire allemand. Ce faisant, si leur jugement est confirmé par la cour d'appel, ils auront contribué à renouveler la jurisprudence, en admettant une latitude plus grande dans la rédaction et l'interprétation des catalogues. Laissant, il faut bien l'avouer, le consommateur bien démuni, s'il ne peut plus se fier à ce document essentiel.

---

1. 35 000 et 18 000 euros.

28.

Le casse-tête d'une copie
« authentique »

Dans quelle mesure le catalogue de la vente fait-il foi ? Les magistrats ayant jugé l'affaire de la statue de Sésostris III ont admis certaines libertés prises avec le texte, du moment, évidemment, qu'expert et commissaire-priseur se montrent honnêtes et sérieux. Cette décision est à rapprocher d'une autre procédure à l'encontre de l'expert en peinture Eric Turquin. Marchand zurichois, Bruno Meissner s'est vu adjuger pour 4,5 millions de francs[1], le 27 juin 1994 à Drouot, un *Ecce homo* peint sur un panneau en chêne, de 53 × 41 cm. La vente était orchestrée par Mᵉ Jean-Jacques Mathias. Au catalogue, rédigé par l'expert Eric Turquin, la peinture était ainsi décrite : « Solario Andrea, *Le Christ au roseau* ». Le catalogue donne le bibliophile Lucien Graux comme ayant été propriétaire de l'œuvre dans les années 30, avec la précision que, depuis, l'œuvre est restée chez ses descendants en Suisse. L'historique n'est pas plus fourni. Aucun avis de spécialiste et, curieusement, aucune indication bibliographique ne sont mentionnés. Seule une assez vague notice iconographique se conclut par le postulat que le tableau aurait été exécuté

---

1. 741 000 euros.

« vers 1510, à la fin de la période française de l'artiste ». La réputation de ce portraitiste lombard était en effet parvenue jusqu'au cardinal Charles d'Amboise qui l'avait appelé en Normandie à décorer son château de Gaillon, le plus bel édifice inspiré de la Renaissance italienne au nord de la Loire. Le catalogue n'est pas très exact puisque cette commande a occupé l'artiste d'août 1507 à septembre 1509. Le commissaire-priseur a édité un petit catalogue à part pour mettre en valeur ce qui s'annonçait comme le clou de sa vente.

Ayant besoin d'un certificat d'authenticité, le marchand suisse s'est, tout naturellement, tourné vers le spécialiste incontesté de Solario, David Alan Brown, conservateur des peintures de la Renaissance italienne à la National Gallery de Washington. La réponse a été pour lui un choc. David Brown ne lui a pas écrit personnellement. Mais Bruno Meissner a reçu un courrier plus qu'embarrassé du supérieur de David Brown, le conservateur en chef du département des peintures, Edgar Bowron, datée du 21 novembre 1994. S'avouant « très ennuyé », ce dernier renvoyait son interlocuteur à une missive envoyée trois mois et demi avant la vente à Eric Turquin par David Brown, dont la copie était jointe.

Quand il avait été contacté par le propriétaire lausannois de la peinture, Jean-Claude Lamère, l'expert parisien penchait spontanément pour une copie. « Cette composition est connue par de nombreuses versions et répliques, et celle-ci me semble assez bonne, lui avait-il écrit. Oui, votre *Christ souffrant* me semble devoir être pris au sérieux. » On ne peut guère se montrer plus circonspect. Le 26 janvier 1994, Eric Turquin avait interrogé David Brown, en lui envoyant une photo en noir et blanc et un ektachrome de la peinture. Que lui répondit ce dernier ? Qu'il s'agissait en effet d'une copie. Le 3 février 1994, il renvoyait son interlocuteur au catalogue raisonné qu'il avait rédigé : « Je mentionne effectivement cette œuvre. A la page 212, je fais état de ce qui est apparemment une copie d'une œuvre perdue de l'artiste, de très grande qualité, qui a été déjà été proposée aux enchères chez Sotheby's, à Londres, en 1979. » Pour bien faire, le spécialiste lui joignait la notice du catalogue : la peinture portait alors un autre titre, *Le Christ de douleurs*. Sotheby's avait assuré qu'elle était de la main de Solario, mais sans s'embarrasser d'explications. Aucun texte ne présentait l'œuvre, fût-ce succinctement. Heureusement, depuis, les catalogues sont plus sérieusement rédigés. Du reste, en dépit d'une estimation très modeste, de l'ordre de 100 000 francs [1], personne n'avait enchéri. La peinture était restée en rade. Pour comble de malheur, dans sa lettre, le conservateur en chef de Washington suggérait à Bruno Meissner de prendre contact avec d'autres érudits dont Everett Fahy, conservateur au Metropolitan Museum de New York, qui « ne croit pas à l'attribution du tableau à Solario ».

Ancien expert de Sotheby's lui-même, Eric Turquin savait donc que l'œuvre avait intentionnellement été présentée sous un autre titre, afin sans doute de jeter un voile pudique sur la vente ratée de Londres. Plus incroyable encore, il avait sciemment présenté comme authentique une œuvre décrite comme copie au catalogue raisonné.

Bruno Meissner a assigné le commissaire-priseur et l'expert devant le tribunal de Paris, en demandant l'annulation de la vente, non pour erreur, mais pour « dol ». Autrement dit, il accusait l'expert d'une manœuvre frauduleuse, en connivence avec le vendeur de la peinture.

L'expertise judiciaire a été expéditive : l'œuvre n'est pas de Solario. « Copie de haute qualité », elle vaudrait, d'après les deux experts désignés, Edouard Bresset et Pietro Marani, tout au plus 500 000 francs [2], le dixième de ce qu'elle a été payée. Pour un autre spécialiste parisien de peinture ancienne, Gérard Auguier, le panneau serait en fait une œuvre flamande, datant des années 1580, soit une soixantaine d'années après la mort du peintre italien. L'expertise judiciaire a repris cette thèse. Le chêne du panneau

---

1. 38 000 euros (250 000 francs)
2. 82 000 euros.

est d'usage dans le nord de l'Europe, alors que Solario avait coutume de peindre sur peuplier. L'artiste était assez sourcilleux pour faire venir des bois d'Italie le temps de sa résidence en France. Le style très appliqué, méticuleux, qui contraste avec le « voile » habituel de Solario, oriente aussi vers le nord de l'Europe.

Y a-t-il une chance pour que l'exemplaire proposé à Drouot soit l'original disparu d'Andrea Solario ? Non, selon toute vraisemblance, pour au moins deux raisons. D'abord, il n'a pas les bonnes dimensions. On sait en effet que l'*Ecce Homo* faisait partie d'un diptyque : il avait une *Mater Dolorosa* pour pendant. Or ce dernier panneau est connu, il a fait partie au XIXe siècle de la collection Benigno Crespi, et se trouve désormais en Suisse. Il est sensiblement plus petit (36,5 x 29 cm) que la peinture passée en vente à Drouot, ce qui ne serait guère logique s'agissant de panneaux appariés.

De plus, un peintre, Simon de Chalon, a reproduit ces deux panneaux, apparemment de manière très fidèle. On le voit en comparant sa copie avec l'original de la *Mater Dolorosa*. Il y a toute raison de penser que la reproduction qu'il a faite de l'*Ecce Homo* était aussi exacte. Or celle-ci, visible à la galerie Borghèse de Rome, diffère de la composition de Drouot par l'agencement de la corde retenant le manteau rouge du Christ. Dans le tableau litigieux apparaît un nœud mauve, ajout maniéré qui contraste avec la brutalité de la scène : le Christ attaché, pleurant des larmes de sang sous sa couronne d'épines, torturé, humilié, avec ce roseau qui a été placé entre ses doigts, comme un sceptre dérisoire. « *Ecce Homo* », lâche Ponce Pilate au peuple juif : « voici l'homme ». Il éclate du « ris malin » dont parle Voltaire, « la joie de l'humiliation d'autrui » : c'est donc lui votre roi ! Dans ce drame, il faut bien avouer que ce nœud insolite est une énigme.

Le marchand suisse en revient à sa question : comment avoir pu présenter dans un catalogue une œuvre comme authentique, alors qu'elle est recensée comme copie dans la monographie du peintre ? La défense d'Eric

Turquin a varié. Dans un premier temps, il a assuré : « Je n'ai jamais reçu de lettre. C'est honteux, comment peut-on penser que j'ai pu vendre cette œuvre comme un Solario après avoir reçu une lettre de l'expert mondial m'indiquant le contraire ! Ce serait malhonnête, une vraie faute professionnelle, je ne peux pas admettre cela. La vérité c'est que je n'ai jamais reçu de lettre, on vous aura mal informé. » Confronté à une copie de la lettre de Brown, il a affiné : « Ce que je voulais dire, c'est que je n'ai pas reçu de lettre après que David Brown a vu le tableau. » C'est exact : le conservateur américain est venu à Paris, où il a vu l'œuvre, le 30 avril 1994. Cette visite aurait-elle été à la source d'une confusion fâcheuse ? Eric Turquin raconte : « David Brown a attribué la peinture à Solario, en présence d'un autre conservateur, Sylvie Béguin. Il n'a pas voulu donner cette opinion par écrit. Il paraît que, depuis qu'il a vu la peinture dévernie et nettoyée (à New York), il a changé d'avis. C'est son droit. »

Les experts rencontrent régulièrement cet obstacle. Il leur faut solliciter l'avis des spécialistes, mais, souvent, ceux-ci ont fonction de conservateur de musée. Pour ne pas engager l'institution à laquelle ils appartiennent, ils refusent de se prononcer, ou alors ne le font qu'à la condition de discrétion, ce qui peut donner lieu à des malentendus dans lesquels il est ensuite impossible de démêler le vrai du faux. Eric Turquin a cru bon de « rédiger le catalogue en fonction de cet avis verbal » entendu du spécialiste américain, sans pour autant le citer.

Sylvie Béguin n'a cependant pas tout à fait la même version. Conservateur du Louvre à la retraite, cette dame a consacré une exposition au séjour en France de Solario, en 1985. La voici à son tour fort ennuyée. Elle a démenti en tout cas sa présence au moment où l'œuvre a été présentée à son collègue américain : « Non, je n'étais pas là. Mais il est vrai qu'il m'en a parlé lors de son passage à Paris. Il trouvait que c'était vraiment une très belle peinture. » Une très belle peinture ou un très beau Solario ? « Justement, toute la nuance est là », nous a-t-elle répondu, manifestement gênée, en préférant, à ce moment-là, ne pas s'avancer plus, ni donner son propre avis. Plus tard, un expert judiciaire requis pour recueillir son témoignage a ainsi évoqué « les propos gênés, réticents et parfois contradictoires » de son récit.

Collaborateur d'Eric Turquin, René Millet a, lui, présenté la peinture à David Brown. Son témoignage coïncide avec celui de Sylvie Béguin : elle n'était pas présente, et David Brown a émis un « avis très positif ». Pour lui, aucun reproche ne peut être adressé à Eric Turquin. Mais l'ambiguïté de son propos n'a pas échappé au tribunal qui en a conclu : « David Brown ne s'est pas prononcé de manière déterminée sur son authenticité. » Quant au conservateur américain, il n'en a jamais démordu : « Je n'ai jamais dit que c'était un Solario. Ma lettre en fait foi. »

Eric Turquin et lui se seraient-ils mal compris ? Dans le jargon des salles de ventes, l'épithète « bon » prend ainsi un sens différent que dans son acception commune : dire d'un tableau qu'il est « bon » est synonyme d'« authentique ».

Retour donc vers l'expert parisien : pourquoi avoir omis, dans sa notice, les références bibliographiques dont il disposait, à commencer par la monographie de David Brown publiée en 1987 chez Electa ? L'honnêteté de la vente aurait été assurée : l'acheteur savait qu'il acquérait une peinture présentée comme un Solario par l'expert, mais éventuellement sujette à débat, et, en tout cas, non reconnue au catalogue raisonné. Mais, objecte Eric Turquin, il n'avait aucun intérêt à présenter une notice défavorable à l'œuvre, alors même qu'elle contredisait l'avis positif formulé en privé par l'auteur même du catalogue.

Devant le tribunal de grande instance, Eric Turquin a fait amende honorable : « Je ne suis pas certain que l'œuvre soit de Solario. Si j'ai fait une erreur, je le regrette. Je suis disposé à restituer mes honoraires », soit 145 000 francs[1]. Le tribunal ne s'en est pas contenté. Le 18 mars 1998, la vente a été annulée. Le commissaire-pri-

---

1. 24 000 euros.

seur a été mis hors de cause. Les juges ont accablé Eric
Turquin, qui s'est retrouvé condamné à restituer non seulement ses honoraires, mais aussi les 4,5 millions de
francs d'adjudication solidairement avec le vendeur, Jean-
Claude Lamère, ce qui est exceptionnel. Affront suprême,
il a été condamné à rembourser les honoraires perdus par
le commissaire-priseur du fait de la nullité de la vente, soit
450 000 francs[1] de plus. Ecorchant systématiquement le
nom d'Eric Turquin, et s'emmêlant un peu dans le détail
des faits, les juges avaient quand même tenu à écarter l'hypothèse d'une fraude. Mais ils ont motivé cette lourde
condamnation par la faute professionnelle de l'expert, qui
« n'était pas en possession d'éléments suffisamment cré-
dibles lui permettant de certifier le caractère original de
cette œuvre », bien au contraire.

L'expert a fait appel. Grand bien lui en a fait, car l'audience, le 23 mai 2001, a été l'occasion d'un retournement
radical de situation, si bien que la procureur a recommandé cette fois de l'innocenter. La cour d'appel avait en
effet confié une nouvelle expertise, scientifique, à Gilles
Perrault, spécialiste en détection des contrefaçons. Une
analyse dendrochronologique, réalisée avec le concours du
laboratoire « Chrono-écologie » du Centre national de la
recherche scientifique (CNRS) de Besançon, a conclu que
le chêne servant de support à la peinture avait été abattu
à partir de 1484 (date de la dernière cerne), probablement
en Picardie entre 1495 et 1530. La fiabilité de cette
science, qui permet de dater le bois à partir du décompte
des cernes, a été beaucoup débattue. Le projet de
recherche sur Rembrandt a eu recours à cette technique
pour étudier le bâti des tableaux attribués, à tort ou à raison, au génie hollandais. Une des difficultés de cette
science tient à l'équarrissage réalisé pour écarter la ceinture extérieure de l'arbre, l'écorce bien sûr, et surtout l'aubier, la partie blanchâtre plus tendre, la plus susceptible
d'être attaquée par la vermine. Or l'aubier peut représenter

---

1. 74 000 euros.

dix ou quinze années de la vie d'un arbre, ce qui introduit une incertitude. L'expert judiciaire a ainsi avancé la date de 1505, à partir de calculs sujets à discussion : il a ajouté par « prudence » quinze années correspondant à l'aubier, puis par « prudence » encore cinq années « de duramen disparu dans les traits de scie et les copeaux », plus une année de séchage. Toute cette prudence accumulée donne : 1484+15+5+1=1505. CQFD : « La double compatibilité, lieu géographique et datation, ne peut être l'œuvre du hasard ou d'un faussaire. » Le grand spécialiste de cette science en Europe, le professeur Peter Klein, du laboratoire de dendrochronologie de Hambourg, s'est, lui, montré plus circonspect en assurant à la cour qu'il lui était arrivé de relever des différences de cinquante à cent années entre une « date artistique » incontestable et le résultat d'une analyse menée selon ce procédé. La difficulté est que cette science fait appel à des méthodes comparatives. Les paramètres peuvent donc varier selon les références retenues. Prise dans des bassins climatiques différents, la même essence n'affiche pas la même croissance. Dans le cas d'espèce, on a discuté de savoir si l'expert avait eu raison d'opter pour un échantillon des bois du nord de l'Europe, ce qui l'a conduit à trouver le bassin parisien, et finalement la Picardie, comme point pertinent de référence. Le même expert a, quand même, également trouvé après micro-prélèvement de la peinture des pigments « compatibles » avec cette datation, dont la « mise en œuvre » témoigne à son avis du talent « d'un grand maître ». Cette analyse, qui ne se préoccupait pas de stylistique mais uniquement d'étudier les matériaux mis en œuvre, n'est pas forcément déterminante : après tout, il pourrait toujours s'agir d'une copie datant de la Renaissance. Mais Eric Turquin a sorti un atout maître : Sylvie Béguin est sortie de son silence. Elle a accepté de délivrer une attestation rattachant la peinture au séjour de Solario au château de Gaillon. Elle pense que l'artiste lombard a dû alors accepter de refaire son *Ecce homo*. Contestant le sérieux de l'expertise réalisée en première instance, elle écrit : « J'ai pensé qu'il pouvait s'agir d'une variante originale, sur le même thème, peinte pendant son séjour en France par l'artiste. » A ses yeux, le surprenant nœud insolite ne fait que conférer à l'œuvre un surcroît « de beauté et de signification ».

On retrouve dans ce débat la glorieuse incertitude de l'histoire de l'art. Ou le manque de sérieux dans les arguments, selon qu'on penche d'un côté ou de l'autre. Un point en tout cas est acquis : cette peinture n'est pas la composition disparue de Solario.

Qui a pu ajouter ce nœud un peu précieux ? Les avocats se sont lancés dans cette dispute.

— Forcément un copiste, qui, ce faisant, a commis un contresens par rapport à la rigueur du sujet religieux et à l'état d'esprit de l'artiste.

— Non ! Justement, seul l'artiste lui-même a pu se permettre une telle liberté : ce nœud est bien la preuve qui nous manquait.

Ce dernier argument est cependant contestable : il était courant pour les élèves travaillant dans les ateliers des grands peintres de réaliser des copies très fidèles, tout en modifiant un élément : la position d'un ange par exemple. Chef du projet de recherche sur Rembrandt, le professeur Ernst van de Wetering a cette image qui est assez parlante : « Dans sa composition, l'élève marche comme un bébé qui se tient aux meubles. Puis, il les lâche pour ses premiers pas. »

Sylvie Béguin conclut en substance : d'accord, ce n'est pas l'original perdu de Solario. C'est une « réplique originale, de sa main ». Bruno Meissner n'a pas été convaincu par cette attestation, dont il a mis en doute la crédibilité. Il a trouvé troublant le long silence de la conservatrice du Louvre. La vérité est que Sylvie Béguin a été enthousiasmée dès le départ par la peinture, et qu'elle avait bien pensé à cette hypothèse. C'est probablement sur son inspiration que le catalogue de vente avait mentionné « la période française de l'artiste ». Peut-être même Sylvie Béguin a-t-elle nourri l'espoir que le Louvre pût l'acheter.

Mais, dès lors que la controverse a éclaté, elle fut vigoureusement rappelée à l'ordre par le Louvre. Le musée avait
été mêlé à suffisamment de scandales du marché de l'art.
Il n'avait pas besoin de cela... Pierre Rosenberg, grand
patron du département des peintures puis du musée, n'a
ainsi jamais voulu se prononcer sur l'œuvre.

Avocat de Bruno Meissner, Mᵉ Ruben Garcia n'a pas
manqué de se gausser des revirements d'Eric Turquin, qui
a d'abord tenu la peinture pour une honnête copie, puis
pour une œuvre authentique, avant d'avouer qu'il n'en
était pas si sûr, pour finir par proclamer qu'il s'agissait
d'un original, en lequel il avait une foi inébranlable. Ce à
quoi Mᵉ Catherine Sarcia-Roche, défenseur d'Eric Turquin, a rétorqué que l'histoire de l'art n'avait rien d'une
science exacte : « Sur le marché de l'art, ce qui est bon
aujourd'hui peut être discuté demain et excellent après-
demain. Nous le savons tous. »

Quant au défenseur du commissaire-priseur, l'avocat
habituel de Drouot, Mᵉ Geoffroy Gaultier, l'œil toujours
malicieux, il a bien pointé la contradiction de tous ces
contentieux judiciaires en notant que, pour trancher, la
cour d'appel avait à se changer en « académie artistique ».
C'est dire toute l'attente que notre époque inquiète place
dans la toute-puissance des magistrats. Il n'est déjà pas si
aisé d'être hommes de droit. Il leur faut maintenant être
hommes de l'art.

29.

Pillage légal

Françoise de Perthuis est un personnage de Drouot. Plus de vingt-cinq ans durant, elle fut un pilier de la *Gazette de l'Hôtel Drouot*, qui offre chaque semaine un recensement complet des ventes. Pendant huit années, elle contribua aussi à la page spécialisée du *Figaro*, qui est consultée avec assiduité, chaque vendredi, par les acteurs du marché de l'art. Françoise de Perthuis savait tout et connaissait tout le monde. En retraite, elle trouva très amusant de proposer sa collaboration à *Libération*, où son strict chignon, ses bijoux et ses allures de dame du XVIᵉ arrondissement firent quelque effet sur certains éléments de la rédaction. Cet esprit libre ne se laissait pas démonter pour si peu.

Quand, en 1994, elle vit, dans un catalogue de Drouot, une série de six tapisseries provenant du château de Rosny, dans les Yvelines, son sang ne fit qu'un tour. Ce château avait été la demeure de Sully, le ministre d'Henri IV. Cette tenture racontant le mythe de Psyché aurait été commandée par Sully pour sa petite-fille, dont elle arbore les armoiries. Le château, où elles étaient accrochées depuis toujours, allait donc subir une perte irréparable. La vente était annoncée à Drouot par Mᵉ Pierre-Marie Rogeon pour le 14 mars. En tout, quatorze lots provenaient du château, d'une valeur totale de plusieurs millions de francs. Françoise de Perthuis ne le savait pas encore, mais elle avait mis le doigt sur une énorme escroquerie.

Derrière cette opération est apparue une mystérieuse société japonaise, la Nippon Sangyoo Kaisha, propriétaire du château depuis 1985. Elle ne disposait d'aucun siège en France. Les lettres envoyées à son adresse postale au Japon revenaient par retour de courrier. Depuis quelque temps déjà, les élus locaux et les responsables du patrimoine s'interrogeaient sur le comportement des propriétaires. Inhabité, le château était laissé à l'abandon, sans même un gardien. Les factures d'électricité n'étaient pas payées. L'inquiétude a monté quand les propriétaires se sont mis à en sortir les meubles. En octobre 1993, Me Rogeon avait déjà adjugé à Drouot, pour 750 000 francs[1], le salon de la duchesse de Berry, qui s'était retirée au château de Rosny après l'échec des soulèvements qu'elle avait fomentés contre Louis-Philippe. La vente était passée inaperçue en dépit de cette précision historique assez remarquable, inscrite au catalogue : « Epoque Restauration. Louis XVIII. Fin XVIIIe-début XIXe. » Me Rogeon s'est indigné du « tapage » fait autour de ces ventes, en soulignant qu'il était « dans la légalité ». En effet, rien n'interdit à un propriétaire de mettre en vente son mobilier. Le ministre de la Culture, Jacques Toubon, s'est ému, tout en reconnaissant qu'il était juridiquement impossible d'empêcher ces démantèlements. Il a promis d'étudier des changements législatifs. Le ministère a fait le nécessaire pour qu'au moins le cycle de Psyché ne disparaisse pas. Le commissaire-priseur était fort irrité par ce tumulte qu'il savait préjudiciable à sa vente. Il avait bien raison de l'être : la presse ayant fait un beau scandale, presque personne n'osa enchérir. Guislain Prouvost, héritier de la dynastie industrielle du Nord, aurait bien voulu, quand même, récupérer les tapisseries pour la fondation

---

1. 124 000 euros.

qu'il établissait dans le château familial du Vert-Bois. Il enchérit jusqu'à 910 000 francs[1]. Quand le marteau du commissaire-priseur tomba, le représentant du ministère de la Culture fit tomber la sentence : « Préemption. » Sous les applaudissements de la salle. Les tapisseries allaient trouver refuge au château de Sully-sur-Loire. Un marchand soupira : « C'est vraiment pas cher. A ce prix, je l'aurais bien acheté. Mais dans ce climat, je n'ose pas. »

Rosny n'était pas un cas isolé. La dispersion controversée du 14 mars comprenait également trois tapisseries venant du château de Sourches, vaste ensemble du XVIIIe siècle dans lequel, pendant la Seconde Guerre mondiale, les conservateurs avaient mis à l'abri une partie des collections du Louvre et du musée de Caen. Dans un deuxième temps, Me Rogeon annonçait son intention de livrer à l'encan d'autres éléments venant de Sourches, un salon Louis XVI estampillé Gourdin, une pendule au rhinocéros signée Balthazar, plusieurs peintures, dont une réplique du portrait en pied de Louis XVI en costume de sacre d'Antoine-François Callet. Situé à Saint-Symphorien, dans la Sarthe, ce château présentait une histoire similaire. Il avait été acheté à la même époque par cette société nipponne, pour une quinzaine de millions de francs[2], à la famille du duc des Cars, qui compte l'écrivain Guy des Cars dans ses rangs. Ce château avait eu la chance de préserver son mobilier ancien, qui avait miraculeusement échappé aux destructions et dispersions de la Révolution. Dès 1992, une partie en avait été déménagée. Accompagnés d'un commissaire-priseur, les propriétaires avaient même tenté d'enlever les statues du parc. Celui-ci étant site classé, les responsables du patrimoine ont pu empêcher ce déménagement, qui en aurait modifié la configuration. Cette mésaventure n'empêcha pas les pro-

---

1. 150 000 euros.
2. Environ 3 millions d'euros (20 millions de francs).

priétaires de recommencer, avec un antiquaire anglais cette fois, John Drummond-Shaw. Le camion fut intercepté et les statues saisies, les auteurs de l'expédition se retrouvant inculpés de dégradation d'un immeuble classé. Ceux-ci se défendirent en faisant valoir que les statues devaient simplement être réparées et restaurées.

Dans une autre propriété de la Nippon Sangyoo Kaisha, le château de la Grise, à Nueil-sur-Layon, dans le Maine-et-Loire, quinze grandes vasques avaient été emportées en 1992 à bord de deux camions immatriculés en Grande-Bretagne. Dans la seconde moitié des années 1980, cette société avait ainsi acheté huit châteaux, faisant notamment main basse, dans les Yvelines, sur ceux de Millemont et de Louveciennes. Un salon Louis XV estampillé Normand, qui avait été conçu pour s'accorder avec les somptueuses boiseries du château de Millemont, avait été écoulé, à Drouot, en octobre 1993, où il fut heureusement préempté pour 800 000 francs [1]. A Louveciennes, château édifié par Louis XIV, et agrandi par Madame du Barry qui l'avait reçu en cadeau de Louis XV, des boiseries arrachées, retrouvées dans le parc, avaient été sauvées *in extremis*. En tout, cette société avait déboursé plus de 170 millions de francs [2] pour un patrimoine qu'elle laissait, sans aucune rationalité apparente, tomber en ruine. Le *modus operandi* était toujours le même : les sites étaient vidés de leur contenu, abandonnés plusieurs années, avant d'être remis en vente, à perte. Cheminées, boiseries, tapisseries, meubles, statues, rien ne semblait échapper à ce dépeçage en règle, qui aurait, en tout, rapporté près de 6 millions de francs [3]. Les bois du château de Lacaze, dans les Landes, ont été coupés et vendus, tandis que le vignoble était laissé en friche. Deux châteaux qui servaient d'hôtels de luxe ont été fermés, et abandonnés comme les autres demeures aux intempéries, au vandalisme et au pillage. Les investisseurs japonais ont beau avoir des mœurs

---

1. 134 000 euros.
2. 34 millions d'euros (220 millions de francs).
3. 1,2 million d'euros.

étranges, la police et la Justice commencèrent à s'interroger sur le sens de ces investissements. Leurs soupçons ne firent que grandir quand ils trouvèrent derrière ces opérations la fille d'un magnat japonais à la réputation sulfureuse, Kiko Nakahara, et son mari, un citoyen franco-américain né Jean-Claude Perez-Vanneste, qui avait changé son nom en Jean-Paul Renoir. Un Colombien se manifesta pour acheter leurs châteaux en bloc, ce qui ne fit que rendre les policiers encore plus nerveux.

En janvier 1996, Kiko Nakahara a été arrêtée, et emprisonnée à Versailles, sur décision de la juge Sylvie Petit-Leclerc. Elle fut libérée un an plus tard contre versement d'une caution de 4 millions de francs[1]. Un mandat d'arrêt international avait été lancé contre son époux, en fuite aux Etats-Unis. Arrêté en novembre 1997, à Washington, il fut extradé en France, où il a été réincarcéré jusqu'à sa mise en liberté provisoire en juin 2000. Il ne pouvait en aucun cas être reproché au couple d'avoir mis le mobilier des châteaux à l'encan : l'opération était parfaitement légale. En revanche, il s'est retrouvé accusé d'escroquerie en bande organisée, faux et usage de faux. La juge suscita une certaine émotion dans le barreau quand elle mit en examen, pour complicité, deux avocats ayant servi de conseils au couple, Mes Jacques Henrot et Jean-Louis Bordenave. Ils furent même placés en détention, cinq jours pour l'un, deux mois et demi pour l'autre. Une perquisition fut aussi ordonnée chez un notaire.

Kiko Nakahara était soupçonnée d'avoir escroqué son père. Le Monde a publié un portrait de ce fils de paysan pauvre, devenu un des plus importants promoteurs immobiliers du pays, investissant dans les boîtes de nuit, les salles de jeux ou les machines à sous. Mais possédant aussi des participations dans des firmes aussi honorables qu'Hitachi ou Nissan. Kiko Nakahara n'était pas sa seule enfant, loin s'en faut, puisqu'il en aurait eu dix-huit, de ses épouses ou concubines. Non content d'avoir écopé d'une

---

1. 627 000 euros.

condamnation pour fraude fiscale, il a passé trois ans en prison après l'incendie d'un de ses hôtels, dans lequel les règles de sécurité n'étaient pas respectés. Trente-trois personnes y avaient péri. Apparemment un charmant personnage, qui toucha 300 millions de francs[1] des assurances pour ce sinistre, mais envoyait ses hommes de main dissuader les familles de victime de réclamer des indemnisations trop élevées. Son gendre, qui ne l'appréciait guère, dément cependant que ce *self-made man* aux mœurs féodales eût été un parrain du milieu des « yakuzas ».

Toujours est-il que sa fille s'était servie de la fortune familiale pour acquérir ces châteaux en France. Durant l'emprisonnement de son père, elle en avait transféré la propriété à une société créée avec son mari, en falsifiant, selon l'accusation, une délégation de pouvoir. Les frasques du couple n'ont pas été du goût du vieux père, puisqu'il déposa plainte contre eux. Il mourut en 1998. L'instruction n'a pas été close pour autant.

Kiko Nakahara s'est présentée comme victime de réglements de comptes familiaux. Par jalousie, ses sœurs et frères auraient monté leur père contre sa fille préférée. Elle assure avoir géré normalement cet investissement, jusqu'à ce que les transferts de fonds venant du Japon cessent, en raison de l'incarcération de son père et de ces dissensions familiales. L'artifice juridique auquel elle a eu recours ne visait qu'à mettre ce patrimoine à l'abri des créanciers. En bref, elle s'est montrée, en tout, une fille particulièrement attentionnée.

Dans ce dénuement soudain, elle aurait été forcée, pour faire face aux charges qui s'accumulaient, de revendre le mobilier. D'après Me Bordenave, « il ne s'agissait pas, véritablement, d'un mobilier historique », mais de collections qui avaient été rapportées aux châteaux au fil de leur histoire. « La presse, qui aime parfois avoir recours à l'amalgame, a tout mélangé, souligne l'avocat, Mme Nakahara ne pouvait en aucun cas être poursuivie pour avoir dépareillé ce mobilier. »

---

1. 48 millions d'euros.

Du reste, le 11 février 2002, le juge d'instruction a délivré un non-lieu à tous les protagonistes de l'affaire.

Aujourd'hui, il est toujours juridiquement possible d'acheter une demeure historique, de la vider de son contenu et de revendre la propriété le lendemain. Jacques Toubon n'a pu poursuivre son intention de légiférer jusqu'au bout. D'autres, à leur tour, ont envisagé de modifier la loi du 31 décembre 1913 sur les monuments historiques, sans plus de succès. Huit ans après la découverte de Françoise de Perthuis, une proposition de loi projette enfin d'octroyer un statut juridique aux « ensembles mixtes du patrimoine », immobilier et mobilier. La nouvelle loi permettrait d'attacher un mobilier historique à perpétuelle demeure, à la demande des propriétaires. Adopté, en première lecture, à l'unanimité de l'Assemblée nationale en avril 2001, le texte prévoit une procédure de classement d'office en cas de péril extrême pour le patrimoine. Cette proposition est le fait du sénateur Pierre Lequiller, directement sensibilisé par le scandale « des châteaux japonais » pour avoir été longtemps maire de Louveciennes (dont le château a été entièrement réhabilité par un entrepreneur). La dénonciation de ce pillage n'aura donc pas été vaine, preuve que la presse a, aussi, ses bons côtés.

30.

L'irresponsabilité est un art qui se perd

Voir un commissaire-priseur traîné au tribunal correctionnel est un spectacle insolite. Il est encore plus exceptionnel si celui-ci en sort sous le coup d'une condamnation. Quand des juges d'instruction se sont montrés suffisamment téméraires pour confronter un commissaire-priseur à une accumulation de charges à son encontre, ils n'ont pas toujours été suivis par leur hiérarchie, ou par leurs collègues siégeant au tribunal. L'observateur à l'esprit mal tourné aurait donc quelques bonnes raisons de soupçonner une certaine bienveillance des magistrats à l'égard d'un notable présentant tous les aspects de la respectabilité, et paré du titre d'officier ministériel. Un pair en somme. Qu'un de ces officiers ministériels, nommé par le garde des Sceaux, en arrive à être condamné pour vol, il faut vraiment un concours de circonstances exceptionnel, une vraie malchance. Car, pris après avoir adjugé une œuvre d'art volée, le commissaire-priseur a, par un penchant naturel, tendance à dire la vérité : il met aux enchères plusieurs centaines de lots le temps d'une seule vacation, des milliers chaque mois, des dizaines de milliers dans l'année, comment voulez-vous qu'il en vérifie dûment la propriété et l'origine ? Il n'en a pas les moyens. Du reste, souvent, il ne voit pas les objets : ils passent dans les mains d'un expert, ou d'un clerc. Il a enfin pour lui la bonne vieille loi française : en matière de meubles, possession vaut titre. Mais il est des exceptions : on ne peut qu'être troublé par la facilité avec laquelle certains membres de la profession acceptent de mettre aux enchères des objets dérobés.

En 1978, président de la société d'études napoléoniennes, Fernand Beaucour avait été averti d'une autorisation préfectorale de détruire le château de Pont de Briques, près de Boulogne-sur-Mer, afin d'y laisser place nette pour une zone industrielle. Le sang de l'historien ne fit qu'un tour. Ce n'était quand même pas n'importe quel château ! C'est dans ses murs que Bonaparte, nourrissant le projet d'envahir l'Angleterre, avait installé son quartier général. Peut-être l'empereur cherchait-il l'inspiration dans les triomphes antiques, puisque c'est au même endroit que Jules César s'était établi pour ses deux traversées de la Manche. Fernand Beaucour réunit alors les témoignages du séjour de Napoléon, qui résida une centaine de jours dans le château, afin d'empêcher sa destruction et d'en obtenir le classement comme monument historique.

Au moment de la publication de son étude, il fut étonné de trouver, proposé dans un catalogue de Drouot, un rapport comportant une apostille signée de l'empereur. Dans ce document, daté 19 janvier 1809, émanant du camp de Boulogne, où étaient stationnées les armées, le maréchal Berthier recommande la montée en grade de l'adjudant Guillaume. Lors de la bataille d'Arcole, ce sous-officier de l'armée d'Italie avait sauvé de la noyade Napoléon tombé dans une rivière. Blessé à la jambe sur le champ de bataille, le valeureux grognard avait obtenu d'être assigné dans une place forte. Du château, l'empereur donna volontiers son accord en marge de la recommandation.

Ce qui troublait considérablement Fernand Beaucour, c'est qu'il avait sur son bureau la photocopie du rapport, qu'il avait étudié au service historique de l'armée de terre, à Vincennes. La reproduction au catalogue montrait le même document, le cachet d'archives en moins.

Intrigué, il se rendit rue de l'Abbé-Grégoire, chez l'expert de la vente, qui débutait sur le marché des autographes et que cette mésaventure n'empêcha pas de faire une belle carrière, Thierry Bodin.

Fernand Beaucour raconte : « Un peu gêné tout de même, l'expert m'a emmené dans son arrière-boutique. Il m'a montré le document. J'ai tout de suite vu que le cachet avait été gratté à l'acide. La trace en était encore visible. A la lumière de la lampe, j'ai reconnu sans difficulté celui du service historique de l'armée. Dans le carton destiné à la vente, nous avons découvert d'autres pièces dont le cachet avait été gratté ou découpé. Je lui en ai fait la remarque. » L'historien s'est rendu au fort de Vincennes, où il a demandé à revoir le document qu'il avait consulté. Il manquait bien au dossier. Il prévint le colonel chargé des archives.

L'enquête fut confiée à la gendarmerie, qui a sans difficulté appréhendé, le 14 décembre 1978, un beau parleur de petite taille, immanquablement vêtu d'un imperméable noir, qui était depuis huit années un habitué du centre d'archives, un certain Jacques Vaissier. Un homme aux talents multiples : il avait déjà trempé dans une escroquerie consistant à vendre des brevets de la Couronne d'Italie à des naïfs, en y ajoutant opportunément le nom d'un de leurs aïeuls. Il passa rapidement aux aveux. En perquisitionnant à son domicile, les enquêteurs ont eu la stupeur de trouver pas moins de 4 695 documents d'archives dans une armoire, dont 1 177 autographes. En trois ans, il en avait subtilisé le double, amassant près de 150 000 francs[1]. Au fort de Vincennes, il était pris pour un honnête chercheur. Quand il écoulait sa marchandise volée, il se disait

---

1. 63 000 euros (plus de 400 000 francs)

publiciste de cinéma, désireux de se séparer d'une partie de sa collection personnelle. Il devait être amateur, à sa façon, puisque les gendarmes ont décrit sa résidence comme un véritable petit musée napoléonien, dont les murs étaient couverts de tableaux historiques, d'armes et de bannières. Quand le juge d'instruction, Alain Sauret, voulut se rendre compte sur place deux jours plus tard, la maison avait été entièrement vidée, à la va-vite, par un enfant précautionneux.

La partie la plus précieuse de son butin avait été écoulée par un commissaire-priseur parisien, Me Yves Péchon. Les gendarmes saisirent dans sa résidence secondaire, ainsi que chez son expert, d'autres cartons destinés à alimenter de nouvelles ventes. Des liasses d'archives napoléoniennes furent découvertes dans des librairies. Il fallut ensuite se lancer dans une véritable traque pour retrouver les exemplaires dispersés, certains étant partis jusqu'à une bibliothèque de Chicago (qui ne voulut jamais les restituer). Des documents dérobés avaient même abouti aux Archives nationales, qui se montrèrent extrêmement récalcitrantes aux recherches diligentées par le juge.

Thierry Bodin n'était pas le seul libraire mis en cause. Il fut inculpé avec trois confrères, dont Pierre Petitot. A ce dernier, il était reproché d'avoir acheté des documents directement au voleur. Ayant hérité de la librairie paternelle, boulevard Saint-Germain, ce féru d'histoire avait été le premier dans le monde à se spécialiser dans l'histoire militaire. Plus que de l'Empire, c'était un passionné du XVIIIe siècle dont il connaissait chaque bataille sur le bout des doigts. Sa fille, Caroline, qui reprit un temps la librairie, témoigne : « C'était un homme droit. Cette histoire fut, pour lui, un coup très dur. » Tout en luttant contre un cancer du poumon au stade terminal, Pierre Petitot contacta ses clients à travers le monde pour leur racheter les documents qu'il avait obtenus de Jacques Vaissier, et les restituer à la Justice. Il est décédé quatre mois après son inculpation. Ses confrères bénéficièrent d'un non-lieu.

Pourtant, les falsifications étaient qualifiées de rudimentaires : cachets grossièrement effacés à l'aide d'une solution de bisulfate de sodium, ou même découpés avant que du papier vierge ne soit recollé sur la page. Il est des faux plus subtils, mais il est vrai que lorsqu'on fait dans le gros... Un rapport d'expertise judiciaire se montrait ainsi sévère envers les professionnels de la filière, et même envers les collectionneurs qui avaient acheté des documents dérobés passés en vente à Drouot : « De telles altérations ne pouvaient pas passer inaperçues des libraires-experts, antiquaires, commissaires-priseurs et même amateurs. » Thierry Bodin, qui se montre, depuis, assez philosophe, plaide l'ingénuité de jeunesse : « C'était la deuxième vente de ma carrière. Les documents m'avaient été confiés par le commissaire-priseur. Je n'étais pas le seul expert dans ses ventes. Quand nous lui faisions des observations sur l'état de ces documents, Me Péchon rétorquait qu'il avait toute confiance envers son vendeur, qui avait effacé les marques d'inventaire de sa propre collection. J'ai moi-même tenu à mentionner au catalogue que des cachets avaient été grattés, ce qui l'a rendu furieux. » Cet incident n'a, en effet, pas empêché Thierry Bodin de devenir lui-même expert près la cour d'appel... Il souligne aussi que les documents ou livres dont les cachets sont grattés sont fréquents sur le marché (ce qui, *a priori*, n'est guère rassurant).

Devenue experte à Drouot, Danyela Petitot, la sœur de Caroline, explique : « Des bibliothèques militaires, ou des dépôts de fortification, ont été dispersés. Normalement, dans ce cas, le cachet n'est pas gratté, il est spécifiquement annulé. Il y a aussi le cas du colonel parti avec les archives, quand la garnison a été dissoute [1]. Ses petits-enfants ou arrière-petits-enfants peuvent faire circuler des pièces dans le commerce, en toute innocence. De toute manière, cette expérience amère nous a servi de leçon : dans les

---

1. Dans le même ordre d'idée, il arrive de voir passer à Drouot des manuscrits ou des correspondances d'auteurs célèbres, qu'un directeur de maison d'édition a emporté avec lui à sa retraite. Dans quelle mesure ces documents lui appartenaient-ils en propre ?

ventes, je refuse systématiquement tout document sur lequel je vois la trace d'un cachet, surtout s'il a été gratté. »

Les gendarmes n'ont pas non plus manqué de s'interroger sur la facilité avec laquelle le voleur avait pu impunément piller les archives de l'armée des années durant. Un enquêteur raconte ainsi : « Le voleur a avoué s'être rendu une trentaine de fois au centre, emportant à chaque visite dans les deux kilos de documents, qu'il fourrait dans son attaché-case. Il prenait un carton et le rendait à moitié ou aux trois quarts vide, sans que personne ne s'en soucie. Il n'y avait aucun contrôle, ni dans les salles de lecture, ni à la sortie. La thèse la plus probable est la simple négligence. Nous n'avons pas trouvé de complicité au fort de Vincennes. »

Les gendarmes comme le magistrat instructeur furent bientôt contraints de marcher sur des œufs. Non pas seulement parce que des libraires et un commissaire-priseur étaient en cause. Mais la découverte d'un nom parmi les acheteurs des papiers volés devait les faire frémir : en tête des « amateurs » dont le rapport judiciaire a dénoncé la légèreté coupable figurait un certain Michel Poniatowski, qui n'était autre que le ministre de l'Intérieur de l'époque. Ce proche de Valéry Giscard d'Estaing s'était forgé une image de « dur » de la droite musclée, fervent partisan de la loi et de l'ordre. Cette ardeur républicaine ne l'empêchait pas de se montrer friand de documents concernant son ancêtre, le maréchal d'Empire Jozef Poniatowski (qui, lui, s'était noyé en couvrant la retraite de Napoléon après la défaite de Leipzig). Par l'entremise du commissaire-priseur, le ministre de l'Intérieur était devenu le destinataire privilégié des documents volés à Vincennes. Quand le juge fit perquisitionner l'étude du commissaire-priseur, et plaça ce dernier en garde à vue pour vingt-quatre heures, il eut la désagréable surprise d'apprendre que ce dernier avait été libéré le soir même, alors qu'il était seul à pouvoir en donner l'ordre. « Instruction expresse du ministère de l'Intérieur », fut la seule explication qu'il parvint à tirer d'un entretien orageux avec l'officier de gendarmerie. A l'époque, la Justice n'avait pas les pouvoirs qu'elle a acquis depuis. Michel Poniatowski ne fut jamais entendu. Seuls le voleur et le commissaire-priseur ont été renvoyés devant la cour. Me Péchon avait davantage de raisons de se trouver dans la ligne de mire des policiers et des magistrats, dans la mesure où il entretenait depuis des années une relation suivie avec le voleur. Quand il remettait les cartons aux experts, il en avait lui-même mis en ordre le contenu, numérotant les feuillets à la main, contrairement à son habitude. Il réservait donc à ces arrivages un traitement particulier. Qui plus est, par le biais de sa secrétaire, il rachetait les pièces à bas prix dans ses ventes, pour les revendre ensuite à prix fort. Toutes manœuvres qui faisaient mauvais genre. Les anciens de Saumur manifestèrent leur solidarité avec Yves Péchon, qui avait été cadet de l'école de cavalerie et avait fait montre de courage durant la guerre. En revanche, il n'y eut guère de monde à Drouot pour témoigner en sa faveur. Le milieu professionnel tenait ses compétences en matière d'art pour inversement proportionnelles à son arrogance. Grand, facilement cassant, le commissaire-priseur avait gardé un côté officier de cavalerie en campagne. Outre les souvenirs militaires (dits « *militaria* »), il s'était spécialisé dans les ventes judiciaires sur saisies, activité qui n'attire guère la sympathie, à Drouot comme ailleurs.

Me Péchon nia violemment les faits : « J'ai été moi-même dupé. Ces ventes m'ont rapporté 15 000 francs d'honoraires, sur un total de 9 millions sur l'ensemble de la période concernée. Pour si peu, aurais-je compromis ma position, acquise à force de travail ? C'est inimaginable ! De plus, pourquoi suis-je traîné devant le tribunal correctionnel, alors que les experts y échappent ? » Le procès, au printemps 1982, prit en réalité une fort mauvaise tournure pour lui. Jacques Vaissier avait pour défenseur un avocat célèbre, Me Roland Dumas, qui n'avait pas dû résister à la tentation de lancer quelques piques à l'encontre de Michel Poniatowski, ennemi juré de la gauche. Le voleur a alimenté cette thèse : au départ, il lui était bien arrivé d'emprunter quelques feuillets, mais la machine ne s'est vraiment emballée qu'avec l'intervention du commissaire-priseur. Le ministre de l'Intérieur passait les commandes au commissaire-priseur, qui lui-même les transmettait au voleur. Cette version avait l'avantage de charger son co-accusé, en le faisant passer pour commanditaire d'un véritable pillage du centre d'archives : « Mᵉ Péchon me relançait sans cesse. "Du Ponia", il me réclamait toujours : "Du Ponia !" Il m'a versé une avance, de 500 000 francs[1], sur de nouveaux arrivages. » L'enquête avait établi la réalité de ces transferts. Autant d'éléments qui, même s'il fallait les prendre avec la prudence qui s'impose en pareil cas, ont impressionné les magistrats... Fait rarissime, le commissaire-priseur fut ainsi condamné pour « recel » à la même peine que l'acteur principal du vol : deux ans de prison avec sursis chacun. Le 1ᵉʳ mars 1983, la cour d'appel de Paris les condamna en outre à verser 260 000 francs[2] au titre des réparations matérielles à l'Etat. Le commissaire-priseur fut conduit à céder sa charge, peu avant de décéder.

Dans un commentaire juridique livré par le *Le Journal des commissaires-priseurs*, l'avocat de Drouot, Mᵉ Geoffroy Gaultier, soulignait combien cette condamnation de Mᵉ Péchon lui apparaissait d'une extrême sévérité, contrastant avec le traitement dont avaient bénéficié certains libraires : « La décision laisse planer un sentiment d'inégalité alors que d'autres bénéficiaires du vol ont réussi à échapper aux foudres de la Justice. On peut également souligner l'exceptionnelle négligence du service historique de l'armée de terre, qui ne s'était pas ému de la disparition de plusieurs milliers de pièces. » Sur le fond, l'avocat voulait apaiser la profession : « La loi n'oblige pas les commissaires-priseurs à vérifier la provenance des objets qui leur sont présentés, alors même qu'ils sont dépourvus de moyens d'investigation. » Prenant les

---

1. 146 000 euros (957 000 francs).
2. 62 000 euros.

devants, la chambre parisienne des commissaires-priseurs avait adopté, le 29 avril 1971, une déclaration de principe, stipulant : « Rien n'oblige et même n'autorise un commissaire-priseur à mener cette recherche. » S'il a un doute, ou même s'il est sûr que l'objet qui lui est présenté provient d'un vol, une seule attitude est préconisée : « Il devra refuser de procéder à la vente publique. » Il n'est à aucun moment question pour ces officiers ministériels d'alerter les autorités compétentes, ou les personnes lésées. L'évolution de la jurisprudence à la fin du siècle devait contredire ce que Me Gaultier appelait une « sage résolution ».

Les livres volés portent décidément malchance à certains commissaires-priseurs moins regardants que leurs confrères. De 1974 à 1979, trois ouvrages rares ont disparu de la bibliothèque Mazarine (dépendant de l'Institut de France), du service historique de la Marine et de la bibliothèque municipale d'Orléans. Trois exemplaires d'un livre du XVIe siècle racontant l'épopée de Magellan dans les mers d'Asie, dans laquelle le navigateur et la plupart de ses deux cent soixante-cinq marins ont perdu la vie. Daté « vers 1525 », c'est le seul récit connu de cette expédition. Publié en français à Paris, sous le titre *Voyage et navigation faict par les Espaignols es Isles de Mollucques*, il est l'œuvre d'un des rares survivants, Antonio Pigafetta. Il n'en existe plus que dix exemplaires de par le monde. Les policiers ont eu la très mauvaise surprise de trouver un des leurs, appelé Jean-Marc Peyre, en la personne du voleur. Et pas n'importe qui, un officier de police judiciaire qui avait été précisément chargé de la lutte contre le trafic des œuvres d'art à Chartres, avant d'être nommé commissaire au service régional de la PJ de Lille. Utilisant les connaissances accumulées dans son métier, il avait fait du vol d'ouvrages précieux sa deuxième spécialité. Interpellé en 1983, il fut placé en détention provisoire pendant dix mois. Il fut de nouveau emprisonné en 1987 après la découverte de nouveaux vols de livres rares et de pièces de monnaie dans des bibliothèques et musées, dont celui de Chartres. Un commissaire-priseur d'Angers, Mᵉ Jean-Philippe Courtois, qui avait écoulé plusieurs des pièces volées, a été lui aussi placé en détention.

Miraculeusement, l'exemplaire du récit de l'expédition de Magellan volé à Orléans est parvenu, sous pli anonyme, au juge d'instruction. Mais les deux autres, ainsi que d'autres objets volés, avaient été confiés au bureau parisien de Sotheby's, par l'entremise de Mᵉ Courtois. Le commissaire-priseur assurait tout ignorer de la provenance frauduleuse des objets. Le policier était un client régulier, un ami qui était devenu le parrain de son fils. Dans le cours de l'instruction, non sans tiraillements internes à la magistrature, le juge délivra un non-lieu en faveur de Mᵉ Courtois. Ce qui n'empêcha pas le procureur, en 1993 devant la cour d'assises d'Eure-et-Loir, d'énumérer, avec une insistance inhabituelle, les soupçons ayant pesé sur lui. L'avocat de la bibliothèque Mazarine, Mᵉ Paul-Albert Iweins, prit le relais avec gourmandise, en évoquant le « non-lieu miraculeux » dont avait bénéficié le commissaire-priseur. Au final, seul le voleur a été condamné, à cinq ans de réclusion criminelle. Les responsables de Sotheby's ne furent, eux, pas même poursuivis. La cour d'assises a paru regretter cette impunité, quand elle relevait dans ses attendus : « Un simple examen aurait permis de déceler l'origine frauduleuse des livres. » Cette fois encore, le maquillage était grossier. Des tampons avaient été manifestement grattés, des pages arrachées. Ces anomalies n'ont pas empêché les deux volumes d'être adjugés à New York, l'équivalent de 600 000 francs[1] chacun. La perte de l'exemplaire de l'Institut de France est d'autant plus inestimable qu'il provenait du fonds même du cardinal Mazarin. Les experts de Sotheby's n'ont pas fait preuve d'une méfiance excessive en voyant le même client leur proposer deux fois un ouvrage aussi rarissime, à deux années d'intervalle. Les deux spécimens sont en

---

1. 112 000 euros.

outre sortis de France en contrebande, sans que Sotheby's ne s'inquiète de l'existence d'une licence d'exportation. La transaction passée avec Sotheby's a beau avoir été annulée par la Justice civile, les bibliothèques n'ont pu récupérer leur propriété. Conformément à ses règles, la maison de ventes américaine a catégoriquement refusé de divulguer l'identité de ses acheteurs. L'exemplaire de Mazarin a disparu corps et biens. L'ouvrage dérobé à la Marine a été retrouvé à la bibliothèque de l'université de Yale, qui a refusé de le restituer. L'Etat et la bibliothèque Mazarine ont demandé réparation de leur perte à Sotheby's et Mᵉ Courtois. Le tribunal civil comme la cour d'appel ont disculpé Sotheby's, qui « n'avait commis aucune faute ». La société de ventes avait fait confiance au commissaire-priseur, qui était après tout un professionnel. Les experts de Sotheby's ont utilisé le même moyen de défense que leurs collègues du Quartier latin : « Nombre de vieux livres ont des tampons de bibliothèques disparues. Par prudence, Sotheby's avait bien précisé au catalogue : vieux cachet de bibliothèque effacé. » Prudence ou cynisme ? D'autant que la formulation était bien ambiguë (effacé par le temps ?)...

En revanche, le commissaire-priseur n'a pas été quitte du non-lieu que lui avait délivré le juge d'instruction. La Justice, cette fois, lui a tenu rigueur des négligences qu'il avait accumulées. Les magistrats ont estimé qu'il « avait obligation de s'assurer de la légitimité de la détention » des biens qui lui étaient confiés, ainsi que « du respect des règles relatives à l'exportation des objets d'art ». Averti de la rareté de ces livres, il aurait dû procéder aux contrôles nécessaires. En conséquence, il a été condamné à payer 1 million de francs[1] de dommages et intérêts à chacune des deux institutions lésées, solidairement avec le voleur. Dans un arrêt rendu le 18 janvier 2000, qui impose définitivement cette jurisprudence, la cour de cassation a confirmé l'intégralité de ces dispositions. N'en déplaise

---

1. 150 000 euros.

aux commissaires-priseurs, la loi dit clairement maintenant que tout organisateur de ventes aux enchères hérite
d'une obligation de curiosité, qui est « nécessairement
attachée à sa fonction ».

Cet arrêt prend le contrepied de l'attitude globale des
professionnels du marché de l'art. La question de leur responsabilité avait été posée dans un autre procès, qui s'est
tenu en 2001 devant le tribunal correctionnel de Nanterre.
Un galeriste new-yorkais, Adam Williams, a été condamné
pour recel pour avoir eu en sa possession un portrait de
Frans Hals provenant d'une collection qui avait été pillée
par les nazis. Or, depuis la guerre, ce tableau était passé
quatre fois en vente publique, chez Sotheby's et Christie's.
Le galeriste lui-même l'avait acheté à Londres en 1989,
soit quarante-six ans après l'acte de spoliation. Appelé à
témoigner à la barre, le responsable juridique de Christie's
Londres a lancé, devant son client médusé dans le box des
accusés : « Nous ne garantissons absolument pas la provenance ni la propriété des œuvres qui passent dans nos ventes. » Cette irresponsabilité juridique est récusée en
France.
    Cette décision de Justice revêt une portée capitale
pour les organisateurs de ventes aux enchères, qui sont
désormais tenus de garantir la provenance et le statut juridique des objets leur passant entre les mains. Bon gré, mal
gré, le marché de l'art serait-il conduit à entrer dans un
âge de responsabilité ?

31.

Commissaire-briseur

Plus d'une fois dans cet ouvrage, le lecteur a rencontré le nom de Jacques Tajan. Il n'y a rien d'étonnant à cela : en volume d'affaires, il dépasse de la tête et des épaules tous ses confrères. D'un simple point de vue statistique, il encourt donc davantage de risques de se retrouver dans de fâcheuses situations. Il s'est, de plus, fait le pionnier de méthodes commerciales agressives, bousculant les règlements désuets entravant sa progression, sans hésiter à braver ses pairs ou les autorités judiciaires. Jacques Tajan est un homme courageux, qui fait face avec orgueil à l'adversité. Au début des années 90, il a frôlé le gouffre, mais a réussi à redresser la situation financière de son étude, après avoir dû se défaire de son siège, près de l'Opéra-Comique, ainsi que d'une partie de son patrimoine personnel. Généreux et fidèle en amitié, il passe chaque fin d'année à l'hôtel Drouot pour distribuer ses enveloppes. Certains lui en font grief, mais lui ne s'en est jamais caché : de tout temps, il a dirigé sa société non comme une étude d'officier ministériel, mais comme une entreprise du commerce de l'art. Sous l'ancien régime, il annonçait le nouveau.

Menton volontaire et regard qui semble défier son interlocuteur, ce provincial a débarqué dans la capitale âgé d'une vingtaine d'années. Il aurait pu dire : « A nous deux,

Paris. » Examen de notaire en poche, il s'est placé comme stagiaire auprès d'Etienne Ader. Sous le regard condescendant des deux fils de la famille, il est devenu le pivot de la maison. Il vivait dans un trois-pièces au-dessus de l'étude, où son épouse travaillait comme secrétaire. Levé à 6 heures, il était le premier au bureau. C'est un bourreau de travail, qui a noué au fil des décennies des relations étroites avec le grand monde. A trente ans, Jacques Tajan vit son heure venue. Il mit le père Ader au pied du mur : il voulait partir s'installer commissaire-priseur. Conscient du rôle de son émule dans son affaire, et inquiet qu'il ne devienne un concurrent de poids, Etienne Ader a offert de le prendre comme associé. Dans ce milieu, qu'un « employé » pût devenir commissaire-priseur en a indigné plus d'un. Jacques Tajan a été meurtri de l'accueil qui lui a été fait dans la profession, plus qu'il ne l'avouerait lui-même. « Je me suis toujours battu, explique-t-il ; vous savez, quand vous venez de province, vous n'avez pas partie gagnée. »

Cette déconvenue n'a fait qu'alimenter un insatiable désir de revanche, le motivant d'autant plus à rafler la plupart des affaires importantes du demi-siècle, depuis les successions Farman ou Vernes, que nous avons déjà évoquées, à celle du baron Philippe de Rothschild. Il dispersa aussi les collections de Roberto Polo, de Hussein Pacha, du banquier collectionneur David-Weill, des écrivains Sacha Guitry et Roger Peyrefitte, de l'orfèvre Louis Carré, du bibliophile Jacques Guérin... Affichant fièrement son socialisme et son appartenance à la franc-maçonnerie, Jacques Tajan était lié au cercle rapproché de François Mitterrand. Un jour, il conduisit le président de la République en hélicoptère dans la résidence de Jacques Guérin, où les deux hommes conversèrent longuement de leur passion partagée pour la littérature. Remarié à une délicate Japonaise, le commissaire-priseur se vante d'avoir introduit Danièle Mitterrand à la Sokka Gakaï, mouvement bouddhiste à la réputation controversée, qui contribua ainsi à sa Fondation France-Libertés. Fort de ses relations dans le monde politique, Jacques Tajan n'eut de cesse de démanteler le système français des ventes aux enchères, trop étriqué pour ses ambitions. Le grand Etienne Ader disparu, il supportait difficilement d'avoir trois associés, inclus les deux fils de son mentor dont l'apport au chiffre d'affaires lui paraissait négligeable. L'homme, de toute manière, n'aime guère partager le pouvoir. Ses associés, de leur côté, lui reprochaient de se montrer aussi orgueilleux qu'impitoyable en affaires, s'effrayant de le voir consacrer des sommes toujours plus importantes en promotion et en luxueux catalogues. Un à un, il s'est séparé d'eux, pour rester seul à la tête de la première étude de France. Son faste s'exprime comme un défi à sa corporation. Toujours exigeant et pressé, il a coutume de rudoyer ses employés. Au Palais de Justice, où il a dû se rendre plus d'une fois dans sa carrière, il lui est arrivé de brusquer un de ses défenseurs, qui était loin d'être un jeune novice du barreau, en face des magistrats interloqués. Mais, dans les dîners du club gastronomico-mondain des Cent, il peut se montrer un convive charmant.

D'art il parle peu, mais toujours de « son entreprise d'une soixantaine de salariés ». Il publie à grands frais un journal, *L'Optimiste*, consacré à sa propre gloire. Les paragraphes de ses éditoriaux débutent le plus souvent par « je », et sont émaillés d'un nombre conséquent d'articles et pronoms possessifs déclinés à la première personne. Un temps, il tenait régulièrement des conférences de presse, délivrant d'interminables discours à la Fidel Castro à son auditoire. Un jour, il a lâché devant les journalistes interdits :

— On se demande souvent avec qui on partirait en guerre. Moi, j'ai ma réponse : c'est moi-même.

Sur quoi, un persifleur a lancé à la cantonade :

— Parce que personne ne voudrait partir avec lui !

Dans son éditorial de *L'Optimiste* de fin 1999, Me Tajan a ajouté au récit de ses exploits celui d'avoir, un jour, fait un arrêt dans un McDonald's, dont nous ne manquons pas au plaisir de livrer un large extrait, tant l'expérience semble l'avoir marqué : « Me trouvant un jour dans la région picarde pour l'inventaire d'un château, nous fûmes confrontés à la recherche d'une petite auberge où nous pourrions, sur le coup de 14 heures, déjeuner. Les deux ou trois bistrots peu sympathiques où nous nous sommes présentés nous ont signifié que ceci n'était point une heure convenable pour le déjeuner et nous nous sommes vus éconduits. Partis très tôt le matin, et épuisés par cinq heures d'inventaire, nous étions prêts à tout jusqu'à ce que le miracle se produise : un McDonald's, qui nous apparaissait comme un mirage dans un désert gastronomique français ! Je conseillai par précaution à mon chauffeur Roberto de s'en aller garer au loin notre grosse voiture, peu compatible, me semblait-il, avec l'endroit... » Le commissaire-priseur fut néanmoins vite rassuré par cette exploration au cœur des ténèbres : « Le pas de la porte franchi, je suis frappé par la propreté des lieux, quelle merveille ! Une Noire au sourire tellement blanc, deux Asiatiques rieurs, deux Maghrébins énergiques m'accueillirent. C'est ça aussi l'Amérique !... Roberto m'avait préparé : vous verrez, Monsieur, McDonald's, c'est très bien, nous pouvons y aller. » Tranquillisé, Mᵉ Tajan s'assied pour reprendre sa plongée ethnographique : « J'appris que l'usage était d'aller soi-même chercher ses victuailles. Mais la prévenance de Roberto et mon style trop guindé que j'essayai de modifier en la circonstance firent que je fus servi avec empressement par cette jeunesse aussi amusée qu'étonnée de me voir là. Je fis un repas très convenable, les frites étaient excellentes, la viande avait une très bonne saveur... » Le commissaire-priseur pouvait se targuer d'avoir beaucoup de chance, puisqu'il put conclure sa narration par cette fine observation de gastronome concernant son steak haché : « La cuisson demandée avait été scrupuleusement respectée [1]... »

Chroniqueur du marché de l'art depuis plus de trente

---

1. Les grands de ce monde se ressemblent parfois. On se souvient de l'historique « Il fait chaud », que lança un Edouard Balladur émerveillé, lors de son premier voyage dans le métro.

ans, ayant lui-même prêté sa plume à l'occasion à *L'Optimiste* par amitié pour Jacques Tajan, François Duret-Robert sourit : « Bien entendu, il a des défauts visibles. Mais c'est un personnage assez fascinant, intelligent, qui a un sens de l'honneur. Il est le seul à avoir vendu à New York, Tokyo, Monaco et Genève. Il est finalement le seul à avoir une stature internationale. »

Jacques Tajan s'est longuement battu pour ouvrir la France à la concurrence. Un homme comme lui pouvait difficilement se satisfaire d'un corset réglementaire qui proscrivait un principe aussi élémentaire que la promotion commerciale et le démarchage de la clientèle. Cette règle n'a jamais été abrogée. Elle n'est véritablement tombée en désuétude qu'avec l'explosion du commerce de l'art dans la deuxième moitié des années 80, sous la pression d'un petit nombre de commissaires-priseurs comme Mes Tajan, Briest, Loudmer, Poulain ou Binoche. En 1984 encore, dans un débat publié par le magazine *Connaissance des Arts*, Me Tajan plaidait pour cette ouverture, mais devait prendre ses précautions tant le principe de la publicité indignait la plupart de ses confrères : « La publicité des ventes est non seulement utile mais indispensable. Une réserve cependant : je déplore les publicités tapageuses, qui donnent l'impression que les commissaires-priseurs se font de la publicité personnelle. » Bien entendu.

Ses liens avec Pierre Bérégovoy ont entraîné le Premier ministre de François Mitterrand à entamer une modernisation de la profession, dont Jacques Tajan se voulait à la fois le leader et le fossoyeur. Ce mouvement s'est toutefois enrayé avec le suicide du Premier ministre, affectant beaucoup le commissaire-priseur qui s'était reconnu un ami dans cet autre provincial confronté à la morgue des Parisiens. Et, sans doute aussi, à la malignité de la presse...

La bête noire de Jacques Tajan était la « bourse commune de résidence » : chaque commissaire-priseur devait reverser une fraction de son chiffre d'affaires à un pot commun, qui était équitablement réparti entre tous. C'était un héritage du règne de Louis XIV, qui voulait ainsi rendre la vente des charges plus facile. Le roi avait, en octobre 1696, promulgué un édit ordonnant aux priseurs d'une même ville de reverser la moitié de leurs revenus dans une bourse commune, qui était ensuite redistribuée « à parts égales » entre tous. Ce mécanisme coopératif s'était perverti en subvention du parasitisme. Certains commissaires-priseurs passaient leur temps sur les champs de courses ou dans les réceptions, se contentant de vivre du reversement de la bourse commune. Ils se satisfaisaient d'une poignée de clients occasionnels, et d'un chiffre d'affaires annuel équivalant à quelques dizaines de milliers d'euros. On appelait ces études des « titres nus ». Certains arrivaient au bureau à 11 heures et en repartaient à midi. D'autres se passaient de bureau. Mᵉ Gilles Tilorier se servait de sa salle à manger, avenue Paul-Doumer, pour entreposer les quelques objets qu'il lui arrivait d'avoir à placer en vente, si bien que, lorsque les affaires reculaient, il pouvait de nouveau recevoir ses amis à dîner[1]. Cela ne l'empêcha pas de se spécialiser dans le dessin, après avoir eu à vendre une fabuleuse collection, que le propriétaire lui avait confiée en simple voisin, et dont la dispersion mit plus de trois semaines.

On comprend l'exaspération d'un forcené de travail comme Jacques Tajan, premier contributeur de la bourse commune de par l'importance de son activité, contraint de redoubler d'activité pour nourrir des fils de bonne famille, qui, par surcroît, prenaient de haut ce parvenu de province. Epaulé par son ami Etienne Dailly, sénateur influent, qui sut profiter d'une chambre désertée en pleines fêtes de fin d'année, le commissaire-priseur parvint, en décembre 1989, à obtenir la suppression de cet anachronisme économique.

D'autres combats ont été plus difficiles. En janvier 1981, révolté par l'article d'un expert se plaignant de la

---

1. Cas cité par Alain Quemin, *op. cit.*

multiplication à Drouot des lots faussement adjugés, et revendus en douce[1], Me Tajan devait tremper sa plume acérée dans une vertueuse indignation : « Je m'exprime ici en ma qualité de commissaire-priseur à titre personnel, mais aussi dans les grandes lignes au nom de tous mes confrères dont je réponds comme de moi-même quant à la façon scrupuleuse qu'ils ont d'exercer leur ministère. La Compagnie parisienne des commissaires-priseurs à laquelle j'appartiens a décidé depuis de nombreuses années de ne communiquer et de ne faire publier que les prix des objets réellement adjugés à l'exclusion de tous autres et cette règle est parfaitement appliquée. Pour ce qui concerne notre étude, la règle absolue est celle-là. » En conséquence, dans ce courrier à la revue spécialisée *Numismatique & Change*, il réfutait catégoriquement les « commentaires acerbes, romancés, quant à des pratiques malhonnêtes savamment calculées de la part des commissaires-priseurs ». Leur auteur, un expert numismate, ne pouvait être que d'une haute « malhonnêteté morale » pour proférer de telles insinuations.

Dix ans plus tard, pourtant, Me Tajan devait se féliciter ouvertement de l'autorisation enfin délivrée aux commissaires-priseurs de pouvoir user librement de ce procédé. Il confessait volontiers y avoir eu fréquemment recours lui-même, quand il était interdit. Cette audace, du reste, le conduisit à être sanctionné par le tribunal de ses pairs, et même poursuivi en Justice, pour une infraction qu'il trouvait désormais non plus « malhonnête », mais bien vénielle.

Me Tajan a aussi bataillé, en vain cette fois, contre le tarif de location des salles à Drouot. Forcément : une fraction est proportionnelle au résultat de la vente. Organisant les plus belles vacations, il a toutes chances de payer plus cher que son voisin. Un simple calcul lui permettait d'établir que, en vertu de ce système communautaire, 90 % des

1. Pratique consistant pour le commissaire-priseur, après une vente aux enchères ratée, à trouver un acquéreur auquel il cède le lot de la main à la main. Voir à ce sujet chapitre 9.

études parisiennes payaient les salles moins cher qu'elles ne devraient, grâce aux subventions abondées par la demi-douzaine la plus active. La sienne en tout premier.

Pour ses événements de prestige, dédaignant l'environnement un peu miteux de Drouot-Richelieu, il avait pris ses habitude à l'hôtel George V. Quand, en 1997, l'hôtel fut entièrement restauré, sa direction confia naturellement au commissaire-priseur le soin de disperser sur place les milliers de lavabos, tables et chaises dont elle voulait se débarrasser. Il fallut vingt et une vacations pour mener à bien ce grand déballage de cinq mille pièces de mobilier et de mille trois cents tableaux, dont certains exemplaires remontaient à la période Art déco. Il rééditait ainsi l'exploit du jeune Maurice Rheims, à qui il avait fallu deux mois pour écouler le mobilier de l'hôtel Majestic, en 1937, où devait s'installer le ministère de la Guerre.

A l'approche de la fin du monopole, sans se soucier de l'interdiction de vendre habituellement en dehors de Drouot, Mᵉ Tajan a ouvert son propre espace de ventes dans un luxueux immeuble près de la Madeleine. Il poursuivait cependant ses ventes ordinaires à Drouot, car cet espace reste unique par sa fréquentation. Jacques Tajan a fini par céder son entreprise au groupe de Bernard Arnault, ce qui n'a pas dû être facile pour un personnage habitué à travailler en autocrate. Il assure aujourd'hui : « Je reste le seul maître à bord. Ce point ne se discute même pas. »

En novembre 2001, Mᵉ Tajan pouvait enfin savourer le triomphe de ses conceptions. Avec l'entrée en vigueur de la nouvelle loi, la société commerciale Tajan fut une des premières agréées, avec Sotheby's et Christie's. Dans le *Figaro-Madame* du 20 octobre, Jacques Tajan et son fils François, désigné comme l'héritier de l'affaire, posent pour un dossier au titre évocateur : « Spécial hommes : de plus en plus beaux, de moins en moins mâles ? » Tous deux en costume Ralph Lauren (celui, à carreaux, du père tout droit sorti d'un almanach des années 50), arborant montre en or. On y apprend que Jacques Tajan a, dans sa garde-robe, cinq cents cravates, qu'il déteste les chaussettes trop courtes, et que son rêve serait de porter un costume sur mesure « doublé des foulards en soie Hermès de sa mère ».

32.

L'imbroglio Giacometti

Interrogeant Me Tajan sur France Inter après la sortie d'un livre de souvenirs, Jacques Chancel eut l'extrême courtoisie, dans le courant de l'émission, de prévenir son interlocuteur : « Je vous rassure : nous n'allons pas parler des "affaires"... » Il fut rabroué par son interlocuteur : « Tout au contraire, nous allons en parler ! Car il faut en parler... » Et, sans davantage se soucier des prévenances de son hôte, il se mit à présenter sa défense dans quelques-uns des scandales dans lesquels son nom s'est trouvé malencontreusement cité au fil de son honorable carrière. Cet incident en dit long sur le caractère du commissaire-priseur.

La plus sérieuse des querelles dans lesquelles il a été impliqué tire son origine de ses liens avec l'entourage de François Mitterrand. Nous sommes le 11 juillet 1994. C'est un belle soirée qui s'annonce pour le numéro un de la profession. Dans les salons de l'hôtel George V, Me Tajan est sur le point d'ouvrir la plus importante vente aux enchères de pièces du sculpteur Alberto Giacometti (1901-1966) : quatorze sculptures et quatre peintures. L'origine en est irréprochable. Nul dans le milieu n'ignore que des faux ont circulé sur le marché. Mais les œuvres proposées par Me Tajan proviennent de la succession de la veuve de l'artiste, Annette Giacometti. La proximité des vacances n'est peut-être pas favorable, mais le prestige de la collection a attiré certains des marchands les plus importants, tels Marc Blondeau ou Joe Nahmad. Le premier, barbu, est un élégant bon vivant, qui lança le bureau parisien de Sotheby's avant de devenir conseil et marchand indépendant. Il dirige un cabinet réputé d'expertise. A cette vente, il espère acheter non pour son propre compte, mais pour celui de clients fortunés dont il a l'oreille. Quant au second, il ne passe pas inaperçu dans les salles de ventes. Corpulent, le visage toujours mangé par une barbe naissante, un peu avachi sur sa chaise, lui a plutôt tendance à thésauriser. Il en a les moyens. D'origine juive libanaise, tenant avec ses frères galerie à Londres et New York, Joe Nahmad est un amateur avisé, qui a un œil pour l'art moderne. C'est un homme de famille. Si son frère Elie, qui s'occupe du versant financier, n'est pas à ses côtés pendant la vacation, il arrive à Joe de converser à voix basse par téléphone portable avec lui durant les enchères.

Dans la salle, il y a du beau linge : au premier rang, le ministre Roland Dumas. Il est en fait le maître d'œuvre de l'événement. Distingué, cultivé, toujours courtois, il ne s'est jamais caché d'aimer l'argent, l'art et les femmes. Collectionneur, s'étant lié à des héritières d'artistes aussi importants que Picasso ou Chagall, il a été également l'avocat d'Annette Giacometti, qui l'avait nommé son exécuteur testamentaire. Elle est décédée dix mois plus tôt. Roland Dumas a décidé de mettre en vente certaines pièces de la succession, pour pouvoir assumer les frais importants qui s'accumulent. Il a naturellement confié la vente à Jacques Tajan, non seulement parce qu'il est le premier commissaire-priseur de France, mais aussi parce qu'il est un ami, rencontré dans les cercles du parti socialiste imbriqués avec ceux de la franc-maçonnerie. C'est au même qu'il demanda d'effectuer « la prisée » de l'inventaire, c'est-à-dire le soin d'évaluer l'exceptionnelle collection d'œuvres léguée par Annette à une fondation qui reste à créer. Une collection exceptionnelle, des centaines de sculptures, peintures, dessins et esquisses, que Mᵉ Tajan évaluera à 760 millions de francs[1].

Tout se passe bien, jusqu'au lot n° 6, *Nu d'après nature*, une figurine représentant Annette. Les enchères démarrent à 1,3 million de francs et montent jusqu'à 1,8 million. En réalité, Mᵉ Tajan a mouliné dans le vide, faute d'enchérisseur. Le lendemain, un fax est diffusé à la presse, mentionnant le lot n° 6 comme invendu. Dans une déclaration à l'Agence France-Presse, Mᵉ Tajan explique qu'il peut toujours y avoir « un trou » même dans la plus belle vacation. La dispersion n'en est pas moins un succès, atteignant 42 millions de francs[2], ce qui est beaucoup plus que de besoin. Cet écart, du reste, gêne l'association Giacometti, qui voit d'un mauvais œil la perte d'un patrimoine précieux. Cette association avait été formée par Annette elle-même, afin d'ouvrir la voie à la fondation consacrée à l'œuvre de son mari. Elle en est la préfiguration. Les amis d'Annette ne comprennent pas pourquoi des pièces uniques, comme des peintures, ont été mises à l'encan, alors que la collection compte plusieurs tirages originaux en bronze, qui ont l'avantage d'être des multiples. Elle s'inquiète aussi des honoraires qu'il faut verser au passage au commissaire-priseur et au notaire, Mᵉ Pierre Chassagne, de Chatou, qu'elle devine exorbitants. On lui dira des années plus tard qu'ils se monteraient à 6 millions de francs[3] pour le notaire (chiffre qui sera ultérieurement révisé à la hausse : on parlera de 9 ou 10 millions de francs) et à un total de 13,6 millions de francs[4] pour Tajan : 7,6 millions pour l'inventaire, soit 1 % de la valeur estimée, et le reste pour la vente elle-même soit 12 % hors taxe, selon les précisions apportées par l'exécuteur testamentaire Roland Dumas. Normalement le plafond réglementaire est de 7 %, hors frais, ce qui est déjà beaucoup....

Pour le commissaire-priseur, qui détient la plus

1. 125 millions d'euros.
2. 6 900 000 euros.
3. 988 000 euros.
4. 2,2 millions d'euros.

grosse affaire de France et brasse alors quelque 350 millions de francs[1] par an, tout s'est passé le plus légalement du monde, et sous le contrôle de l'exécuteur testamentaire. Ce ne sont en tout cas pas des tarifs d'ami. Plus d'un expert parisien aurait accepté d'inventorier le fonds pour quelques dizaines de milliers de francs. Christie's et Sotheby's, qui ont pignon sur rue à Paris, ont même pour habitude de réaliser les inventaires gracieusement, afin d'entretenir les meilleures relations avec la clientèle. Ces mêmes maisons consentent également des ristournes importantes sur les tarifs de vente, dès lors qu'une collection prestigieuse leur est proposée. Autrement dit, si Roland Dumas s'était adressé à Christie's ou Sotheby's, la succession aurait pu économiser une bonne dizaine de millions de francs[2] au bas mot. Il est vrai – et Me Tajan, qui fut le grand pourfendeur des archaïsmes français, est le premier à le dénoncer – que ces multinationales basées à Londres ou New York ont les mains beaucoup plus libres que les commissaires-priseurs. Elles disposent également de facilités de trésorerie qui sont hors de portée de leurs concurrents français. « Si Sotheby's ou Christie's acceptent de travailler pour rien, c'est leur problème, lance Me Tajan. Moi, j'ai une entreprise à défendre. »

Il faut peut-être remonter en arrière, tout au début du siècle à vrai dire, pour comprendre combien cette vente aux enchères a pu entraîner dans son sillage des déchirements aussi violents qu'interminables. Alberto Giacometti est né le 10 octobre 1901 à Borgonovo, dans les Grisons, d'un père qui était un peintre de qualité. Noctambule, grand fumeur, Alberto est mort d'une crise cardiaque à soixante-cinq ans, le 11 janvier 1966. Il a été le grand sculpteur du siècle. Il a fréquenté les cercles surréalistes et cubistes. Il est resté très proche de l'écrivain Michel Lei-

---

1. 57,6 millions d'euros.
2. 1,6 million d'euros.

ris, qui a écrit dans la revue *Documents* le premier article paru sur son œuvre. Alberto Giacometti était ami d'André Masson, Pierre Loeb, Jeanne Bucher, du banquier et collectionneur Pierre David-Weill, des Noailles qui, dès 1929, ont été ses premiers mécènes. Il a suivi, à son arrivée à Paris, des cours de sculpture chez Bourdelle, qu'il détestait. Son style lui était profondément étranger. Il n'appréciait guère Rodin, dont il trouvait affreuse la tête de *Balzac*. Il était opposé au monumental, à ce travail dans la pierre qui faisait ressortir une forme massive de la masse de l'informe. Ses sculptures étaient toujours à dimension humaine. A travers elles, il aurait voulu capter la lumière. *L'Objet invisible*, ainsi s'appelait sa dernière œuvre surréaliste, réalisée en 1934-35... Ensuite, il prit ses distances avec le cercle surréaliste, trop indépendant pour se laisser embringuer par un André Breton. Poursuivant sa recherche en solitaire, en 1940, il s'est installé à Genève. Dans un café, deux ans plus tard, il y a rencontré une jeune fille de dix-huit ans, Annette, à une lecture de poésies de résistants français.

— Tu es assis sur ma chaise, furent ses premiers mots.

Immédiatement, il dessina la silhouette de la jeune femme dans sa tête. Pendant la lecture, il la croqua sur un bout de papier. Le couple ne devait plus se séparer. En 1945, Alberto et Annette regagnèrent Paris, et l'atelier de la rue Hyppolite-Maindron, où Diego avait enterré les sculptures de son frère durant l'Occupation. La « mama » voyait cependant d'un mauvais œil ce ménage hors mariage. En 1949, Annette et Alberto se marièrent. Ce fut l'époque à laquelle Alberto Giacometti accédait à la notoriété, aux Etats-Unis notamment. Enjoué et brillant, le sculpteur, qui avait jusque-là bouffé de la vache enragée, n'a guère changé ses habitudes. Levé à midi, il travaillait l'après-midi dans son petit atelier, avant de se rendre au Flore où il passait ses nuits à discuter avec Michel Leiris ou Jean-Paul Sartre. Ayant gardé un accent prononcé, ponctuant ses phrases de « non ? non ? » à la manière italienne, il tenait d'interminables conversations avec ce dernier qui époustouflaient l'auditoire, et dont Simone de Beauvoir a regretté qu'aucune trace n'en eût été conservée. Ses doigts avaient la bougeotte ; il griffonnait constamment sur la nappe, quand il ne triturait pas des boulettes de pain. Vers 3 heures du matin, il regagnait son atelier pour donner suite au tourbillon d'inspirations. Dans sa sculpture, il cherchait la finesse, jusqu'à parvenir aux figures filiformes qui ont fait sa célébrité. Annette suivait Alberto. Elle posait pour lui, se ruinant la santé dans cet atelier humide, péniblement chauffé l'hiver par un vieux poêle. La vie de bâton de chaise que menait Alberto, son addiction pour la cigarette ont fait dire à James Lord, qui a écrit une biographie (discutée) de l'artiste : « Il a passé son existence à se suicider à petit feu. »

Quand le sculpteur est mort, Annette hérita du fonds d'atelier. Elle avait vécu avec et pour son époux, elle a continué de le faire. Elle s'est attaquée au recensement de cet œuvre, prenant contact à travers le monde avec les amis, marchands et collectionneurs, leur demandant des photos, triant les sculptures restées dans l'atelier, mais aussi des tas de peintures, dessins, croquis, papiers divers. Alberto n'avait aucun souci d'ordonnancement de son œuvre. Rien n'était plus étranger à sa création en mouvement. L'idée qu'un jour un musée pût lui être consacré l'aurait fait rire. Annette a ainsi récupéré des piles de dessins entassés au fil des décennies, sur lesquels la chatte faisait régulièrement ses petits. Le sculpteur a toujours assuré qu'à choisir il sauverait un chat d'un incendie, plutôt qu'un Rembrandt. Sans parler de ses propres dessins de travail...

Annette était restée très proche de Michel Leiris et de son épouse galeriste, Louise, que tous appelaient Zette. Elle suggéra de s'attaquer à la rédaction d'un catalogue raisonné, qu'Annette entreprit avec Frank Perls, galeriste californien, ami de Matisse. Annette a poursuivi ce travail avec son assistante, Mary-Lisa Palmer. Sabine Weiss, amie d'enfance du lycée de Genève, prenait les photos. Titulaire du droit moral de l'artiste, Annette fut bientôt conduite à se lancer dans la chasse aux faux, qui ont proliféré dès qu'Alberto avait acquis la célébrité. Les plus habiles se servaient de moulages en plâtre qui avaient été volés dans son atelier. La première affaire, qui éclata en Italie en 1967, dite Daniel Pludwinsky, du nom d'un trafiquant qui fut condamné, fit sensation. Le nom de Joe Nahmad a été cité, mais il fut blanchi par la Justice. Louise Leiris suggéra à Annette de s'assister des conseils d'un avocat spécialisé dans l'art. Ce fut Roland Dumas, qu'elle lui présenta en 1970. Celui-ci n'a donc pas connu le sculpteur. Mais sa veuve est tombée sous le charme de cet homme brillant, plein d'attention, qui l'invitait dans sa résidence du Bordelais, à Venise, ou encore à l'Opéra. « Il est tellement gentil, il accepte que je le paye en œuvres d'Alberto », dit-elle à une de ses amies un peu éberluée.

A partir de 1986 Annette, sans enfant, s'est inquiétée du devenir de sa collection. Elle rêvait de voir naître un musée dévolu à l'œuvre d'Alberto. Elle confia à Me Dumas le soin de déposer les statuts d'une fondation, ce qu'il fit en 1988. Cet acte n'est cependant que le premier pas d'un cheminement compliqué dans l'administration, avant d'obtenir l'agrément officiel indispensable. L'année suivante, avec ses amis, Michel Leiris, Roland Dumas, Sabine Weiss, Yves Bonnefoix, les poètes André du Bouchet et Jacques Dupin, Annette a créé l'association Giacometti, avec pour objet, jusqu'à la naissance officielle de la fondation, d'assurer « la protection, la divulgation et la diffusion de l'œuvre d'Alberto Giacometti ». Annette l'a dotée de 24 millions de francs [1], lui remettant en usufruit un hôtel particulier acheté 13 millions de francs [2], cour de Rohan, petite cité du carrefour de l'Odéon. Découverte par une annonce dans *Le Figaro*, cette maisonnette se trouvait être la propriété de Claude Cheysson, qui fut, lui aussi, ministre des Affaires étrangères de Mitterrand. Il n'a

---

1. 4,6 millions d'euros.
2. 2,4 millions d'euros

jamais dissimulé le peu de respect qu'il nourrissait pour Roland Dumas. Mais ce dernier, qui avait pris beaucoup de plaisir à visiter les belles résidences qu'Annette envisageait d'acquérir, s'amusait de cette coïncidence. Pourtant, pour une fondation, c'était une affaire bancale : la maison est trop grande pour abriter de simples bureaux et, encore aujourd'hui, elle a l'apparence désolée d'une coquille vide, sans confort ni chauffage. Elle est bien trop petite pour en faire un musée et accueillir la collection. Plus tard, ce choix a alimenté le soupçon : Annette fut-elle mal conseillée ? Mais on n'en était pas encore là.

Les dernières années d'Annette furent tristes. Sombrant dans la neurasthénie, elle s'enfermait dans son grand appartement de la rue Monsieur-le-Prince, s'alimentant mal, ne parvenant plus à suivre les dossiers. Ses proches, à commencer par Mary-Lisa Palmer, s'inquiétèrent. Annette fut placée sous tutelle, dont son frère, Michel Arm, eut la charge. Le 19 septembre 1993, elle est morte subitement à l'hôpital après une intervention chirurgicale. On lui avait enlevé une petite tumeur maligne au cou. Cette disparition subite fut un choc pour son entourage. Mary-Lisa Palmer se souvient encore d'un appel téléphonique d'un journaliste – l'auteur de ces lignes – quarante-huit heures plus tard. Il avait appris le décès d'Annette et posait des questions, dont elle a gardé note :

— Est-il vrai qu'Annette Giacometti était sous tutelle ? Que reste-t-il de l'exceptionnelle collection qu'elle avait héritée de son époux ? Que va devenir ce patrimoine ?

Mary-Lisa Palmer interrogea Roland Dumas, qui lui demanda surtout de ne rien dire : c'était une affaire privée. Mary-Lisa Palmer se souvient combien elle avait été heurtée de l'insistance de ce journaliste, alors qu'elle et ses amis étaient en deuil. On ne peut que lui donner raison. Mais les questions étaient sans doute les bonnes...

Annette avait en effet laissé un testament prêtant à confusion. Elle désignait Roland Dumas comme son légataire universel... à moins que, au moment de son décès, elle n'eût la faculté de transmettre son legs à la fondation.

Auquel cas, Roland Dumas n'était qu'exécuteur testamentaire, avec pour seul mandat de mener à bien cette transmission. Quand Annette signa son testament, le 5 janvier 1990, on était dans le premier cas de figure : il n'était alors pas possible de faire un legs à une fondation non encore constituée. Mais elle attendait le passage d'une loi, que Jack Lang a, en effet, fait adopter deux ans plus tard, autorisant une transmission à une fondation en cours de constitution. Cette ambiguïté de départ a nourri la suspicion, et aiguisé les rivalités qui se sont exacerbées autour de cet héritage. Car un légataire universel n'a rien à voir avec un exécuteur testamentaire. Comme son nom l'indique, ce dernier est simplement chargé de veiller à l'exécution des dispositions figurant au testament. Il ne peut être rémunéré. Ses pouvoirs sont limités, au point que les notaires ne sont guère favorables à cette option : ils le savent d'expérience, dès que surgit une difficulté, l'exécuteur testamentaire n'a pas les moyens de la surmonter. En cas de litige, c'est l'impasse. Il faut faire appel aux tribunaux. Les notaires préfèrent de loin avoir affaire à un légataire universel, car il a tous les pouvoirs. Et, une fois distribués les legs particuliers, il hérite du reste.

Le 22 septembre 1993, le notaire, Me Pierre Chassagne, donna lecture du testament d'Annette Giacometti à Mary-Lisa Palmer, Michel Arm, frère d'Annette, et Roland Dumas. C'est lui le personnage le plus important. Il est devenu ministre, craint et respecté. Il est le maître des lieux : pour cette audience, tous se sont rendus dans son cabinet de la rue de Bièvre, où il voisine avec François Mitterrand.

Mary-Lisa Palmer, qui décidément garde des notes sur tout, relate la scène : le notaire présentait Roland Dumas comme « légataire universel », sans l'ombre d'une hésitation, tout en faisant valoir que la création d'une fondation lui semblait difficile, sinon impossible. En outre, pour lui, l'association n'avait plus de raison juridique d'exister. Mary-Lisa Palmer fut seule à s'indigner, trouvant que le notaire piétinait allègrement les dernières volontés d'Annette. Quant à Roland Dumas, il ne dit mot. Cependant, à la première assemblée de l'association, il se présenta comme légataire universel. Mary-Lisa Palmer n'était pas d'accord. Elle suggéra une consultation juridique. L'association ne la suivit pas. Elle était devenue l'empêcheuse de tourner en rond. Les cheveux frisés, un visage de souris qu'éclaire parfois un sourire mutin, elle déborde d'une détermination farouche, qui étonne chez une personne de si petite taille. Par nature, elle n'est guère encline au compromis. Elle demanda de son propre chef une consultation à Mᵉ Anne-France Cosperec, jeune avocate qu'elle avait connue du temps où elle était stagiaire au cabinet Dumas. Dans un rapport de dix-sept pages, l'avocate conclut que la fondation était la véritable légatrice. C'est elle qui devait hériter de la collection d'Annette, et non ses frères ou Roland Dumas. Celui-ci était simplement exécuteur testamentaire. Dumas et les frères Arm firent alors appel au tribunal de Paris pour lui demander d'interpréter le testament. Dans une décision datée du 26 janvier 1994, le tribunal confirma tous les termes du rapport de la jeune avocate. La maison de la cour de Rohan, la collection d'œuvres et les liquidités laissées par Annette devaient ainsi revenir à la fondation. Roland Dumas dément catégoriquement « avoir voulu être légataire universel ». « Je n'ai jamais souhaité hériter d'Annette. La vérité, c'est que j'ai été soulagé quand le tribunal me l'a confirmé. Dans cette histoire, je suis le seul à n'avoir jamais été intéressé. » Allusion au salaire versé par l'association à Mary-Lisa Palmer et à son époux, qui travaille avec elle aux archives léguées par Annette. En tout cas, confirmé dans son rôle d'exécuteur testamentaire, Roland Dumas confia cette fameuse vente à Mᵉ Tajan. 13,7 millions de francs d'honoraires pour le commissaire-priseur et 6 millions alors prévus pour le notaire, cela faisait 20 millions. La vente en rapporta plus du double. Pourquoi avoir aliéné autant le patrimoine de la fondation ? interrogeait l'association, qui se laissait gagner par les arguments de l'inlassable Mary-Lisa Palmer. Roland Dumas et Jacques Tajan firent observer qu'il fallait bien faire face aux frais d'assurance et de garde-meubles. D'ailleurs, plaide Me Tajan, cinq ans plus tard, il restait un peu moins de 9 millions de francs en caisse. Rien n'y a fait. Mary-Lisa Palmer a refusé d'être l'experte de la vente, faisant une croix sur des honoraires qui se seraient montés à 3 % du revenu de la vente, soit 1,2 million de francs[1]. Le doute a laissé la place à une franche hostilité, dès lors que le notaire et le commissaire-priseur ont avoué leur opposition au projet d'une fondation. Me Tajan explique aujourd'hui cette prise de position : « La presse a écrit beaucoup de contre-vérités sur ce testament. En réalité, il désigne Roland Dumas comme légataire universel. Il aurait dû hériter. Il aurait alors versé 60 % de droits de succession, qu'il aurait pu régler avec des œuvres en dation. Avec le reste lui revenant, il pouvait faire la fondation, et nommer Mme Palmer présidente, ou vice-présidente. Tout aurait été réglé en trois jours. Au lieu de cela, rien n'a pu être fait. » Effectivement, la fondation n'est pas née. Les statuts n'ont jamais reçu l'agrément nécessaire des autorités. Chacun s'en renvoie la responsabilité. Roland Dumas évoque les contentieux interminables qui ont empoisonné sa tâche, citant une procédure que Mary-Lisa Palmer avait intentée pour se faire reconnaître, en vain, le droit moral sur l'œuvre d'Alberto Giacometti. L'association tient à l'inverse grief à Roland Dumas des retards accumulés, le soupçonnant d'avoir été de connivence avec le notaire et le commissaire-priseur. Il n'aurait pas réellement souhaité la naissance d'une fondation. « Ce n'est pas vrai. J'ai tout fait pour que la fondation voie le jour », se défend l'ancien ministre. Quand on lui demande si, d'aventure, les tribunaux constatant l'échec de la fondation, il ne pourrait pas alors redevenir légataire universel de la succession, Roland Dumas soupire : « Ah, vous ne trouvez pas que j'ai assez d'ennuis comme cela ! » Et il sourit, comme songeant à une absurdité qui ne lui était pas venue à l'esprit... « J'ai pris, avec le notaire, dix-

_____

1. 197 000 euros.

sept rendez-vous avec les ministres de la Culture successifs, ou leur chef de cabinet. Douste-Blazy a gardé le dossier deux ans sous le coude. Est-ce notre faute ? » Toujours est-il que, modifiés, remodifiés, les statuts ont été rejetés les uns après les autres. Dans un cas, la dotation budgétaire n'apparaissait pas suffisante pour faire vivre la fondation. Dans un autre, des postes budgétaires manquaient. De 1988 à 1991, les statuts ont été modifiés trois fois. En 1991, Jack Lang, alors ministre de la Culture, a enfin transmis un avis favorable au ministère de l'Intérieur, seul habilité à délivrer l'agrément. Mais le gouvernement a changé, et tout fut à recommencer. Les membres de l'association assurent avoir été tenus dans l'ignorance de cet avis favorable. Ils ne l'auraient appris que six ans plus tard, par le hasard d'une pièce produite dans un contentieux judiciaire. Pour eux, le projet est toujours resté en panne. Ils ne sont pas loin de voir dans cette dissimulation la preuve d'un sournois sabotage.

Ils en veulent d'autant plus à Roland Dumas qu'il était devenu un personnage tout-puissant de la République, de par son intimité avec François Mitterrand. L'ancien ministre évoque ses interventions, mais souligne en même temps que le dossier lui échappait : étant au gouvernement, il n'avait pas le droit d'exercer son activité d'avocat. Il a dû confier effectivement le dossier à sa collaboratrice Christine Courrégé. Il l'a repris pourtant ensuite, et la fondation n'a toujours pas vu le jour.

Les musées se mirent de la partie. En général, les conservateurs voient d'un mauvais œil les fondations privées s'accaparer un patrimoine qui pourrait revenir aux collections nationales. Ils soulignent combien certaines fondations accumulent les problèmes de gestion, quand elles ne sont pas pillées par des aigrefins. Le 28 octobre 1997, à l'occasion d'une rencontre entre l'association Giacometti et la direction des Musées de France, une conservatrice du musée national d'Art moderne a dit tout le mal qu'elle pensait du projet de fondation Giacometti. Le ministre de la Culture a dû l'écouter, car il émit alors un nouvel avis négatif.

Un souci légitime du ministère est d'éviter la création de fondations dépourvues de capital. Elles risque effectivement de devenir autophages, obligées pour vivre de dilapider les œuvres les plus précieuses de leur propre patrimoine. Engluée dans les difficultés, la fondation Arp avait ainsi essayé de mettre en vente sa plus belle sculpture à Drouot. Le ministère de la Culture a donc réclamé la constitution d'un noyau inaliénable de la collection Giacometti. Cette liste n'a jamais pu être dressée, les protagonistes s'en rejetant mutuellement la responsabilité. Même le partage de la fraction de la succession revenant à la famille Giacometti n'a pu être fait.

Lassé, submergé d'ennuis judiciaires, Roland Dumas a fini par s'effacer du devant de la scène, confiant la gestion de la succession à une administratrice judiciaire, Me Hélène da Camara, qui a choisi de déblayer la voie à la machette. Elle s'est d'emblée illustrée par une franche opposition à l'association. Elle a fait saisir ses archives, avant de demander la dissolution de l'association au tribunal de Paris. Le ministère de la Culture donne raison à l'administratrice nommée à la demande de Roland Dumas. L'objectif, inavoué, est de faire table rase de tous les protagonistes. Ensuite, de trouver une solution convenable pour les musées, si besoin en dispersant la collection entre quelques heureux élus.

Cet imbroglio est devenu encore plus impossible à démêler avec l'entrée en jeu de nouveaux acteurs. La Justice s'intéresse désormais de très près à des irrégularités liées à la vente aux enchères de 1994. Le 1er avril 1998, *Libération* a révélé que le fameux lot n° 6, celui resté invendu, était devenu la propriété du marchand Joe Nahmad. Il n'avait pas été distrait de la succession, mais cédé de la main à la main par Jacques Tajan, pour 1,1 million de francs. Dans un premier temps, le commissaire-priseur a « contesté de la manière la plus formelle ces allégations », tout en inventant une fable peu crédible sur « un cafouillage » survenu lors de la vente. Mais, interrogé par les policiers à Londres, Joe Nahmad a confirmé le fait. Mᵉ Tajan s'est ainsi retrouvé mis en examen par la juge d'instruction Xavière Siméoni pour « faux en écriture publique » : il lui est reproché d'avoir corrigé le procès verbal de vente (un acte authentique), en ajoutant la cession du lot nº 6. Certains de ses collaborateurs ont accrédité cette hypothèse auprès des enquêteurs. A demi-mot d'abord, puis ouvertement, Mᵉ Tajan finit par reconnaître qu'il avait effectivement proposé le lot invendu à Nahmad. Mais, à ses yeux, c'était un péché véniel : « Ce n'est pas une abomination quand même ! Tout le monde le faisait à Drouot. Du reste, la nouvelle loi autorise ce genre de pratique. Est-ce une raison pour me traîner dans la boue ? » Le commissaire-priseur a été stupéfait que la Justice soit allée jusqu'à ouvrir une procédure criminelle à son encontre. Le raisonnement du parquet était le suivant : le faux en écriture publique est bien plus grave s'il est commis par un personnage chargé d'une parcelle de pouvoir public, un commissaire de police, un magistrat, ou encore un notaire ou un commissaire-priseur justement. Choisir la voie criminelle était en fait un moyen de contourner la difficulté de la prescription. La faute a été révélée quatre ans après les faits. Or, la prescription pour faux en écriture publique dans le nouveau code pénal est de trois ans... pour un simple particulier. Pour finir, le commissaire-priseur bénéficia, sur ce point, d'un non-lieu. Les faits étaient bien prescrits. La procédure criminelle fut abandonnée.

Ainsi magistrats et enquêteurs avaient-ils eu besoin de cette infraction d'apparence plutôt anodine pour ouvrir une procédure, comme s'ils avaient saisi le petit bout d'une ficelle à tirer, susceptible de les conduire à une pelote plus importante. Interrogé d'abord comme témoin, Roland Dumas a confirmé que le commissaire-priseur avait agi sinon sur ses instructions, du moins sous son autorité. La procédure s'est emballée. Joe Nahmad a fourni aux policiers une lettre que lui avait écrite Mᵉ Tajan pour lui faire part de sa première version des faits. C'est peu de dire que le commissaire-priseur a été furieux de la déposition du marchand libanais. Il le lui fit clairement savoir. Les magistrats prirent mal la chose. Mᵉ Tajan s'est retrouvé mis en examen pour « subornation de témoin ».

En se penchant sur les comptes de la vente, la Brigade financière fit d'autres découvertes. Elle s'est aperçue que l'étude Tajan avait gardé en caisse les 35 millions de francs[1] de résultat net, au lieu de les transférer au notaire. Mᵉ Tajan réglait au fur et à mesure les frais de la succession, si bien que la somme n'était plus que de 8,9 millions de francs[2] quand le pot aux roses fut découvert, cinq ans plus tard. « Tout a été rendu, et justifié, au centime près », plaide le commissaire-priseur.

Cette exactitude comptable l'honore, mais elle n'a pas suffi. Cette fois, c'était plus grave encore. Le célèbre commissaire-priseur a été mis en examen pour « abus de confiance aggravé ». Il en a été sonné : « On voudrait ma peau, on n'agirait pas autrement », proteste-t-il, en s'élevant « contre ces accusations qui n'ont aucun fondement ». Pour expliquer son attitude, il a l'argument du chef d'entreprise : « Je défends soixante emplois directs et autant d'indirects. Ce que j'ai fait n'a rien de scandaleux. » Les enquêteurs ne sont pas de cet avis : sur un temps relativement long, ce pactole lui aurait permis d'assurer les fins de mois de son étude et lui aurait évité autant de frais financiers. Le commissaire-priseur réplique : « C'est extravagant. De 1991 à 1995, j'ai cumulé 2,1 milliards de francs[3] de chiffre d'affaires. Ce ne sont pas ces quelques millions qui m'auraient maintenu à flot ! J'ai pu avoir des passages difficiles, mais, s'il en était besoin, mon patrimoine personnel couvrait largement les déficits. Les banques ne m'ont jamais refusé leur aide, ce qui prouve bien qu'elles avaient confiance. » L'administratrice judi-

---

1. 5,7 millions d'euros.
2. 1 380 000 euros.
3. Environ 350 millions d'euros.

ciaire de la succession lui a réclamé le reliquat, avant d'entamer une procédure pour lui demander les intérêts correspondants. Comme un malheur n'arrive jamais seul, en mai 2001, le commissaire-priseur fut aussi condamné par le tribunal de Paris à remettre un million et demi de francs [1] aux héritiers Giacometti, à qui il devait toujours une fraction de la vente. A son tour, il a demandé, en vain, à Roland Dumas d'assumer les frais de cette condamnation. « Je n'ai rien fait sans son aval, proteste le commissaire-priseur. Il ne voulait pas du produit de la vente, le notaire non plus, il n'y a pas d'héritier. Que pouvais-je faire d'autre avec ces sommes ? » Les magistrats l'ont entendu. Le 23 juillet 2001, une nouvelle juge, Colette Bismuth-Sauron, qui a relancé une instruction qui s'était mystérieusement assoupie, a fini par mettre Roland Dumas en examen pour « complicité d'abus de confiance ».

Le point le plus délicat pour l'ancien ministre est la révélation de transferts financiers apparus dans le cours de l'instruction sur l'affaire Elf, au terme de laquelle il a été condamné, en première instance, à six mois d'emprisonnement (il a fait appel). Roland Dumas a en effet perçu 2,4 millions de francs [2] de l'étude Tajan de 1994, année où il lui a confié la lucrative affaire Giacometti, à 1997. Hasard ? Les facturations échangées entre le cabinet de Mᵉ Dumas et la société de Mᵉ Tajan font référence à une « convention » d'abonnement signée un an, jour pour jour, après le décès d'Annette. Soit le jour où la saisine de la succession par l'exécuteur testamentaire prenait, en théorie, juridiquement fin. Pouvait-il s'agir d'un remerciement à un apporteur d'affaires ? L'ancien ministre s'en défend, disant avoir simplement encaissé des honoraires pour des activités de conseil. Il aurait notamment aidé Mᵉ Tajan à restructurer sa société en dénouant un contentieux avec un de ses anciens associés. Pourtant, plusieurs des factures émanant du cabinet de Mᵉ Dumas portent spécifi-

---

1. 230 000 euros.
2. Environ 385 000 euros.

quement la mention « Giacometti », ou même des travaux qui semblent en relation avec la création de la fondation. Or, en tant qu'exécuteur testamentaire, il n'avait pas le droit de toucher la moindre rémunération. Mais l'avocat précise que ces émoluments étaient destinés non à lui, mais à ses collaborateurs. Pour Me Tajan, ces rémunérations sont parfaitement justifiées par les compétences de son ami. Comme il l'a lancé dans un entretien au *Parisien* :

— Les conseils de Roland Dumas valent de l'or.

33.

Le commissaire-priseur
et la vieille dame

Le 9 juin 1998 fut un mauvais jour pour Me Tajan. Le premier commissaire-priseur de France était convoqué à la Brigade de répression du banditisme, où il se retrouva interrogé de longues heures par un inspecteur particulièrement mordant, Michel Coirier. Celui-ci lui a demandé de s'expliquer sur une série de ventes faites pour le compte d'une richissime veuve, Claire Baude. De cette audition, le célèbre commissaire-priseur ne s'est pas vanté. Mais, quelque temps plus tôt, averti de rumeurs courant dans les milieux du marché de l'art, il avait envoyé une circulaire de « mise en garde » aux journalistes qui auraient été tentés de répercuter les « infamies » colportées sur son compte. Et dans son journal, *L'Optimiste*, il avait écrit un article fustigeant l'absence de respect du secret de l'instruction, dont la portée philosophique générale n'a échappé à personne, mais qui a été interprété par certains esprits chagrins au Palais de Justice comme un avertissement à peine voilé à la juge conduisant l'enquête, Xavière Simeoni.

La Justice et la police avaient pourtant marché sur des œufs, attendant plus de six mois avant d'auditionner une personnalité aussi importante, qui se targuait de relations amicales avec un des plus importants procureurs de Paris. Et qui lui avait écrit pour se plaindre des rumeurs malveillantes à son encontre, avant de demander à le rencontrer. Sans aucun effet, du reste, autre que l'ire du magistrat.

Au départ, l'instruction judiciaire n'avait rien à voir avec Mᵉ Tajan. Elle avait été ouverte pour « abus de faiblesse sur personne particulièrement vulnérable » après le décès de Claire Baude, en 1996, à l'âge de quatre-vingt-quatorze ans. Veuve d'un industriel amateur d'art, Paul Baude, elle avait légué sa fortune à l'Institut Pasteur et Médecins du monde. La seule vente de son mobilier et de son appartement parisien leur a rapporté près de 50 millions de francs[1]. La dame avait vécu recluse les derniers mois de sa vie dans cet appartement de 375 m², qui ouvre sur 550 m² de terrasse-jardin, dans un immeuble Walter du XVIᵉ arrondissement. Son voisin de palier n'était autre que Serge Dassault.

La vieille dame était bien entourée : concierge, mari de la concierge, pédicure, jardiniers, aides-soignantes se succédaient auprès d'elle. C'est le responsable de sa banque qui a enclenché la machine judiciaire en s'inquiétant de sorties considérables d'argent sur ses comptes. Mme Baude a alors été placée sous tutelle sur décision du tribunal. La gérante de tutelle, Emmanuelle Berges, a été horrifiée en découvrant, en septembre 1996, une femme alitée, sous-alimentée, complètement perdue. Une autre Suzanne de Canson[2] ? Plus de 3,5 millions de francs[3] s'étaient volatilisés de ses comptes en un an. De l'argenterie, des bijoux, ainsi qu'une belle collection d'éventails

---

1. 8 millions d'euros.
2. Cette dame fut séquestrée dans une villa de la Côte d'Azur, jusqu'à mourir de faim et d'épuisement, dépouillée de ses biens par son entourage qui lui déroba notamment un Murillo pour le vendre au Louvre. L'affaire fit grand bruit dans les années 80, en raison de l'implication du musée, mais aussi d'un avocat célèbre, soupçonné d'avoir joué un rôle d'intermédiaire, Mᵉ Jean-Paul Lombard.
3. 556 000 euros.

avaient disparu. Le premier geste d'Emmanuelle Berges fut de mettre tout ce beau monde dehors, sans prêter garde aux protestations. La nonagénaire reprit un peu de forces, avant de s'affaiblir brusquement. Elle décéda le 10 novembre 1996. La chargée de tutelle crut de son devoir d'informer le parquet. Quatre personnes de l'entourage de Mme Baude furent mises en examen. Pourtant, la concierge trouvait tout à fait normal de recevoir des étrennes de plusieurs dizaines de milliers de francs, retirés des comptes de la vieille dame par son propre époux, qui lui servait à l'occasion de chauffeur. Les légataires, à leur tour, s'inquiétèrent, obtenant nomination d'un administrateur judiciaire pour régler la succession. Ils se constituèrent également partie civile.

Que venait faire Me Tajan dans cette galère ? Dans sa lettre au parquet de Paris, Emmanuelle Bergès n'a pas seulement évoqué les sorties considérables d'argent ou la disparition d'objets précieux. Elle a aussi dénoncé les conditions « surprenantes » de la mise en vente d'une partie du mobilier par le grand commissaire-priseur. « Je ne comprends absolument pas le pourquoi de ces ventes, explique la chargée de tutelle. Mme Baude n'avait aucun besoin d'argent. Elle ne sortait quasiment pas de chez elle, ne recevait personne. Elle avait à disposition tout l'argent dont elle avait besoin. » Pourtant, du 14 février 1995 au 15 juillet 1996, Me Tajan a organisé pas moins de onze ventes pour le compte de Claire Baude, obtenant un résultat cumulé de 13,5 millions de francs. Il s'agit notamment de peintures flamandes et d'une exceptionnelle collection numismatique, dont la dispersion a rapporté à elle seule 7,5 millions de francs[1]. « Je n'ai pas trouvé certaines des réquisitions de vente, pourtant obligatoires, raconte la chargée de tutelle. Je me suis demandé si certains objets n'avaient pas été vendus en dessous de leur valeur réelle. Je me suis aussi aperçue que l'étude Tajan devait toujours plus de 2,5 millions de francs[2] à Mme Baude. J'ai trouvé

---

1. 2,2 millions et 1,18 million d'euros.
2. 400 000 euros.

normal de les réclamer, une démarche qui fut assez mal prise. » En octobre 1996, l'étude a réglé 1,8 million de francs d'arriérés. L'Institut Pasteur et Médecins du Monde n'obtinrent le reliquat que trois mois plus tard, après l'envoi d'une sommation interpellative de l'administrateur judiciaire. Cet incident a conforté la thèse du parquet de Paris, selon laquelle, vivant sur un grand train, l'étude Tajan fonctionnait en partie sur les revenus de ses clients. Mᵉ Tajan a une tout autre explication : « Je ne peux régler mes clients qu'au fur et à mesure de mes rentrées. Sinon, je mets mon entreprise en faillite. Dans un secteur comme la numismatique, les clients paient toujours très en retard. »

L'administrateur chargé de la succession de Mme Baude dut aussi aller récupérer une centaine de pièces de monnaie anciennes, qui n'avaient pas trouvé preneur et qui étaient restées chez l'expert de Mᵉ Tajan. Furent aussi réclamées au commissaire-priseur les réquisitions de vente, les procès-verbaux et la restitution de tous les autres invendus. Les légataires furent surpris de constater que certaines ventes avaient effectivement été réalisées sans mandat écrit de Mme Baude. Ils eurent aussi copie de procès-verbaux raturés à plusieurs reprises : des ventes irrégulières après la vente, selon toute vraisemblance.

La peinture la plus importante que possédait Claire Baude, un triptyque signé du miniaturiste hollandais Hans Bol (1534-1593), restait néanmoins introuvable. Cette œuvre peinte sur panneaux représente l'*Adoration des mages*, la *Crucifixion* et la *Résurrection*. Estimée à 900 000 francs[1] par l'expert Eric Turquin, elle faisait partie de la vente du 12 décembre 1995 de la « collection de tableaux hollandais d'un grand amateur parisien », autrement dit feu Paul Baude. Or le triptyque était inscrit comme non vendu. Et il ne figurait pourtant pas à l'inventaire de la succession. Qu'était-il donc devenu ?

---

1. 144 000 euros.

— Il n'a en aucun cas disparu, explique Mᵉ Tajan. Il a été vendu, pour 600 000 francs[1], par Eric Turquin à un client de New York. Bien entendu, le montant a été remis à Mme Baude.

Pour preuve de sa bonne foi, le commissaire-priseur demande à son clerc de retrouver sur-le-champ la copie du chèque. Etait-ce sa valeur réelle ?

— Que voulez-vous : Mme Baude voulait à tout prix le vendre. Aucun enchérisseur ne s'était manifesté à Drouot...

Mᵉ Tajan sait bien qu'il n'a pas le droit de faire commerce. Pourtant, le chèque dont il nous montre la copie n'est pas émis par Eric Turquin, mais par sa propre étude, qui retient 120 000 francs[2] de taxes et frais.

— En effet, nous avons eu des frais. C'est nous qui avons pris soin de l'exportation, pour rendre service à Mme Baude.

En fait, l'œuvre n'a jamais été exportée vers New York. Nous l'avons retrouvée à Paris, rue du Faubourg-Saint-Honoré, à la maison Jonckheere, où elle était proposée à la vente pour 2,8 millions de francs[3]. Cette galerie l'avait achetée au marchand new-yorkais, Adam Williams, de la Newhouse Galleries. Rencontré à la foire des antiquaires de Maastricht, aux Pays-Bas, Adam Williams raconte :

— A l'occasion d'une visite à Paris, je suis allé voir Mᵉ Tajan. Il m'a montré cette peinture posée contre un mur. M'expliquant qu'il n'avait pas réussi à la vendre, il m'a proposé de l'acheter. Ce que j'ai fait. Le prix était bon. En réalité, le tableau est toujours resté en France, sauf le temps d'une restauration qui a nécessité un aller-retour à Londres. J'étais en contact seulement avec Mᵉ Tajan, pas du tout avec son expert, Eric Turquin. Je n'avais aucune idée que cette vente pouvait être irrégulière.

Mᵉ Tajan ne se laisse pas démonter :

— Les ventes après les ventes sont des pratiques habi-

---

1. 95 000 euros.
2. 19 000 euros.
3. 427 000 euros.

tuelles à Drouot. Je suis victime d'un complot, fomenté par des êtres ignobles, jaloux de ma réussite.

Rappelant son appartenance à la franc-maçonnerie, il évoque l'affaire Dreyfus.

— Toute proportion gardée.... Heureusement, j'ai gardé des amis.

Et, presque négligemment, il laisse tomber le nom d'Elisabeth Guigou, alors garde des Sceaux :

— Elle a été informée de ces bruits infâmes. Et elle a tranché dans le vif en me faisant nommer officier de la Légion d'honneur.

Ce qui est exact. Cette décoration a d'ailleurs suscité quelques remous au sein de la hiérarchie judiciaire.

— Pour en revenir aux faits : pourquoi ces ventes, alors que Mme Baude disposait de millions de francs sur ses comptes ?

— C'est vous qui me l'apprenez ! Elle disait avoir besoin d'argent. Je ne suis pas malpoli au point d'aller regarder les relevés de comptes de mes clients ! En réalité, c'était une cliente assez difficile. J'ai fait ces ventes en souvenir de son époux disparu, qui était un très bon client de longue date, un homme charmant. Elle voulait vendre, à tout prix, même en dessous de la valeur des choses. Je n'étais pas d'accord, et je m'efforçais de faire monter les enchères. Elle exigeait toujours de l'argent, en espèces, qu'il fallait lui apporter chez elle. Je ne sais combien de fois mon clerc, qui n'aimait pas cela, a dû aller lui rendre visite, portant une enveloppe pleine de billets. Alors peut-être avait-elle besoin de toutes ces liquidités pour alimenter un entourage indélicat... Mais ces faits ne sont apparus qu'après sa disparition. Dans toute ma carrière, j'ai agi dans l'honneur, et si j'ai un reproche à me faire, c'est de ne pas m'être rendu compte que Mme Baude était dépouillée par ceux qui l'entouraient.

— Les réquisitions de vente non signées ?

— Cela, c'est du formalisme.

— Même quand il s'agit d'une vieille dame isolée, de plus de quatre-vingt-dix ans, qui n'a plus tous ses esprits, et se trouve près d'être déclarée irresponsable par un juge ?

— Ma vie est une vie d'intégrité. Me soupçonner d'avoir pu abuser d'une personne âgée qui aurait perdu la tête, c'est une infamie totale.

L'émotion de Mᵉ Tajan n'a pas convaincu les légataires, conseillés par un avocat agressif, Mᵉ Pascal Dewynter. Ils se sont aperçus que, non seulement, par le canal du commissaire-priseur, Mme Baude avait effectué des ventes dont elle n'avait aucun besoin, mais aussi qu'elle avait obtenu une avance de 2,2 millions de francs[1], en novembre 1995 à la banque Monod, bien implantée à l'hôtel des ventes. A Drouot, faire appel à une banque est courant. Depuis l'entrée en vigueur de la loi de juillet 2000, les organisateurs de ventes ont le droit de faire des avances au client. Auparavant, ce service était interdit. Mais il était possible de faire intervenir une banque, qui pouvait prendre en nantissement les objets proposés à la vente. Selon les mots d'une de ses employées, « la banque Monod ne pouvait rien refuser à Mᵉ Tajan », le plus important commissaire-priseur de la place. Il ne fut fait aucune difficulté pour délivrer le prêt.

Ce qui est moins courant, c'est que Mme Baude n'avait aucun besoin d'un emprunt, puisqu'elle avait alors plusieurs millions de francs d'inscrits sur ses propres comptes courants. Cette étrange opération lui a coûté la bagatelle de 140 000 francs[2] d'intérêts.

La convention de prêt, qui est également paraphée par le commissaire-priseur, comporte au moins une bizarrerie : la mention manuscrite, par laquelle Mme Baude dit accepter les conditions du contrat, n'est pas de la même encre que sa signature. La graphie n'apparaît pas comme la sienne. Qui aurait effectué cette illégalité ? Et pourquoi ? Claire Baude a emporté ce mystère dans sa tombe.

---

1. 350 000 euros.
2. 22 000 euros.

Restée longtemps en panne, l'instruction a traîné des années, sans trouver de réponse à ces questions. Me Tajan en a été quitte pour ces désagréables auditions à titre de témoin.

34.

Le scandale du siècle

Un demi-milliard de francs : la dispersion de la collection Bourdon, le 25 mars 1990 à Drouot, fut « la vente du siècle ». Et, pour Drouot, le « scandale du siècle », entraînant une de ses vedettes, Me Guy Loudmer, dans le déshonneur. Rien de ceci ne serait arrivé sans un concours de circonstances, dont le premier responsable fut Guy Loudmer lui-même.

Le 24 octobre 1997, Me Guy Loudmer fut conduit à la prison de la Santé, sous le coup d'une mise en examen pour « abus de confiance aggravé ». De mémoire de commissaire-priseur, on n'avait jamais vu cela. Et l'infâmie ne tombait pas sur un obscur professionnel, mais sur une star des médias. Guy Loudmer put sortir de la Santé, la veille de Noël, sur décision de la juge d'instruction Evelyne Picard, moyennant le versement d'une caution d'un million de francs[1]. Mécontent, le parquet fit appel. Le 14 janvier, la chambre d'accusation le remit en prison, prononçant son arrestation à l'audience. Les magistrats motivèrent cette mesure exceptionnelle par la gravité des accusations portées contre lui, « les risques de pression sur les employés de son étude », la crainte de le voir dispa-

---

1. 157 000 euros.

raître alors même que l'investigation mettait au jour l'existence de circuits financiers dissimulés à l'étranger, et la
fuite précipitée de son fils, Philippe, lui aussi commissaire-priseur, avec lequel il était associé.

En tout, le commissaire-priseur a passé six mois en
détention préventive. Il a été suspendu de ses fonctions et
sa société, une des premières de France, était en passe
d'être liquidée. Quatre ans plus tard, ruiné, il fut
condamné à dix-huit mois de prison avec sursis et 500 000
francs [1] d'amende. L'enquête a démarré sur ses relations
avec Marcelle et Lucien Bourdon. Elle fut ouverte plusieurs années après les faits, la Justice ayant été alertée par
des articles parus en 1994 dans *Libération*, décortiquant la
fameuse « vente du siècle » de 1990 et ses suites malheu-
reuses.

Installés depuis 1934 dans une petite galerie du boulevard Raspail, à l'aspect plutôt minable, marchands en
peintures modernes, les Bourdon avaient pris l'habitude
de monter dans leur appartement proche les Picasso,
Modigliani ou Léger qu'ils ne parvenaient pas à vendre. A
quatre-vingts ans passés, ils s'étaient convertis à l'art
contemporain. En raison de ses problèmes cardiaques, un
peu hâtivement, les médecins avaient donné à Lucien
Bourdon quelques mois à vivre. Sans enfant, le couple
octogénaire a voulu mettre ses affaires en ordre. Il voulait
tout donner à des œuvres caritatives. Marcelle Bourdon,
qui a toujours adoré les chats, dont elle entretenait une
famille nombreuse – et odorante – à la campagne, tenait
par-dessus tout à aider la protection animale. A qui confier
la vente de leur collection ? Pour eux, il n'y avait pas de
doute. A leur vieil ami Guy Loudmer. Charmant, cultivé,
il était un des meilleurs connaisseurs de l'art moderne à
Drouot, une figure de la génération de commissaires-priseurs qui avaient bouleversé le métier depuis vingt ans en

---

1. 76 000 euros.

multipliant les ventes de prestige. Orgueilleux, teigneux à l'occasion, Guy Loudmer s'était fâché au fil des années avec beaucoup de monde. Franc-maçon lui aussi, né dans une famille d'origine juive bessarabe, il n'avait pas peur de s'opposer à un milieu qu'il méprisait, dans lequel l'antisémitisme avait, hélas, toujours prise. Brillant, il faisait cavalier seul. Il avait même, en 1979, tenté avec son associé Hervé Poulain d'ouvrir un hôtel des ventes séparé de Drouot, sécession que la Compagnie parisienne étouffa dans l'œuf, procès à l'appui.

Plein d'attention pour Marcelle Bourdon, à laquelle il ne manquait jamais d'offrir les marrons glacés qu'elle aimait tant, Guy Loudmer cultivait l'amitié du couple depuis trente ans. Lorsque celui-ci lui confia sa collection, il monta la vente en deux mois, faisant la promotion des tableaux à New York et Tokyo. Le marché de l'art se trouvait à son sommet. De cette journée de mars 1990, il fit un feu d'artifice, décrochant record sur record dans une atmosphère de folie. Le soir, le total se montait au fabuleux montant de 509 millions de francs[1], plus du double de la valeur estimée, pour cinquante-quatre toiles. Juste à temps : en juin, les ventes de prestige à New York devaient sonner le krach, mettant brutalement fin à plusieurs années de frénésie spéculative.

Quatre ans plus tard, un fait apparemment anodin est survenu à Drouot. Le 25 avril 1994, quatre des peintures de la collection Bourdon étaient remises aux enchères par l'entremise de Me Jean-Claude Binoche : le *Garçon d'étage* de Soutine et une *Tour Eiffel* de Delaunay, *Prime abord* de Dubuffet et le *Vélo sur fond bleu* de Léger. Le marché étant alors retombé, elles furent, au total, adjugées à 9 millions de francs, alors qu'elles l'avaient été pour 23 millions dans la vente de 1990. Perte sèche, en tenant compte des honoraires et frais : environ 13 millions[2].

Première surprise : ce n'était pas un spéculateur mal-

---

1. 92 millions d'euros.
2. 2,3 millions d'euros.

heureux qui avait remis ces peintures aux enchères, mais les époux Bourdon eux-mêmes. Comment pouvaient-ils remettre en vente un lot de tableaux qu'ils avaient déjà vendu ? Tout simplement, les 23 millions de francs n'avaient pas été payés par l'acheteur. Dans ce cas, les règles sont simples : le commissaire-priseur est redevable du prix d'adjudication. De même qu'un notaire qui officialise la vente d'un appartement, il est garant du prix. Il lui revient de s'assurer des moyens de paiement de l'acheteur. Si ce dernier ne règle pas, le commissaire-priseur est tenu de repasser le lot en vente, quitte à se retourner contre l'adjudicataire défaillant si le montant obtenu est inférieur. On appelle ce mécanisme « les folles enchères ». Les commissaires-priseurs n'aiment pas en user, car ils savent bien que l'objet en sort généralement déprécié, et qu'ils auront le plus grand mal à se faire payer du « fol enchérisseur ». Ils ont régulièrement fait valoir la difficulté pratique de ces règles, mais non moins régulièrement les tribunaux se sont faits forts de les leur rappeler. En l'occurrence, elles n'avaient manifestement pas été observées.

Autre détail troublant : un fax, envoyé le soir de la vente de mars 1990 à la presse, avait annoncé ces peintures comme invendues. Le lendemain, la liste avait été rectifiée et elles apparaissaient comme adjugées. Apparemment, à une mystérieuse société baptisée IAI, installée à Curaçao et représentée en Suisse. Sur les bordereaux, Me Loudmer inscrivait : « relance IAI », histoire de bien montrer qu'il poursuivait cet acheteur indélicat. Assez vite, il devait s'avérer que derrière cette société-écran se cachait... Me Loudmer lui-même. Il se servait de ce paravent pour acheter dans ses propres ventes, pratique proscrite aux commissaires-priseurs. L'indélicat, c'était donc lui. Sans doute pensait-il remettre ces tableaux en vente assez vite, en profitant de la vertigineuse hausse des prix d'alors, espoir qui s'est évanoui avec l'effondrement du marché.

Se doutant de l'embrouille, Lucien Bourdon s'est fâché et finit par lui réclamer les peintures. Me Loudmer a eu grand tort de ne pas payer, ou, du moins, de ne pas trouver un arrangement, car les faits, dont la révélation a entraîné sa chute, auraient alors pu rester dissimulés. Ce fut, au contraire, toute une série d'anomalies qui a dès lors été portée au grand jour.

Il est difficile de comprendre l'ampleur de cette affaire faute de saisir la psychologie très particulière des Bourdon. De ces centaines de millions de francs, ils ne voulaient pas toucher un sou. Dans leur galerie, ils ont longtemps été entourés d'une nuée d'amis prévenants, certains sincères, d'autres moins. Le patron d'un café proche apportait les plateaux de consommations, mais repartait à l'occasion avec un petit tableau. Quand Lucien s'en inquiétait, il assurait l'avoir payé à Marcelle, dont les souvenirs devenaient confus avec l'âge. Le bistrotier envoya un jour à la galerie un laveur de carreaux, qui emmena, lui, un petit Picasso de 1926. La peinture fut ultérieurement récupérée, et le voleur condamné.

Dans le couple, c'est Lucien Bourdon qui avait l'œil. Spontané, sensible, lâchant ses traits d'humour à froid, c'est lui qui choisissait les tableaux, fréquentant des artistes comme Derain, Léger, Vlaminck, ou encore le frère du marchand Ambroise Vollard, dont la collection suscitait toutes les convoitises. Cela lui suffisait. Il aurait tout redonné sans sourciller. Marcelle tenait les cordons de la bourse d'autant plus serrés qu'elle s'efforçait de prévenir les élans de son mari. Elle lui imposait un rituel quotidien tyrannique. Chaque jour, le couple allait déjeuner à la cantine de l'Ecole hôtelière : c'était moins cher que d'aller au restaurant. Jamais la moquette de la galerie ne fut remplacée, ou la peinture datant des années 30 refaite. A l'appartement (au loyer modéré) ou à la maison de campagne, c'était pareil, ou presque. Les chats, eux, avaient droit aux traitements de faveur.

Les deux époux pouvaient sembler désassortis, ils se retrouvaient sur un point : tout l'argent de la vente devait aller à des causes charitables, peut-être la Fondation de France. Guy Loudmer les en dissuada, les persuadant qu'il valait bien mieux constituer leur propre association. Se souciant peu des chiens et des chats, il s'est fait l'avocat d'un mécénat plus intelligent, tourné vers l'enrichissement des collections des musées. Noble mission, mais dans laquelle il voyait aussi son intérêt. Car, sur chaque opération, il percevait des honoraires.

Sur le papier, le capital apporté à l'association représentait un belle dot : 400 millions de francs[1]. Comme devait le confier plus tard une Marcelle Bourdon désenchantée : « Une telle somme en a tourné la tête à plus d'un ! »

400 millions : ce qui devait rester de la vente de mars 1990, déduction faite des commissions, taxes et frais. En réalité la somme disponible en trésorerie était proche des 300 millions[2]. Le « trou » correspondait à des dépenses déjà effectuées, des dons consentis par les Bourdon, ou encore des impayés de la vente de mars.

Car « IAI » ne fut pas le seul acheteur imprévoyant. Alain Delon avait lui aussi laissé une ardoise. Le comédien s'était vu adjuger 12 millions de francs *L'Homme au foulard rouge*, un très beau Soutine, et surtout *La Belle Epicière* de Modigliani, un des records de la vente à 63 millions de francs[3], acquis à moitié avec l'industriel Francis Bouygues. Le comédien avait peiné à régler sa note. Trois ans et demi plus tard, il lui restait un reliquat d'un peu plus de 18 millions. Après avoir convié Mme Bourdon au Fouquet's, où il est invité permanent de la maison, et avoir signé avec elle un accord en bonne et due forme, il lui fit remettre un chèque, non sans obtenir une petite remise d'un million de francs et des poussières. Quant à ce portrait peint par Modigliani deux ans avant sa mort, il finit par quitter la France, pour être revendu chez Sotheby's à New York en novembre 1995, la moitié du prix adjugé à la vente Bourdon.

En décembre 1990, neuf mois après la vente, l'associa-

---

1. 72 millions d'euros.
2. 54 millions d'euros.
3. 2,2 million et 11,3 millions d'euros.

tion fut formalisée. Guy Loudmer présenta un ami notaire aux Bourdon, Me Alain Gobin, qui s'occupa de rédiger les statuts d'une « association Bourdon », dédiée à la protection animale, au mécénat et à l'enfance malheureuse. Autant le capital de l'association était imposant, autant la structure en était légère : un conseil d'administration composé de Me Loudmer et des époux Bourdon. Le commissaire-priseur en était le trésorier. Une décision qui paraissait sage vu que Marcelle Bourdon perdait la mémoire, et que Lucien Bourdon reconnaissait volontiers : « Moi et la gestion, c'est zéro pointé. » Pour bien faire, l'ami notaire s'occupa également de rédiger un testament des époux Bourdon, qui instituait Guy Loudmer comme exécuteur testamentaire avec des pouvoirs étendus. Me Gobin formalisa aussi l'apport du capital, apparemment sans vérifier les comptes, puisqu'il inscrivit 400 millions de francs. Or, nous l'avons vu, il n'y avait pas du tout 400 millions en caisse, un quart n'étant pas entré en caisse ou ayant déjà été dépensé. Pourquoi alors ce montant fictif ? Cela demeure le grand mystère de cette affaire teintée de sordide.

En théorie, il n'est nul besoin d'un notaire pour rédiger et déposer les actes d'une association, mais, enfin, l'opération n'a pas été inutile pour Me Gobin. Ayant rédigé cet acte de treize pages, il factura ses honoraires la coquette somme de 5,3 millions de francs[1]. Il eut beau faire valoir que ceux-ci étaient libres, il fut condamné en 1994 pour manquement à ses obligations professionnelles par le tribunal de grande instance de Nanterre. Le 5 décembre 1996, la cour d'appel de Versailles confirma, en lui ordonnant de restituer 3 millions de francs[2], ce qui lui laissait une somme encore rondelette pour une intervention superflue.

Me Loudmer, tout dévoué qu'il était à la cause caritative de ses deux amis, n'était pas en reste puisqu'il avait

---

1. 954 000 euros.
2. 476 000 euros.

prélevé 50 millions de francs – hors taxes – d'honoraires sur la vente aux enchères de mars 1990. Si les Bourdon étaient allé voir Sotheby's ou Christie's, ces sociétés leur auraient fait cadeau des honoraire et frais tant elles auraient été heureuses de mettre la main sur une collection aussi prestigieuse. Les 10 % de commission prélevés par Mᵉ Loudmer dépassaient le plafond réglementaire, qui était de 7 %. La réquisition de vente, signée de la seule Marcelle Bourdon, prévoyait aussi 7 %. La comptabilité dressée après la vente indiquait encore 7 %. Mᵉ Loudmer a quand même prélevé 9,4 millions de francs [1] de plus que prévu... « Mme Bourdon m'avait accordé une prime de gentillesse », se défend-il. Le commissaire-priseur, effectivement, a fait signer, deux ans après la vente, le 24 avril 1992, un nouveau décompte, toujours à Marcelle Bourdon, intégrant les 10 % d'honoraires. Plus tard, quand il se retrouva devant le tribunal correctionnel, Guy Loudmer s'est trouvé accusé par la procureur d'avoir fait signer une personne âgée, séduite, mais aussi affaiblie et presque aveugle, inconsciente du document qui lui était présenté. Hypothèse que n'a pas du tout retenue le tribunal. Quand il a prononcé la condamnation de l'ancien commissaire-priseur, le 18 septembre 2001 pour « abus de confiance aggravé », il a ainsi abandonné plusieurs charges. Les juges ont notamment estimé qu'en signant ce papier Marcelle Bourdon avait bel et bien avalisé ces honoraires. De plus, Lucien Bourdon n'a dit mot. Mᵉ Loudmer n'a donc pas « abusé de la confiance des Bourdon en surfacturant délibérement, et à leur insu, les frais »... quand bien même le pourcentage prélevé était illégal.

Plutôt qu'à son époux, Mᵉ Loudmer avait toujours préféré faire affaire avec la vieille dame, qu'il appelait affectueusement « Annie ». C'est ainsi que le catalogue de vente présentait la collection comme celle de « Mme Bourdon », une bizarrerie alors qu'elle avait été constituée par le couple et qu'il vivait sous le régime de la communauté des

---

1. 1,7 million d'euros.

biens. Il est vrai qu'avec son flegme surréaliste, Lucien Bourdon laissait faire.

Dans le total de ces honoraires, Mᵉ Loudmer avait dûment encaissé les 2,3 millions de francs de commission correspondant aux tableaux impayés qu'il gardait en sa possession. Les fameux tableaux « IAI ». Cette fois, le tribunal a jugé qu'il avait bien abusé de la confiance des Bourdon.

Le cas du *Pont de Châtou* de Derain est aussi déroutant. Les Bourdon avaient donné leur accord par avance pour le donner au musée national d'Art moderne, « qui en voulait à tout prix », selon l'expression du président du centre Pompidou. Ce don avait été négocié par Mᵉ Loudmer, dans une intention louable : il voulait s'attirer la bonne grâce des musées, qui auraient pu interdire plusieurs œuvres d'exportation, réduisant leur valeur d'autant. Lors de son interrogatoire, un des conservateurs du musée, Germain Viatte, admit sans ciller que les musées avaient coutume de se livrer à ce doux chantage. Pour le bien public.

Ainsi, en 1989, Mᵉ Binoche voulut mettre en vente un très grand tableau de 1915, de la période « bleue » de Picasso, d'un mètre quinze sur près de deux mètres, *Les Noces de Pierrette*. Il proposa au ministre de la Culture un troc : l'autorisation de sortie contre le don d'un autre Picasso à l'Etat, *La Célestine*. Grand bien lui en fit : son tableau, acheté par un nabab japonais, fut adjugé 350 millions de francs[1] en 1989, record absolu pour un Picasso, devenant une des œuvres d'art les plus chères au monde. Le sort du « grand bleu » de Picasso n'était guère enviable : son propriétaire l'installa dans une niche, posée dans le virage d'un circuit de course automobile qui était sa fierté ; n'ayant pas été tué par le ridicule, il fut emporté dans la tourmente financière de son pays, et cette superbe compo-

---

1. 65 millions d'euros.

sition, saisie par les banques, n'a pas été revue depuis. Rappelons qu'à cette époque un autre financier japonais, qui s'était payé encore plus cher un Van Gogh et un Renoir, avait promis de faire brûler les deux toiles avec son corps après son décès, ce qui laisse une impression étrange sur le degré de culture de certains hommes d'affaires dans ce pays.

Donc, marchander la faveur de l'Etat avant une grande vente était commun. Ce qui l'était moins, c'était de passer quand même la peinture au feu des enchères, au lieu de la donner directement au musée. Les enchères pour le Derain montèrent jusqu'à 46 millions de francs[1]. La peinture fut « préemptée » par le MNAM. Me Loudmer annonça que les époux Bourdon en faisaient don au musée. Les applaudissements saluèrent cette mise en scène. Cependant, en coulisses, la situation était moins glorieuse : le musée n'avait pas le sou. Il n'était même pas capable de régler la part des frais lui incombant. Bien volontiers, les Bourdon ont confirmé qu'ils faisaient grâce du règlement. Entre-temps, le commissaire-priseur se prenait 4,6 millions de francs d'honoraires... Il avait beau se destiner à la noble mission philanthropique des époux Bourdon, il fallait bien voir qu'il fît grâce de ses millions ! Ni des honoraires imputables au musée. Comme celui-ci n'entendait rien débourser, cette charge supplémentaire fut supportée... par les Bourdon. En tout, a calculé l'expert judiciaire, ce don leur a coûté dans les 9 millions de francs[2]. Mais, là encore, les Bourdon n'émirent pas la moindre protestation, sur le moment du moins. Le tribunal correctionnel prononça donc une relaxe sur ce point en faveur de Guy Loudmer.

En bon gestionnaire, le commissaire-priseur avait, en outre, prélevé 20 millions de francs de taxe sur la plus-

---

1. 8,3 millions d'euros.
2. 1,4 million d'euros.

value de la vente. Ainsi que les 3,4 millions de francs[1] de TVA sur ses honoraires. Mais au lieu d'être versé au Trésor public, cet argent fut transféré sur son compte courant. Sur la déclaration à l'administration fiscale présentée par l'étude Loudmer, il avait été inscrit à la main : « Succession Bourdon ». Pour tromper le fisc, les ventes de succession n'étant pas soumises à la TVA ? « Pas du tout, a démenti Guy Loudmer. C'était une simple erreur de plume. » L'argent avait été simplement « mis de côté », quelques années, en l'attente de règlement. Le Trésor lui infligea un redressement de 25,6 millions de francs[2], aimablement étalé sur trois ans. Le fisc a parfois de ces attentions... Le commissaire-priseur ne fut pas non plus poursuivi pour escroquerie au Trésor public.

Après la formation de l'association, d'autres anomalies de gestion apparurent. Tout ceci faisait beaucoup. A partir de 1991, d'autres personnes avaient rejoint l'association, qui s'est adjoint un jeune avocat, Me Bernard-Claude Lefebvre. D'un sérieux imperturbable, il fut, selon ses propres termes, « effaré par ce qu'il découvrait ». Fin 1992, un audit comptable révéla une situation qu'il qualifiait d'« ahurissante ». Les relations entre le trésorier, Guy Loudmer, et les nouveaux membres de l'association se dégradèrent. Ils firent remarquer au commissaire-priseur qu'il avait gardé les intérêts courant sur les centaines de millions de francs entrés dans ses caisses à partir de mars 1990 jusqu'à la fin de l'année. Une observation qui était, il faut bien l'avouer, de la dernière grossièreté. Me Loudmer dut verser, en novembre 1992, soit avec deux ans de retard, 11 millions de francs[3]. Un expert judiciaire a estimé que les intérêts auraient pu en représenter le double.

Sur ce, nouveau pataquès, qui acheva de fâcher les Bourdon avec leur ami de trente ans. Les 11 millions furent directement remis à l'association. Alors qu'il s'agis-

---

1. 3 millions et 520 000 euros.
2. 3,9 millions d'euros.
3. 1,6 million d'euros.

sait d'une simple régularisation, le notaire – toujours Mᵉ Gobin – fit un nouvel acte d'apport de capital. Assimilée à un revenu financier, la somme fut ainsi soumise à l'impôt. Les Bourdon avaient beau ne pas en avoir vu la couleur, ils en étaient les détenteurs supposés depuis 1990. Comme il n'y avait pas eu déclaration dans les temps, ils furent à leur tour soumis à un redressement, de 6 millions de francs [1].

Alors, le fisc se montra impitoyable. L'Etat avait pourtant reçu dix fois plus, l'équivalent d'une soixantaine de millions de francs, en dons d'œuvres d'art des Bourdon. Leur générosité avait, entre autres, permis au musée des Beaux-Arts de Lille de faire l'acquisition de *L'Ange aux ailes de papillon*, une merveilleuse peinture *a tempera*, dénichée à Drouot par un galeriste parisien, Emmanuel Moatti. Mais, pour l'Etat, il n'était pas question de faire grâce aux Bourdon des 6 millions de redressement. Il fallait payer. Ayant tout donné à l'association, eux-mêmes vivant assez chichement, ils étaient très loin de disposer d'une telle somme. Affolés, ils se tournèrent vers Guy Loudmer, qui fit la sourde oreille. C'est alors que Lucien Bourdon s'est vraiment fâché, et s'est décidé à aller chercher dans le coffre du commissaire-priseur les peintures restées impayées, afin de les remettre en vente, tout en relançant Alain Delon...

Dans l'intervalle, Guy Loudmer avait multiplié les achats d'œuvres d'art au nom de l'association, sans grand souci de formalité. Le cas le plus flagrant est celui d'une *Madeleine* de Delacroix, qui appartenait à un marchand retiré, Alfred Daber. Assez scandaleuse, la composition représente la sainte pénitente en extase, la chevelure dénouée. La peinture avait enthousiasmé Baudelaire. Chez Alfred Daber, un expert de Sotheby's était venu l'estimer plus d'un million de francs. Furieux, son hôte l'avait

---

1. 1 million d'euros.

mis à la porte : il en voulait beaucoup plus. Il avait, du reste, toujours eu la réputation d'être un « marchand cher ». De passage chez lui, Guy Loudmer lui aurait promis : « Votre peinture, si vous me la confiez, je pourrais en obtenir 10 millions[1] ». C'était inespéré, surtout en ces temps de dépression du marché. Alfred Daber ne fut pas long à être convaincu. La *Madeleine* fut mise aux enchères, en novembre 1990, sur cette estimation. Comme à cette même vente, Alain Delon céda une partie de sa collection (il cherchait justement à apurer sa dette contractée pour les beaux yeux de *La Belle Epicière*), la presse n'a prêté qu'une attention distraite à ce tableau. Mais pas Arlette Sérullaz, directrice du musée Delacroix, installé place Furstenberg à Paris, dans l'atelier du peintre. Elle aussi voulait de ce tableau « à tout prix ». Mais, 10 millions de francs, il n'en était absolument pas question. La *Madeleine* allait-elle partir à l'étranger ? Non, car heureusement le commissaire-priseur avait une solution. De bon sens.

Alfred Daber nous a raconté comment il s'était retrouvé avec la conservatrice et le commissaire-priseur dans son appartement du boulevard Pereire. Arlette Sérullaz était toute retournée à l'idée de voir disparaître son chef-d'œuvre. Guy Loudmer s'empressa de la rassurer. Il avait une solution : un don d'un couple généreux, qui paierait la toile pour la donner au musée Delacroix : les Bourdon. Ni Arlette Sérullaz, ni Alfred Daber, qui avait l'art moderne en horreur, n'avaient jamais entendu parler du couple. Mais tout le monde repartit content, le niveau de 10 millions de francs unanimement agréé. Si les enchères montaient jusqu'à 13 millions, l'Etat se disait même prêt à faire un petit effort. « Tout avait été monté à l'avance », assurait Alfred Daber. C'est la répétition du scénario du Derain : petits arrangements entre conservateurs et marchands, et conciliabules contraires à toutes les règles du secret de l'administration...

En grand professionnel, Me Loudmer fit encore bien

---

1. 1,7 million d'euros.

les choses, éditant un petit catalogue spécial pour la *Madeleine*, estimée « de 8 à 12 millions de francs ». Pas d'expert, il n'en avait pas besoin.

Le jour de la vente, Alfred Daber s'est rendu à Drouot, et il eut la nette impression qu'aucun enchérisseur ne s'est manifesté. A son avis, Me Loudmer faisait monter les enchères dans un vide total. En quelques secondes, elles grimpèrent à 10 millions de francs. Miraculeux. Me Loudmer fit tomber le marteau : « Adjugé. » A qui ? aucun nom ne fut inscrit au procès-verbal. Par chance, une voix se fit entendre dans la salle : « Préemption... pour le musée Delacroix. » L'opération était bien ficelée. Me Loudmer, qui avait estimé la peinture 10 millions de francs, l'adjugea à 10 millions, et paya les 10 millions. Il n'eut guère de mal puisqu'il les préleva directement sur ses propres comptes, sur des sommes appartenant aux Bourdon. Retenant, comme c'est normal, des honoraires au passage... Quant aux Bourdon, apparemment, ils n'avaient même pas été prévenus. Même Marcelle, qui se montra longtemps pleine d'indulgence pour son ami Guy Loudmer, est catégorique. Ils ont été ainsi fort surpris d'être invités quelques mois plus tard par Jack Lang, alors ministre de la Culture, à la réouverture du musée Delacroix, pour voir la peinture qu'ils avaient si généreusement donnée.

Lucien Bourdon n'aime pas cette œuvre : « Je n'ai rien dit, mais si cela n'avait tenu qu'à moi, jamais je ne l'aurais offerte. Je la trouve affreuse. » Quatre ans plus tard, c'est par *Libération* que les Bourdon apprirent que la *Madeleine* provenait d'une vente à Drouot, où leur ami Guy Loudmer tenait le marteau. Sans parler des obscures tractations qui l'avaient précédée. Là encore, le tribunal correctionnel prononça une relaxe. Certes « Guy Loudmer n'avait pas au préalable sollicité l'accord des Bourdon », mais il n'avait pas pour autant « excédé les limites » de son mandat. Du reste, sur le moment, les Bourdon n'émirent « aucune contestation ». « On n'attaque pas un ami en justice, même s'il s'est mal conduit », nous a, un jour, confié une Marcelle Bourdon revenue de ses illusions. Son époux faisait alors la moue...

Des transactions, il y en eut beaucoup d'autres. Le MNAM a profité autant qu'il pouvait de la manne « Bourdon ». Par l'entremise de Guy Loudmer, agissant au nom de l'association, le musée obtint un portrait de Balthus, *Roger et son fils*, adjugé 1,6 million de francs à Drouot... par Me Loudmer. Et un Dali, *Dormeuse, cheval, lion invisible*, acquis pour 4,5 millions [1], en vente privée, par l'intermédiaire de... Guy Loudmer. Le code civil interdit pourtant aux commissaires-priseurs de faire commerce « en leur nom ou au nom d'autrui ». Passons... Encore une fois, Lucien et Marcelle Bourdon disent n'avoir pas été avertis de ces transactions. En attendant, Guy Loudmer engrangeait les émoluments. « Je n'ai jamais vu un commissaire-priseur faire grâce de ses honoraires dans l'exercice de sa profession », fait-il valoir. Peut-être, mais, dans ce cas, ils ne prétendent pas fonder une société caritative...

L'audit de Price & Waterhouse, commandé en 1992, souligne que le MNAM a ainsi bénéficié de dons d'un montant anormalement élevé en regard des missions de l'association : sans parler du Derain ou du Delacroix (l'association n'était, alors, même pas formée), la seule somme versée pour payer le Balthus et le Dali « correspondait à plus de trois ans du budget qui aurait dû être affecté à de tels objets ». Les petites et grandes affaires avec le MNAM se seraient poursuivies si l'association n'y avait mis un terme. Une série de dessins de Léger que le musée convoitait également avait été ainsi achetée à Christie's New York pour plus de 3 millions de francs [2]. Encore un don généreux de l'association Bourdon. Ayant assez d'être prise pour une vache à lait, elle refusa de payer. Cédant à la demande des époux Bourdon, Me Loudmer fut contraint de démissionner de son poste de trésorier en janvier 1993. Il fut exclu de l'association en novembre.

---

1. 280 000 et 787 000 euros.
2. 525000 euros.

Deux mois plus tôt, l'association a cessé de verser son salaire à la mère de sa fille, Marie-Lise Cellier. Embauchée sans contrat de travail, elle touchait comme secrétaire 26 250 francs [1] brut par mois, alors qu'elle vivait à Annecy. Mise en examen pour emploi fictif, elle bénéficia d'un non-lieu, car il fut établi qu'elle avait bien fait un travail de secrétariat.

L'association dut aussi fermer une officine parallèle que le commissaire-priseur avait monté avec sa compagne, la galeriste Soizic Audouard, dont l'existence fut révélée par l'audit. Cette structure avait été pompeusement appelée « Fonds Bourdon pour l'art moderne ». Jamais le conseil d'administration de l'association n'en avait délibéré. Là encore, Lucien comme Marcelle Bourdon ont toujours dit en avoir ignoré l'existence. Ce qui n'empêchait pas les millions de francs de transiter des comptes de l'association vers ce « Fonds ». En son nom, Soizic Audouard a ouvert des comptes bancaires et acheté un bric-à-brac de trente-trois œuvres, pour lesquelles elle a dépensé 6 millions de francs. Comme par hasard, un tiers des œuvres provenaient de ventes... de Me Loudmer. Comme elle le fit remarquer : « C'est un grand marchand d'art moderne, pourquoi me serais-je privée d'acheter dans ses ventes ? » Une sculpture d'Etienne Martin, de la succession du galeriste Claude Givaudan dont Soizic Audouard avait été la collaboratrice et l'amie à Genève, a aussi été facturée 3,2 millions de francs [2]. Trouvant la note exorbitante, l'association a refusé de payer les deux dernières tranches. La statue a été remise en vente dans la galerie Berggruen, copropriété de Guy Loudmer et Soizic Audouard. Tout le reste des œuvres, dont l'association n'avait que faire, a été bazardé à Drouot.

Pour la constitution de ce « Fonds Bourdon », dont il ne reste rien aujourd'hui, Soizic Audouard a prélevé 540 000 francs [3] d'honoraires, ce qui n'était pas trop diffi-

---

1. 4 500 euros.
2. 545 000 euros.
3. 93 000 euros.

cile puisqu'elle les tirait d'un compte dont elle avait seule la signature. La dame ne manque pas d'aplomb : « Que voulez-vous, la compétence se paie. » Quand l'association lui a retiré la signature des comptes, avant de les fermer, elle l'a fort mal pris : « Rendez-vous compte de la situation dans laquelle les Bourdon m'ont mise. J'avais engagé d'autres transactions, qui se sont trouvées brutalement interrompues. De quoi avais-je l'air, en tant que professionnelle ? » La « seule erreur » qu'elle veut bien se reconnaître est d'avoir agi dans une relation de confiance avec son compagnon, « sans lui demander de mandat écrit ».

Quand le rapport d'audit fut rendu, les Bourdon tombèrent des nues. Ils n'avaient aucune idée du rôle joué par l'amie de Mᵉ Loudmer, qu'ils ne connaissaient pas : « Nous pensions même que Soizic était un homme. » En décembre 1997, Soizic Audouard fut mise en examen pour « recel », mais, au terme de l'instruction, les poursuites à son encontre furent abandonnées.

Entre-temps, la juge avait eu fort à faire avec tout un pan insoupçonné de l'affaire. La Brigade financière s'est aperçue que Guy Loudmer et son fils Philippe avaient développé d'étranges méthodes au sein de leur propre société à Drouot. L'étude Loudmer finit par être liquidée en décembre 1998, affichant un passif de 49 millions de francs [1]. Trésorier de Drouot, dépêché comme administrateur judiciaire de l'étude Loudmer qu'il mit sous perfusion quelque temps, Mᵉ Daniel Boscher assurait alors : « Rien ne permet de percevoir une quelconque comptabilité parallèle de la société. » Les policiers de la Brigade financière ont eu un aperçu légèrement différent. Le 24 octobre 1997, perquisitionnant au siège de l'étude, ils ont découvert deux lettres de Philippe Loudmer à son père mentionnant un compte à la Banque du Luxembourg. Apparemment, l'atmosphère était plutôt à l'orage dans la

---

1. 7,6 millions d'euros, dette fiscale incluse.

famille : Philippe refusait à son père une procuration sur ce compte. Entre autres griefs, il lui reprochait d'avoir acheté avec les fonds de la société un appartement à Soizic Audouard, « qui n'a rien à voir avec la famille ».

Le 29 octobre, les policiers se rendirent pour une nouvelle perquisition à l'appartement de Philippe Loudmer. Saisi de panique, il prit la fuite avec son épouse et leurs deux enfants. Il a juste pris le temps de passer à l'étude pour prendre 470 000 francs[1] dans la caisse, avant de prendre l'avion pour Israël, où il a bénéficié de la protection de la « loi du retour ». Cette fuite fut un élément décisif dans le placement en détention de son père. Depuis lors, Philippe Loudmer a remboursé l'argent, par le biais d'avocats parisiens. Si bien que le tribunal l'a dispensé de peine.

Les commissions rogatoires internationales ont permis de remonter à plusieurs comptes et sociétés au Luxembourg et en Suisse, par lesquels transitaient les millions de l'étude Loudmer. Les comptes étaient ouverts sous des noms d'emprunt comme « Palmarès » ou « Massimo », ce dernier correspondant au nom d'un ami de Philippe Loudmer, Massimo Riccioli. Guy Loudmer dit avoir été conduit à ouvrir ces comptes pour continuer à faire fonctionner son étude, sous le coup des saisies du fisc. Il assure avoir ainsi fait rentrer dans la société plus d'argent qu'il n'en aurait sorti. Loudmer père et fils avaient également monté en Suisse et au Luxembourg des sociétés écrans, Beechmont et la fameuse IAI à l'origine de toute l'affaire, leur permettant de couvrir des ventes fictives. Dans ces transactions occultes, Philippe Loudmer se servait tantôt du pseudonyme de « Catalupo », le nom de son épouse, tantôt de celui de « Papatakis », et son père se faisait appeler « Gramont ».

Pseudonymes, sociétés-écrans, allers-retours d'argent par des paradis fiscaux, ventes fictives, transactions en douce, comptabilité falsifiée... L'ancienne responsable de

---

1. 77 000 euros.

sa comptabilité devait ainsi tracer le tableau d'une étude dans laquelle ces pratiques étaient courantes. « Si on disait quelque chose, on était licencié », assurait-elle. Quant à la Compagnie parisienne des commissaires-priseurs, en principe chargée de surveiller la comptabilité des études, elle n'avait accès qu'à un bilan sommaire où s'inscrivaient les soldes, négatifs ou positifs. Elle ne se montrait pas plus curieuse, avant de certifier les comptes.

Pour Guy Loudmer, ces allures de conspirateurs s'expliquaient par le secret des affaires, si important pour sa clientèle. Dans les ventes, pour défendre ses clients, il était conduit à pousser des enchères fictives, en se servant de ces pseudonymes. Parfois, le lot lui restait sur les bras. Ou alors, il avait un acquéreur qui se montrait défaillant. En bon mandataire, il payait quand même son client. Et, évidemment, il cherchait alors à revendre l'œuvre : il lui fallait bien rentrer dans ses fonds. Du reste, il nous fit un jour la remarque : « J'ai bien le droit de faire du commerce de l'art. Tant que c'est à l'étranger. »

Guy Loudmer soutenait aussi le commerce de l'art à Paris, puisqu'il fut également condamné pour avoir détourné 2 millions de francs de sa société pour acheter la société exploitant la galerie Berggruen et son bel immeuble. Il en avait partagé les parts avec Soizic Audouard. Il avait également, de 1994 à 1997, fait supporter par son entreprise, dont la situation était déjà « gravement obérée » selon les mots de l'expert judiciaire, 4,4 millions de francs [1] de remboursement d'emprunts pour l'appartement de sa compagne, quai de Béthune à Paris. D'où l'ire de son fils. En dépit de la dégradation de sa situation, Me Loudmer gardait de sa superbe, puisque l'expert a calculé qu'il prélevait 250 000 francs [2] en moyenne par mois pour son train de vie. Son étude avait encore trois cadres et dix-huit employés quand elle fut mise en liquidation.

---

1. 700 000 euros.
2. 40 000 euros.

Guy Loudmer trouve cependant légitimes ces sorties d'argent dans une société civile professionnelle (SCP), et conteste qu'elles aient pu entraîner la chute de son étude. Son incarcération pendant six mois, et toute la publicité négative qui entoure un incident aussi malheureux, seraient à l'origine de la fermeture d'une des plus actives sociétés de Drouot. Sans Guy Loudmer, son entregent, son expertise, ses relations de confiance avec les clients, l'étude Loudmer n'est plus rien. La Justice, et la presse aussi, sont donc les véritables tueurs de sa société.

Le 25 juin 2001, Guy Loudmer comparut devant le tribunal correctionnel de Paris. Il fit face, se démontant rarement, souvent imprécis dans ses souvenirs, mais concluant : « Je n'ai rien fait de mal. J'ai toujours agi au mieux de l'intérêt des Bourdon. » Trop âgée, atteinte de la maladie d'Alzheimer, Marcelle Bourdon n'était pas présente. A quatre-vingt-douze ans, son époux, auquel il fut reproché dans le cours d'une instruction décidément brouillonne des peccadilles dans la gestion de l'association (ce qui était quand même un comble), promenait son éternel regard ironique sur la scène. Il fut, naturellement, relaxé.

Brillant et pugnace, l'avocat du principal accusé, Me Maurice Lantourne, a limité les dégâts, contestant l'ensemble des charges, reprochant au passage à la Justice d'avoir embrayé le pas à la presse. A la procureur, il fit un cours de droit : « Je n'entends qu'une leçon de morale, mais il n'y a aucun fondement juridique à l'abus de confiance. On veut sanctionner un comportement dans l'exercice de fonctions professionnelles, mais il n'y a aucune infraction pénale. » Autrement dit, peut-être les opérations n'étaient-elles pas tout à fait dans les règles, mais d'ici à incarcérer un des meilleurs commissaires-priseurs de France... Guy Loudmer ne faisait, après tout, que reprendre des pratiques habituelles du métier. Quoi qu'on pense de l'attitude morale du commissaire-priseur envers son couple d'amis, ou envers une association dont il était censé partager les buts désintéressés, il n'avait pas franchi la ligne jaune faisant de lui un escroc.

Le tribunal l'a en partie entendu. Il n'a pas, pour autant, absous Guy Loudmer, dont la condamnation ne peut manquer d'avoir des répercussions pour ses collègues. Les Bourdon et leur association ont, en effet, demandé à la Justice de faire jouer les mécanismes de responsabilité de la profession. Comme il s'est présenté insolvable devant le tribunal, le commissaire-priseur déchu aura du mal à payer les dommages et intérêts qui pourraient lui être réclamés. Un expert judiciaire a conclu qu'il devait au couple au moins 57 millions de francs sur la vente de 1990. L'association Bourdon, pour sa part, réclame un total de 125 millions de francs[1].

Par-dessus tout, ce scandale rejaillit sur Drouot : comment de telles pratiques étaient-elles possibles au sein d'une compagnie qui dispose normalement de procédures de contrôle et d'une chambre de discipline ? Pourquoi Drouot s'est-elle alors refusée à ouvrir une opération « mains propres », donnant nettement l'impression de préférer voir le scandale étouffé plutôt qu'exposé ainsi en place publique ? Comme le fait remarquer un juriste : « On ne peut qu'être frappé par la rapidité et la vigueur avec lesquelles les commissaires-priseurs attaquent dès qu'ils sont en situation de concurrence. Il suffit de voir comment ils ont réagi quand Loudmer avait ouvert son propre hôtel de ventes, ou quand Sotheby's a essayé de tenir ses premières ventes. Par contraste, leur absence de réaction dès qu'un des leurs est accusé d'irrégularité ou même de malversation n'en est que plus visible. »

Deux mois après sa condamnation, Guy Loudmer est réapparu dans les salles de ventes, comme consultant. Il avait, en effet, entretenu une relation suivie avec la veuve d'un collectionneur belge, René Gaffé, qui avait réuni une très belle collection d'art primitif et moderne. Dans son

---

1. 19 millions d'euros.

testament, elle confiait à Guy Loudmer le soin de disperser la collection, au profit du Fonds des Nations unies pour l'enfance (UNICEF) et de l'Institut Curie. Ce fut l'événement d'une saison ternie par les attentats de New York. Guy Loudmer demanda l'autorisation de tenir le marteau à cette occasion, mais le parquet de Paris s'y opposa catégoriquement. Soufflant l'affaire à Drouot, Christie's obtint l'honneur d'organiser la vente, rémunérant Guy Loudmer à titre de conseiller et d'expert. Les ventes, le 6 novembre 2001 à New York, et le 8 décembre à Paris, totalisèrent 107,6 millions de francs[1]. Il était prévu de bloquer les honoraires dus à Guy Loudmer, pour compenser les pertes de sa société.

Autre épilogue, navrant : tout au long de cette affaire, les Bourdon furent victimes d'une campagne de lettres anonymes les accusant d'avoir constitué leur collection dans le trouble de l'Occupation, alors qu'en réalité ils l'avaient formée pour l'essentiel dans les années 50. Aucun élément concret n'est jamais venu étayer cette rumeur, qui, pourtant, s'est répandue insidieusement dans les milieux de l'art, au point d'être évoquée par *Le Monde*. Au procès, cependant, il n'y a même pas été fait allusion. Quant à Me Lefebvre, il soupire : « Les Bourdon ne voulaient pas de cet argent. La seule chose qu'ils souhaitaient : être tranquilles. »

---

1. 16,4 millions d'euros.

Conclusion

La visite de ce petit musée, consacré aux ventes aux enchères en France dans la fin du xxᵉ siècle, s'achève sur la galerie des horreurs. Alimentés par l'accumulation de fortunes en un temps record et par un sentiment général d'impunité, les dérèglements ont pris une ampleur alarmante dans la seconde moitié des années 80. La purge du marché de l'art a été retardée par des mécanismes de protection, ou encore par l'effroi sacré que suscite le mélange d'art et d'argent, même auprès de caractères aussi trempés que ceux des magistrats. La bienveillance naturelle envers des gens bien nés, dont les commissaires-priseurs ont su si bien tirer profit, s'est, cependant, estompée dans les dernières années du siècle. Ce mouvement de moralisation va-t-il se poursuivre à la faveur de la grande réforme du marché de l'art ?

Cet ouvrage peut contribuer à un débat sur la protection du consommateur qu'est l'acheteur des ventes aux enchères, qui a été occulté dans la préparation de la loi du 10 juillet 2000. C'est l'une des conditions du succès de cette réforme, avec l'allégement indispensable de la fiscalité. A terme, c'est aussi la création artistique actuelle qui est en jeu, car, privée de marché, elle se trouve comme un être vivant manquant d'oxygène [1].

---

1. Aujourd'hui, pour ce qui concerne les ventes publiques, New York représente quinze fois le volume d'affaires de Paris, toutes sociétés confondues. Encore s'agit-il d'une moyenne, car, dans certaines spécialités, comme l'art contemporain précisément, le marché français est quasiment inexistant.

Nos contemporains sont fiers d'avoir tout inventé, mais il faut parfois les désillusionner : les méprises, fraudes et malversations du marché de l'art ne sont pas leur apanage. Elles devaient être au moins aussi fréquentes sous les colonnades de la Rome antique ou sur les places publiques du Moyen Age. Elles n'ont fait que croître sous l'Ancien Régime.

Depuis ces temps immémoriaux, le métier de « priseur » n'a guère changé, même s'il a connu des adaptations. Le XXIe siècle s'annonce-t-il différent ? La passion de la collection est toujours aussi vive qu'à la Renaissance ou au XIXe siècle, mais elle a pris une forme mondialisée. Les collectionneurs se trouvent à Fort Worth, Hong Kong ou Rio. Désormais, le commerce est instantanément planétaire, les diamants se vendant à Genève, les Gainsborough à Londres, les Monet ou Braque à New York, les incunables et commodes XVIIIe à Paris... Pour le moment, seules Christie's et Sotheby's sont à même de répondre à cette demande.

Par l'odeur de l'argent et du prestige attirés, les grands requins du capitalisme viennent croiser dans ces eaux. Pinault, Arnault, Dassault, Bergé, « e-capital-risqueurs » (ah, les beaux néologismes de la Bourse !), banques et compagnies financières... Désunie, la corporation des commissaires-priseurs parisiens va en sortir décimée, comme l'a été, avant elle, celle des agents de change.

La masse des ventes de petite ou moyenne importance reste cependant alimentée par le réseau des notaires, qui ont les commissaires-priseurs pour correspondants naturels. L'éclatement des lieux de ventes va constituer une nouvelle chance pour le curieux à la recherche de découvertes. Dans le nouveau paysage qui s'ébauche, ce monstre aimable qu'est Drouot garde ses chances, d'autant que le patrimoine artistique français est sans pareil. Il lui faudrait se rationaliser et se développer, sans toutefois perdre son âme.

Avec les nouvelles technologies de diffusion de l'image, les salles de Sotheby's et Christie's se vident de leur assistance, si bien que des ventes importantes peuvent se dérouler devant un public clairsemé, tout en se soldant par un beau succès financier. Dans un hôtel des ventes traditionnel, l'atmosphère désordonnée et bon enfant est une invitation à venir fouiller le grenier d'un grand-père inconnu. Ici, l'objet du désir est à portée de main. Il suffit de la lever.

Glossaire des ventes publiques

ADJUDICATION : attribution d'un lot. Le commissaire-priseur prononce le mot fatidique, « adjugé », appuyé par un coup du marteau d'ivoire, en désignant l'adjudicataire. Le prix d'adjudication est hors taxes et frais.

AMATEURS : se divisent en trois grandes classes : ceux qui paient un objet plus cher qu'il ne vaut, ceux qui le paient ce qu'il vaut, et ceux qui le paient moins cher. « Il en est de ces classes comme les humanités au collège : pour arriver à la troisième, qui est la terre promise de l'acheteur, il faut fatalement passer par la première, et traverser la seconde[1]. » A condition de ne pas finir ruiné durant le parcours.

ANNULATION : une vente est prononcée nulle par la Justice dès lors qu'il y a eu « vice sur la substance même de la chose » vendue. Le vendeur ou l'acheteur a dix ans pour contester la vente. La bonne foi des professionnels ne saurait être remise en cause, mais, comme l'avaient déjà sagement observé les Romains de l'Antiquité, l'erreur est humaine.

BOISSON : « Un ivrogne ne saurait porter des enchères valables[2]. »

BON : authentique, d'époque. « Il n'y a pas de problème : son Poussin, il est bon » (il est bien de la main de Poussin).

---

1. Henri Rochefort, *op. cit.*
2. Comte Joseph Marie Portalis (conseiller à la Cour de cassation, puis garde des Sceaux), 17 mai 1821.

Bordereau : facture remise en fin de vacation. Dans une vente sans catalogue, seul document juridiquement valable en cas de contestation.

Bourrer, ou « pousser » : faire semblant de répercuter des enchères, alors que personne ne se manifeste réellement, pour tromper un enchérisseur. « Recueillir les enchères, alors que les enchères n'existent pas, demande un tempérament de fourbe consommé [1]. » Voir chapitre 6.

Came, ou camelote : marchandise. Dépourvu de sens péjoratif : « Il a de la came de qualité. »

Catalogue : présente les lots d'une vente. Le catalogue expose les conditions de vente et présente chaque lot. Fréquemment, il comprend la reproduction de chaque objet, accompagnée d'une description, d'une notice explicative, historique et stylistique, et d'une estimation en valeur. Souvent, il ne précise pas la condition de l'objet, qui « est vendu en l'état ». Il est le document de référence juridique par excellence (« le catalogue fait foi », a-t-on coutume de dire). Les ventes ordinaires ne sont pas cataloguées.

Certificat : désigne le certificat d'exportation. Dans certains cas, il est important de savoir s'il a été accordé (un éventuel refus amoindrit notablement la valeur de l'objet). Le commissaire-priseur le précise : « Ce Picasso a reçu son certificat » ou bien « ce Picasso a été déclaré d'intérêt national ». Concerne les chefs-d'œuvre de la peinture ou de la sculpture, les manuscrits importants, mais aussi les pièces archéologiques. Voir pp. 109-112.

Chapelle : « monter une chapelle », c'est garnir une vente de château de meubles tout droit sortis du stock d'un marchand (voir : *Château*).

Château : le dimanche 16 avril 1937, Mᵉ Jacquot, commissaire-priseur d'Autun (Saône-et-Loire), mit le mobilier du château du Mercey à la criée dans la cour. En réalité, il s'agissait d'invendus du dimanche précédent à Joigny, et de la

---

1. Champfleury, *op. cit.*

marchandise d'un antiquaire parisien. Celui-ci avait loué le château aux demoiselles de la Maillauderie, « dont il savait la situation de gêne »[1]. Cette dispersion de prestige rencontra un vif succès auprès d'une assistance choisie (voir : *Provenance*).

Cheval de retour : vieux « ravalo » (voir : *Ravalé*).

Clerc : proche collaborateur du commissaire-priseur qu'il assiste dans les tâches administratives. Parfois tout aussi compétent, voire plus, que son employeur, toujours beaucoup moins riche.

Collectionneur : amateur, mais fortuné. Grand collectionneur : doté d'un grand goût, ou d'une grande fortune. Parfois des deux.

Commission : équivalent d'ordre d'achat.

Commissaires-priseurs judiciaires : chargés, depuis la réforme, d'organiser les ventes aux enchères judiciaires. Surtout ne pas confondre avec les responsables des sociétés de ventes, dont l'activité est toute différente. Même s'il s'agit de la même personne.

Commissionnaires : aussi appelés « les Savoyards » ou les « collets rouges ». Les manutentionnaires des salles de ventes. Voir chap. 5.

Composées : ventes constituées de la réunion d'objets provenant de différents vendeurs. Se distinguent des « ventes de collection », plus prestigieuses. Compromis judicieux : « collection du vicomte de R., et divers amateurs » (traduire : provenant de divers marchands).

Conseil des ventes : haute autorité chargée de surveiller la profession, dotée de pouvoirs de sanction pouvant aller jusqu'à la radiation. Théoriquement minoritaire, la profession a réussi le prodige d'en conquérir la majorité, en faisant

---

1. Tribunal correctionnel d'Autun, 30 mars 1938. *Journal des commissaires-priseurs*, 1937-38.

notamment nommer un investisseur sur le Net, dont les affaires sont en dépôt de bilan, au titre de « personnalité qualifiée ». On se demande pourquoi le gouvernement ne confie pas la répression des fraudes viticoles aux viticulteurs.

CRIEURS : aussi appelés « aboyeurs ». Collaborateurs du commissaire-priseur, reconnaissables à leurs galopades incessantes entre la salle et l'estrade. Ils ont pour fonction de retransmettre les enchères, de distribuer les étiquettes des lots et d'apporter espèces ou chèques à la comptable. Un bel organe est indispensable. Voir pp. 58-60.

DIMANCHE : toujours soucieux de servir le public, Drouot ouvre parfois ses portes le dimanche aux bourgeois parisiens. Les commissaires-priseurs en profitent pour sortir leurs plus beaux tapis et peintures de l'avant-garde russe. Cet événement exceptionnel rencontre un grand succès aux beaux jours du printemps, ce qui lui vaut sans doute d'être appelé « journée des poires ». Voir p. 222.

DROUILLE : marchandise misérable.

ENCHÉRIE : « Ce mot ne se dit guère que d'une précieuse : "Elle ne faisoit que l'enchérie" (Rabelais)[1]. »

ESTIMATION : les experts, commissaires-priseurs et sociétés de ventes réalisent gratuitement des estimations, verbales, même si les objets ne sont pas destinés à être vendus. Une estimation écrite entraîne des frais. Dans les catalogues, les estimations s'expriment en fourchettes, le niveau bas étant, généralement, le minimum espéré.

ESTRADE : le piédestal permettant de distinguer le commissaire-priseur, qui daigne s'entourer de ses plus proches collaborateurs, du parterre des mortels.

---

1. Jean-Baptiste de La Curne de Sainte-Palaye (1697-1781), auteur du *Dictionnaire historique de l'ancien langage françois*, L. Favre et H. Champion, 1875-1882.

Etiquette : une moitié est collée sur le lot, l'autre est remise à l'adjudicataire. Elle est indispensable pour réclamer l'objet.

Expert : ne s'autorise que de lui-même. Il y a l'honnête et le malhonnête, le compétent et l'incompétent, et celui qui amène beaucoup d'affaires. Le commissaire-priseur préfère nettement ce dernier. Désormais, avec l'entrée en vigueur de la loi du 10 juillet 2000, il existe trois grandes catégories d'experts : l'expert indépendant, l'expert salarié d'une société de ventes et l'expert « agréé » par le Conseil des ventes. Ce dernier doit répondre à des obligations morales qui ne s'appliquent pas à ses confrères. Comme tout ce beau monde peut officier dans les ventes aux enchères, l'amateur aura du mal à distinguer les uns des autres. L'expert indépendant est généralement aussi marchand, ce qui démontre que le commerce ne s'oppose pas à la science. Voir pp. 48-52.

Fol enchérisseur : celui qui s'est vu adjuger un lot en pleine bouffée délirante. Il peut être véritablement fou, ou soûl, ou bien encore victime d'une aliénation passagère, qui consiste à refuser de laisser son voisin l'emporter. Le lot est remis aux « folles enchères », quitte au malheureux à régler la différence.

Frais de vente : l'organisateur des ventes répercute deux sortes de frais : ceux de l'Etat, qui sont excessifs, et les siens, qui sont insuffisants. Ils sont libres, sauf en cas de vente judiciaire (7 % HT).
Les frais-acheteurs sont affichés dans la salle et annoncés au catalogue. Ils ont fait un bond début 2002, allant jusqu'à doubler.
Les frais-vendeurs comprennent les honoraires des organisateurs de la vente, dont l'expert, les droits et taxes, mais aussi les frais de vente (édition de catalogue, publicité...).

Honoraires : les honoraires sont libres. Le record, en cession privée, est détenu par l'expert Eric Turquin : 16 millions de francs retenus sur un Poussin vendu 45 millions. A Drouot, il a été établi en 1990 par Me Guy Loudmer : 50 millions de francs (sur une vente de 500 millions). Voir chapitre 34.

INDUSTRIE : « Alors, Rheims, toujours votre coupable industrie ! » (le général de Gaulle, à Me Maurice Rheims).

INVENTAIRE : estimation d'un mobilier ou d'une collection. L'intervention peut être gracieuse ou s'élever à quelques milliers d'euros. Le record des honoraires est détenu par Me Jacques Tajan (7,6 millions de francs). Voir chapitre 33.

JUDICIAIRE : toute vente sur décision de Justice. Elle est de la responsabilité exclusive des commissaires-priseurs judiciaires. Elle se distingue des ventes dites volontaires, qui sont du ressort des sociétés de ventes.

LÉGITIMITÉ : les organisateurs de ventes ont « obligation de s'assurer de la légitimité de la détention » des biens qui leur sont confiés, ainsi que « du respect des règles relatives à l'exportation des objets d'art ». Cour de cassation, 18 janvier 2000. Cela va sans dire, mais cela va mieux en le disant.

MANETTE : panier ou carton contenant toutes sortes d'objets généralement de faible valeur, et que les esprits romanesques pourront croire remplis de trésor.

MARTEAU : sceptre du commissaire-priseur. Apparaît au XIXe siècle.

ORDRE D'ACHAT : mandat confié à un professionnel (commissaire-priseur, clerc, commissionnaire, expert), qui enchérit en votre nom. Un prix-plafond est fixé. Sur l'inconvénient de cette méthode, voir pp. 66-67.

MISE A PRIX : première proposition d'enchère lancée par le commissaire-priseur.

MONOPOLE : février 1556-juillet 2000.

MONTER SUR QUELQU'UN : surenchérir. « Expression à n'utiliser que si le contexte indique clairement que l'action se situe à Drouot[1]. »

----

1. François Duret-Robert, *op. cit.*

Préemption : action par laquelle l'Etat peut souffler le lot sous le nez de l'adjudicataire, pour l'acquérir, au même prix, pour les collections publiques. Cette belle exception française a été inscrite dans une loi datant de 1941, mais elle tire sa source dans la plus haute Antiquité. Voir pp. 108-110.

Prisée : estimation de la valeur d'un bien. « Priser un inventaire. »

Prix : point de rencontre de deux personnes autour d'un objet. Variante : rencontre d'une personne et d'un mur.

Procès-verbal : document dans lequel l'organisateur inscrit tous les résultats de sa vente. S'il est déposé par un commissaire-priseur, c'est-à-dire un « officier public », il devient un acte authentique. Il ne saurait être retouché, mais parfois les commissaires-priseurs se perdent entre les colonnes. Voir chap. 9.

Provenance : les objets sont bien plus chers dès qu'ils peuvent arborer une provenance. Qu'elle soit, à l'occasion, inventée est un point secondaire. Le grand art est de faire rejaillir le prestige de la provenance d'un objet à l'autre, par de savants procédés de déductions, d'approximations et d'amalgame.

Ravaler : action par laquelle le commissaire-priseur reprend un lot n'ayant pas atteint le niveau de prix désiré (voir : *Réserve*). Ces invendus sont aussi surnommés « ravalos ». Ils peuvent être remis aux enchères quelque temps plus tard, ou alors négociés en cession privée par le commissaire-priseur pendant quinze jours. Dans ce cas, le prix ne peut être inférieur à la dernière enchère. Les ventes qui comptent beaucoup de « ravalos » sont des « voitures-balais ».

Réquisition de vente : obligatoire. En principe. Détaille tous les frais-vendeurs. En principe.

Réserve : prix minimum, fixé par le vendeur, en dessous duquel il préfère reprendre son bien. Ne peut être supérieur au niveau bas de l'estimation. Recommandé, mais pas obligatoire.

Retrait : parfois, un lot est retiré de la vente par l'organisateur de la vente. Une contestation impromptue est survenue à la dernière minute. Ne vous attendez pas à obtenir des explications sur cet incident malheureux.

Réunion : la « faculté de réunion » s'applique à une série de lots identiques. Elle permet à l'adjudicataire d'un lot de prendre, au même prix, un ou plusieurs lots suivants, s'il le souhaite.

Révision (ou « révise ») : pratique illicite, signalée depuis le XVIIIe siècle, consistant à remettre un objet aux enchères dans une session privée, entre marchands, après la vente proprement dite. Voir chapitre 8.

Rossignol : objet sans intérêt « ainsi nommé en raison des frais d'éloquence et du flux de paroles harmonieuses qu'il faut déployer pour venir à bout de s'en défaire »[1].

Signes : hocher la tête, faire la moue, cligner des yeux, se gratter le nez, enlever ses lunettes, les essuyer, ouvrir ou fermer son catalogue, sortir son mouchoir, triturer son oreille sont autant de signes d'enchères. En revanche, évitez de faire signe à la jolie personne en face de vous : le commissaire-priseur risque de l'interpréter comme une enchère. Il vous reste toujours la possibilité de jouer au fol. (Voir : *Fol.*)

Spoliation : « L'acquéreur ou les acquéreurs successifs sont considérés comme possesseurs de mauvaise foi au regard du propriétaire dépossédé. Ils ne peuvent en aucun cas invoquer le droit de rétention. » Article 4 de l'ordonnance du 21 mai 1945 sur « la nullité des actes de spoliation accomplis par l'ennemi ou sous son contrôle ».

Vacation : une séance de vente ou d'inventaire.

Valeur : d'éminents scientifiques ont élaboré des modèles prédictifs sur les variations de la valeur de l'art, qui ont le grand mérite d'expliquer le passé.

---

1. Texier, *op. cit.*

Quelques conseils

AVANT UNE VENTE

Regarder le catalogue, examiner chaque lot, demander l'estimation si elle n'y figure pas, vérifier à quel prix son équivalent peut se retrouver dans une boutique, se référer à un livre de cotations (pour les « multiples » : vins, bronzes, lithographies, monnaies, timbres, etc., mais non pour les œuvres originales), demander son avis à un professionnel de confiance. Le cas échéant, en particulier pour l'art primitif, les pièces archéologiques ou les œuvres importantes, s'inquiéter de la légitimité de la provenance. Se méfier des copies et des faux comme de la peste. N'acheter des objets dégradés ou abîmés qu'à bas prix, éventuellement après avoir demandé un devis à un restaurateur. Vérifier les tarifs de la société de ventes (qui peuvent dépasser les 20 % du prix d'adjudication). Etablir un budget global, et se fixer un plafond pour chaque lot. Il est fondamental de vérifier l'état des lots à l'exposition, le matin. Sotheby's et Christie's délivrent, sur demande, un descriptif écrit de l'état des lots.

PENDANT LA VENTE

S'en tenir à son budget. Eviter de lancer des enchères trop tôt, à moins que personne ne se manifeste. Profiter des instants de faiblesse : les lots hors catalogue, proposés en fin de vacation, sont normalement moins chers (la salle s'est à moitié vidée, le brouhaha gagne, les lots sont réputés moins intéressants). Parfois, le même lot se répète plusieurs fois : par exemple, six caisses à la suite de douze bouteilles du cru classé haut-bailly 1995. Le premier et le dernier de la série ont tendance à être davantage disputés. Les troisième et quatrième le sont plutôt moins. La différence est souvent minime, mais elle prend de l'ampleur si l'amateur acquiert plusieurs lots d'un coup, quand il lui est proposé une « faculté de réunion ». Dans ce cas, il est possible de prendre un, plusieurs ou même tous les lots suivants au même prix.

Se méfier du « bourrage » du commissaire-priseur.

Dans les ventes de tout-venant, n'acheter normalement qu'à bas prix.

En cas d'adjudication, remettre un chèque en blanc signé au crieur. Prendre garde à ne pas égarer l'étiquette remise par le crieur, sur laquelle est inscrit le numéro du lot.

EN FIN DE VACATION

Passer à l'estrade se faire remettre le bordereau de vente. Si la vente est cataloguée, il indique simplement les numéros. Si elle est sans catalogue, la description sommaire du lot y figure. Vérifier qu'elle correspond à l'annonce qui en a été faite, surtout si une époque ou un artiste a été mentionné. Muni du bordereau et des étiquettes, retirer les lots de suite auprès des commission-naires, pour éviter les frais de garde et les disparitions.

Il ne faut jamais acheter un objet qui n'a pas été vu. Mais il est possible, en cas d'impossibilité de se rendre à la vente, de confier un ordre d'achat. Dans ce cas fixer un plafond. Ne faire appel qu'à des intermédiaires de toute confiance.

VENDRE

Faire établir une estimation de l'objet par un expert de confiance, éventuellement prendre d'autres avis. Cette estima-tion est gratuite. Vérifier le prix que pourrait en proposer un marchand, avec l'avantage d'un paiement immédiat. Vérifier le tarif proposé par l'organisateur de la vente aux enchères, en incluant bien la totalité des droits, taxes, honoraires et frais de vente (catalogue, publicité, expositions...), le tout devant être indiqué par écrit. Eventuellement, faire jouer la concurrence, au sein de Drouot, ainsi qu'avec Christie's et Sotheby's. Fixer un prix plancher, dit « de réserve ». S'accorder avec l'organisateur pour les frais à supporter en cas d'échec de la vente. Exiger une réquisition de vente écrite, détaillant toutes les conditions de vente. Vérifier le délai de paiement (plus rapide à Drouot, où il est, normalement, de trente à soixante jours).

Mettre dans la balance l'ensemble des paramètres : l'importance des tarifs, bien sûr, et le résultat espéré, mais aussi l'éloignement de la date de la vente et du règlement. Les enchères sont normalement plus élevées dans une vente de spécialité que dans une vente composite. Une vente de prestige peut coûter plus cher en frais et honoraires, mais le lot peut en être valorisé d'autant. De nouveau, ce qui emporte souvent la décision est la relation de confiance nouée avec les professionnels.

Dans le cas des lots importants, s'interroger sur la validité d'une mise aux enchères à l'étranger. Dans ce cas, il faut s'adresser à Christie's et Sotheby's, éventuellement à des marchands ou courtiers qui ont une stature internationale. Les différences fiscales sont très fortes avec New York pour les œuvres contemporaines, et avec Genève pour les bijoux. Le cas échéant, solliciter un certificat d'exportation. Eviter la contrebande, elle fait mauvais genre.

INVENTAIRE

Ne confier un inventaire qu'à un professionnel fiable. Ne pas s'en remettre aveuglément au notaire, qui a ses « correspondants ». Faire vérifier l'estimation de chaque objet d'une certaine importance auprès de spécialistes : un généraliste aura du mal à expertiser un sesterce romain, un violon du XVIIIᵉ siècle ou un vase Ming. Si certaines pièces ont de la valeur, évaluer l'avantage de les faire passer dans des ventes de spécialité.

Eviter les lots composites dans la mesure du possible, sauf quand ils se justifient sans difficulté. Suivre avec soin toutes les opérations, de l'inventaire proprement dit à la vente, en passant par l'empaquetage. Ne pas manquer la vente.

Dans toutes ces situations, se souvenir enfin : bien vendre et bien acheter constitue un art. N'en déplaise à ceux qui le croient encore inné, l'art s'apprend.

Bibliographie

Laurence Mouillefarine, Philippe Colin-Olivier, *La Fortune au grenier*, Albin Michel, 2001.
Harry Bellet, *Le marché de l'art s'écroule demain à 18h30*, NiL, 2001.
Judith Benhamou-Huet, *Art Business*, Assouline, 2001.
François Duret-Robert, *Ventes d'œuvres d'art*, Dalloz, 2001.
   Marchands d'art et faiseurs d'or, Belfond, 1991.
   Les 400 coups du marteau d'ivoire, Robert Laffont, 1964.
Alain Quemin, *Les commissaires-priseurs*, Anthropos, 1997.
Champfleury, *L'Hôtel des commissaires-priseurs*, Dentu, 1867.
Louis Léon-Martin, *Les Coulisses de l'hôtel Drouot*, éd. du Livre moderne, 1943.
Henri Rochefort, *Les Petits Mystères de l'hôtel des ventes*, Rouf, 1862.
Pierre Rouillon, *Le commissaire-priseur et l'hôtel des ventes*, Ed. languedocienne, Toulouse, 1930.
Sheridan, *Les Scandales de l'hôtel des ventes*, Montaigne, 1926.

Revues
Beaux-Arts Magazine, Le Journal des Arts, L'estampille-l'objet d'art, Journal des commissaires-priseurs, La Gazette de l'Hôtel Drouot, Arts & Auction, la Revue du Louvre, Le Figaro, Libération.

Remerciements

Il m'est impossible, dans l'espace imparti, de citer chaque personne qui a bien voulu répondre, parfois longuement, à mes questions à chacun de ces épisodes. Certains, qui ont de bonnes raisons de m'en vouloir, ne se sont pourtant point dérobés. Qu'ils soient tous ici remerciés.

En outre, plusieurs témoins ont bien voulu me recevoir longuement pour me confier leurs souvenirs et anecdotes, ou m'ouvrir leur documentation et leurs archives. Certains ont bien voulu relire et corriger mes brouillons.

Merci donc tout spécialement à :

Didier et Hervé Aaron, Me Eric Agostini, Dominique Augarde, Gérard Auguier, Charles Bailly, Me Olivier Baratelli, Laure de Beauvau Craon, Jean-Michel Beurdeley, Me Bernard Bigault de Granrut, Me Jean-Claude Binoche, Marc Blondeau, Natalie Boels, Lucien Bourdon, Me William Bourdon, Me Jean-Robert Bouyeure, Etienne Bréton, Me Eric Buffetaud, Françoise Cachin, Jean-Jacques Cadéac, Isabelle, Florence, Marceline, Jean-Marc et Jean-Marcel Camard, Me Gérard Champin, François Chaussende, Me Hervé Chayette, Dominique et Pierre Chevalier, Alex de Clouet, François Curiel, Jean-Pierre Cuzin, Alfred Daber, Me Pascal Dewynter, Anne Distel, Me Bernard Duminy, François Duret-Robert, Walter Feilchenfeldt, Me Geoffroy Gaultier, Me Jean-Luc Gaüzère, Alexandre Giquello, Jean Gismondi, Mathias Hemrich, Me Corinne Hershkovitch, Hugues Joffre, Me Laurent Karila, Alexis et Nicolas Kugel, Guy Ladrière, Me Maurice Lantourne,

Mᵉ Olivier Lautman, Mᵉ Bernard-Claude Lefebvre, Mᵉ Rémi Le Fur, Pierre Lemoine, André Lévi, Patrick Leperlier, Sir Denis Mahon, Armelle Malvoisin, Mᵉ Emmanuel Marsigny, Yves Mikaeloff, René Millet, Mᵉ Joël-Marie Millon, Jean Néré Ronfort, Mary-Lisa Palmer, Bill Pallot, Richard et Robert Pardo, Gilles Perrault, Jacques Perrin, Françoise de Perthuis, Gabriel Peyre, Barbara Piazecka-Johnson, Mᵉ Hervé Poulain, Alexandre Pradère, Alain Quemin, Mᵉ Roland Rappaport, René Revial, Mᵉ Dominique Ribeyre, Marie-Laure Robineau, Pierre Rosenberg, Jean-Marie Rossi, François Rubio, André Schoeller, Maurice Segoura, Chakib Slitine, Bernard Steinitz, Mᵉ Jacques Tajan, Jacques Walter, Giacomo Wannenes, Isabelle de Wavrin, Ernst van de Wetering, Daniel Wildenstein, Jean-Patrice Ziegler.

Merci pour leur disponibilité et leur compétence à Marie-Cécile Comerre, Anne-Emmanuelle Piton et Drouot-Documentation ; Virginie Burnet, Florence Chevallier, France Dumas, Frédéric Elkaïm, Sylvie Kremula, Marine Lanxade, Dominique Perrin, Isabelle de Puységur et le service de presse de Drouot ; Céline Hersant-Hoerter, Capucine Millot et le service de presse et de documentation de Christie's ; Marie-Odile Deutsch, Sophie Dufresne et le service de presse et de documentation de Sotheby's ; Sylvia Beder et la communication du Syndicat national des antiquaires, Robert Fohr, Patricia Mounier et Christophe Monin, et les services de communication des Musées de France et du Louvre, Marjolaine Auricoste, Bénédicte Dumont, Nathalie Gabbai, Dominique Poiret et toute la documentation de *Libération*, les greffes des palais de Justice, ainsi que le service Culture du journal, qui a bien voulu me supporter durant toutes ces années.

Je n'aurais pu écrire ce livre sans le soutien aussi indéfectible que plein d'indulgence de Jean-Guy Godin, Lucie Maïques-Grynbaum et Sue Williams.

D'autres, enfin, collaborateurs de commissaires-priseurs ou de la Justice notamment, ont préféré ne pas être cités, la proximité de leur nom avec le mien pouvant être dommageable à leur réputation. Merci d'autant plus.

Table

Photocomposition Nord Compo
59650 Villeneuve-d'Ascq

Impression réalisée sur CAMERON
par BRODARD ET TAUPIN
La Flèche
en mars 2004

Imprimé en France
Dépôt légal : avril 2004
N° d'édition : 52242 – N° d'impression : 23492